KB085064

3-2

초등 수학
팩토

단원별 계산력 수학

FACTO school

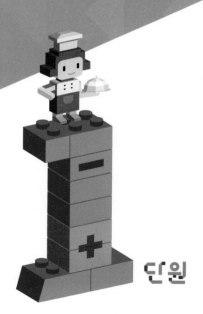

1 단원

곱셈

매스티안

1 곱셈

 Teaching Guide

곱셈을 능숙하게 익혀 틀리지 않고 정확하게 계산하는 것도 중요하지만 수 모형, 모눈종이 등을 활용한 활동도 중요합니다. 25 × 4, 26 × 4와 같은 간단한 곱셈의 경우에는 특히 아이들이 다양한 활동을 통하여 스스로 계산하는 방법을 발견하는 것이 더 중요합니다. 예를 들어 25 × 4와 같은 간단한 곱셈은 25 + 25 = 50을 이용하여 쉽게 100이라는 결과를 얻을 수 있습니다. 또한 26 × 4는 25 × 4와 비교하여 곱해지는 수가 25에서 26으로 1 늘어났으므로 결과는 4만큼 큰 104라는 것을 쉽게 알 수 있습니다.

3. 덧셈과 뺄셈
· 두 자리 수의 덧셈과 뺄셈
· 세 수의 계산

2-1

1. 덧셈과 뺄셈
· 세 자리 수의 덧셈과 뺄셈

3-1

1. 자연수의 혼합 계산
· 괄호가 없을 때와 있을 때의 덧셈, 뺄셈, 곱셈, 나눗셈의 혼합 계산

5-1

3-2

1. 곱셈
· (세 자리 수)×(한 자리 수)
· (두 자리 수)×(두 자리 수)

3-2

2. 나눗셈
· (두 자리 수)÷(한 자리 수)
· (세 자리 수)÷(한 자리 수)

4-1

3. 곱셈과 나눗셈
· (세 자리 수)×(두 자리 수)
· (두 자리 수)÷(두 자리 수)
· (세 자리 수)÷(두 자리 수)

중학 1-1

정수의 계산

공부한 날짜

① 일차 올림이 없는
(세 자리 수)×(한 자리 수)
월   일

② 일차 일의 자리에서
올림이 있는
(세 자리 수)×(한 자리 수)
월   일

③ 일차 십의 자리와 백의 자리
에서 올림이 있는
(세 자리 수)×(한 자리 수)
월   일

④ 일차 (몇십)×(몇십몇),
(몇십몇)×(몇십)
월   일

⑤ 일차 (몇)×(몇십몇)
월   일

⑥ 일차 올림이 한 번 있는
(몇십몇)×(몇십몇)
월   일

⑦ 일차 올림이 여러 번 있는
(몇십몇)×(몇십몇)
월   일

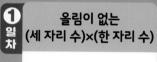

⑧ 일차 응용 문제
월   일

⑨ 일차 형성 평가
월   일

⑩ 일차 단원 평가
월   일

01 올림이 없는 (세 자리 수)×(한 자리 수)

초등 3-2
① 곱셈

🍂 314×2 알아보기

```
    3 1 4
  ×     2
  ───────
        8
```
➡
```
    3 1 4
  ×     2
  ───────
        8
      2 0
```
➡
```
    3 1 4
  ×     2
  ───────
        8
      2 0
    6 0 0
  ───────
    6 2 8
```

 1 곱셈을 하세요.

```
    2 3 1
  ×     3
  ───────
          ← 1×3
        0 ← 30×3
      0 0 ← 200×3
  ───────
```

```
    2 1 2
  ×     4
  ───────
          ← 2×4
        0 ← 10×4
      0 0 ← 200×4
  ───────
```

```
    3 4 1
  ×     2
  ───────
          ← 1×2
        0 ← 40×2
      0 0 ← 300×2
  ───────
```

```
    1 1 0
  ×     5
  ───────

        0
      0 0
  ───────
```

```
    3 1 2
  ×     3
  ───────

        0
      0 0
  ───────
```

```
    4 3 4
  ×     2
  ───────

        0
      0 0
  ───────
```

2 보기 와 같이 곱셈을 하세요.

보기

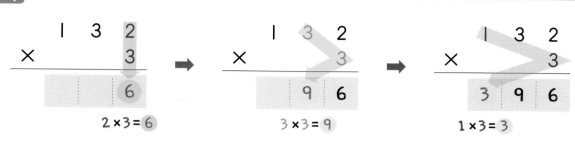

$$2 \times 3 = 6 \qquad 3 \times 3 = 9 \qquad 1 \times 3 = 3$$

	2	3	2
×			2
			4

	3	0	2
×			3

	1	4	3
×			2

	1	0	1
×			7

	1	2	2
×			4

	2	1	3
×			3

	3	2	0
×			3

	1	4	4
×			2

	2	1	2
×			4

	1	1	0
×			6

	3	2	3
×			3

	4	3	2
×			2

	3	2	3
×			2

	1	2	1
×			4

	2	0	3
×			3

3 보기 와 같이 곱셈을 하세요.

보기

$2|4 \times 2 =$ 　　　| 8 　➡　$2 | 4 \times 2 =$ 　| 2 | 8 　➡　$214 \times 2 =$ 　4 | 2 | 8

$4 \times 2 = 8$ 　　　　　$1 \times 2 = 2$ 　　　　　$2 \times 2 = 4$

$221 \times 3 =$ 　　| 3 　　　　　$121 \times 4 =$

$111 \times 5 =$ 　　　　　　　　$102 \times 4 =$

$420 \times 2 =$ 　　　　　　　　$201 \times 4 =$

$100 \times 6 =$ 　　　　　　　　$243 \times 2 =$

$323 \times 2 =$ 　　　　　　　　$220 \times 4 =$

$204 \times 2 =$ 　　　　　　　　$122 \times 3 =$

$233 \times 3 =$ 　　　　　　　　$110 \times 9 =$

$442 \times 2 =$ 　　　　　　　　$232 \times 3 =$

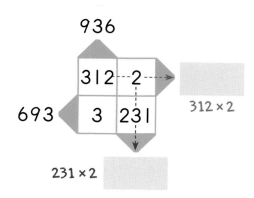

936

312 · 2 → ☐ 312 × 2

693 ◄ 3 231

231 × 2

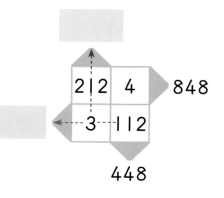

2 | 2 4 848

3 - 112

448

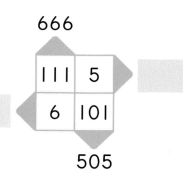

666

111 5 ☐

6 101

505

201 2 402

808 4 202

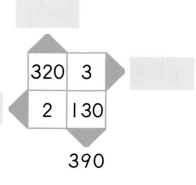

320 3

2 130

390

770

110 8

7 100

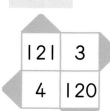

121 3

4 120

220 4

2 122

🍂 216×4 알아보기

```
    2 1 6          2 1 6          2 1 6
  ×     4        ×     4        ×     4
    2 4            2 4            2 4
                  4 0            4 0
                               8 0 0
                               8 6 4
```

1 곱셈을 하세요.

```
    4 3 6              3 2 7              1 1 4
  ×     2            ×     3            ×     5
  ┌───┬───┐          ┌───┬───┐          ┌───┬───┐
  │   │   │ ← 6×2    │   │   │ ← 7×3    │   │   │ ← 4×5
  └───┴───┘          └───┴───┘          └───┴───┘
        0 ← 30×2           0 ← 20×3           0 ← 10×5
    0 0 ← 400×2        0 0 ← 300×3        0 0 ← 100×5
  ┌───┬───┐          ┌───┬───┐          ┌───┬───┐
  │   │   │          │   │   │          │   │   │
  └───┴───┘          └───┴───┘          └───┴───┘
```

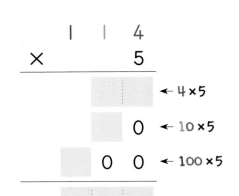

```
    2 1 8              1 2 5              3 4 9
  ×     4            ×     3            ×     2
  ┌───┬───┐          ┌───┬───┐          ┌───┬───┐
  │   │   │          │   │   │          │   │   │
  └───┴───┘          └───┴───┘          └───┴───┘
        0                  0                  0
    0 0                0 0                0 0
  ┌───┬───┐          ┌───┬───┐          ┌───┬───┐
  │   │   │          │   │   │          │   │   │
  └───┴───┘          └───┴───┘          └───┴───┘
```

2 보기 와 같이 곱셈을 하세요.

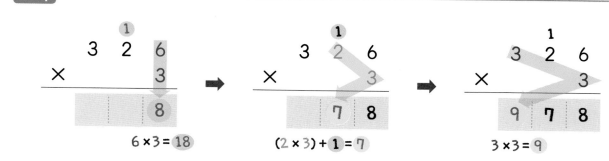

보기

$$3 \ 2 \ \overset{①}{6}$$
$$\times \qquad 3$$
$$\underline{\hspace{3cm}}$$
$$\qquad \ \ 8$$
$6 \times 3 = 18$

➡

$$3 \ \overset{①}{2} \ 6$$
$$\times \qquad 3$$
$$\underline{\hspace{3cm}}$$
$$\quad 7 \ 8$$
$(2 \times 3) + 1 = 7$

➡

$$\overset{1}{3} \ 2 \ 6$$
$$\times \qquad 3$$
$$\underline{\hspace{3cm}}$$
$$9 \ 7 \ 8$$
$3 \times 3 = 9$

$$4 \ 3 \ \overset{①}{7}$$
$$\times \qquad 2$$
$$\underline{\hspace{2.5cm}}$$
$$\qquad \ 4$$

$$3 \ 0 \ 4$$
$$\times \qquad 3$$
$$\underline{\hspace{2.5cm}}$$

$$2 \ 3 \ 8$$
$$\times \qquad 2$$
$$\underline{\hspace{2.5cm}}$$

$$2 \ 1 \ 7$$
$$\times \qquad 4$$
$$\underline{\hspace{2.5cm}}$$

$$1 \ 1 \ 9$$
$$\times \qquad 5$$
$$\underline{\hspace{2.5cm}}$$

$$2 \ 1 \ 5$$
$$\times \qquad 3$$
$$\underline{\hspace{2.5cm}}$$

$$2 \ 3 \ 5$$
$$\times \qquad 2$$
$$\underline{\hspace{2.5cm}}$$

$$1 \ 0 \ 8$$
$$\times \qquad 6$$
$$\underline{\hspace{2.5cm}}$$

$$3 \ 1 \ 9$$
$$\times \qquad 3$$
$$\underline{\hspace{2.5cm}}$$

$$3 \ 4 \ 9$$
$$\times \qquad 2$$
$$\underline{\hspace{2.5cm}}$$

$$1 \ 1 \ 3$$
$$\times \qquad 7$$
$$\underline{\hspace{2.5cm}}$$

$$1 \ 2 \ 6$$
$$\times \qquad 3$$
$$\underline{\hspace{2.5cm}}$$

3 보기 와 같이 곱셈을 하세요.

보기

$327 \times 2 = $ ① ⬛⬛ **4**
$7 \times 2 = $ **14**

➡ $327 \times 2 = $ ① **5** **4**
$(2 \times 2) + $ **1** $ = $ **5**

➡ $327 \times 2 = $ ① **6** **5** **4**
$3 \times 2 = $ **6**

$126 \times 3 = $ ① ⬛⬛ **8**

$223 \times 4 = $ ⬛⬛⬛

$318 \times 2 = $

$104 \times 5 = $

$326 \times 2 = $

$305 \times 3 = $

$124 \times 4 = $

$115 \times 6 = $

$227 \times 3 = $

$249 \times 2 = $

$305 \times 2 = $

$209 \times 4 = $

$104 \times 7 = $

$246 \times 2 = $

$235 \times 2 = $

$328 \times 3 = $

4 계산 결과가 같은 칸을 찾아 해당하는 글자를 써넣어 수수께끼를 해결해 보세요.

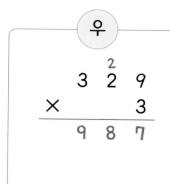

우

$$
\begin{array}{r}
3\ 2\ 9 \\
\times \qquad 3 \\
\hline
9\ 8\ 7
\end{array}
$$

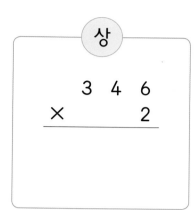

상

$$
\begin{array}{r}
3\ 4\ 6 \\
\times \qquad 2 \\
\hline
\end{array}
$$

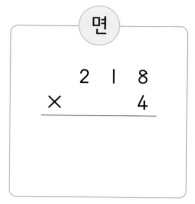

면

$$
\begin{array}{r}
2\ 1\ 8 \\
\times \qquad 4 \\
\hline
\end{array}
$$

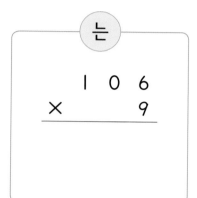

는

$$
\begin{array}{r}
1\ 0\ 6 \\
\times \qquad 9 \\
\hline
\end{array}
$$

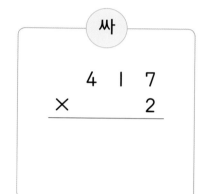

싸

$$
\begin{array}{r}
4\ 1\ 7 \\
\times \qquad 2 \\
\hline
\end{array}
$$

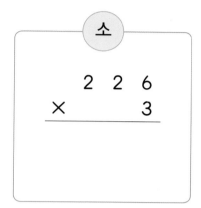

소

$$
\begin{array}{r}
2\ 2\ 6 \\
\times \qquad 3 \\
\hline
\end{array}
$$

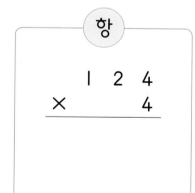

항

$$
\begin{array}{r}
1\ 2\ 4 \\
\times \qquad 4 \\
\hline
\end{array}
$$

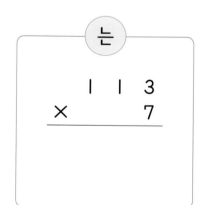

는

$$
\begin{array}{r}
1\ 1\ 3 \\
\times \qquad 7 \\
\hline
\end{array}
$$

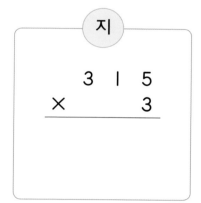

지

$$
\begin{array}{r}
3\ 1\ 5 \\
\times \qquad 3 \\
\hline
\end{array}
$$

834	987	872
	우	

496	692

945	954

678	791
	?

수수께끼 답 ➡

초등 3-2

1 곱셈

🍂 531×6 알아보기

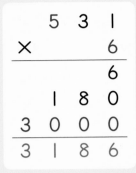

	5	3	1
×			6
			6

→

	5	3	1
×			6
			6
	1	8	0

→

	5	3	1
×			6
			6
	1	8	0
3	0	0	0
3	1	8	6

 1 곱셈을 하세요.

	1	7	2
×			4

← 2×4
0 ← 70×4
0 0 ← 100×4

	5	3	1
×			7

← 1×7
0 ← 30×7
0 0 ← 500×7

	8	6	3
×			3

← 3×3
0 ← 60×3
0 0 ← 800×3

	4	5	4
×			2

0
0 0

	6	3	1
×			5

0
0 0

	2	8	1
×			6

0
0 0

2 보기 와 같이 곱셈을 하세요.

보기

$$2\ 4\ 1 \times 7$$

→

$$2\ 4\ 1 \times 7 = 8\ 7$$

→

$$2\ 4\ 1 \times 7 = 1\ 6\ 8\ 7$$

$1 \times 7 = 7$ $4 \times 7 = 28$ $(2 \times 7) + 2 = 16$

$$\begin{array}{r} 1\ 6\ 2 \\ \times\ \ \ \ \ 4 \\ \hline 4\ 8 \end{array}$$

$$\begin{array}{r} 4\ 3\ 1 \\ \times\ \ \ \ \ 8 \\ \hline \end{array}$$

$$\begin{array}{r} 7\ 2\ 1 \\ \times\ \ \ \ \ 5 \\ \hline \end{array}$$

$$\begin{array}{r} 2\ 6\ 3 \\ \times\ \ \ \ \ 3 \\ \hline \end{array}$$

$$\begin{array}{r} 9\ 8\ 4 \\ \times\ \ \ \ \ 2 \\ \hline \end{array}$$

$$\begin{array}{r} 5\ 2\ 1 \\ \times\ \ \ \ \ 7 \\ \hline \end{array}$$

$$\begin{array}{r} 1\ 4\ 1 \\ \times\ \ \ \ \ 6 \\ \hline \end{array}$$

$$\begin{array}{r} 8\ 6\ 1 \\ \times\ \ \ \ \ 9 \\ \hline \end{array}$$

$$\begin{array}{r} 6\ 4\ 1 \\ \times\ \ \ \ \ 5 \\ \hline \end{array}$$

$$\begin{array}{r} 2\ 4\ 1 \\ \times\ \ \ \ \ 4 \\ \hline \end{array}$$

$$\begin{array}{r} 2\ 6\ 1 \\ \times\ \ \ \ \ 7 \\ \hline \end{array}$$

$$\begin{array}{r} 4\ 7\ 2 \\ \times\ \ \ \ \ 3 \\ \hline \end{array}$$

3 보기 와 같이 곱셈을 하세요.

보기

$642 \times 3 =$ ⬜⬜⬜ 6 ➡ $642 \times 3 =$ ①⬜⬜ 2 6 ➡ $642 \times 3 =$ ① 1 9 2 6

$2 \times 3 = 6$

$4 \times 3 = 12$

$(6 \times 3) + 1 = 19$

$152 \times 4 =$ ⬜⬜ 8

$653 \times 3 =$ ⬜⬜⬜⬜

$484 \times 2 =$ ⬜⬜⬜

$461 \times 7 =$ ⬜⬜⬜⬜

$273 \times 3 =$ ⬜⬜⬜

$841 \times 9 =$ ⬜⬜⬜⬜

$151 \times 6 =$ ⬜⬜⬜

$471 \times 8 =$ ⬜⬜⬜⬜

$374 \times 2 =$ ⬜⬜⬜

$741 \times 5 =$ ⬜⬜⬜⬜

$162 \times 4 =$ ⬜⬜⬜

$594 \times 2 =$ ⬜⬜⬜⬜

$171 \times 5 =$ ⬜⬜⬜

$621 \times 6 =$ ⬜⬜⬜⬜

$282 \times 3 =$ ⬜⬜⬜

$362 \times 4 =$ ⬜⬜⬜⬜

4 안에 알맞은 수를 써넣으세요.

253
541 × 6
3

541 × 6

253 × 3

871
584 × 2
5

672
161 × 8
4

731
621 × 7
9

451
943 × 3
2

172
661 × 6
4

562
341 × 5
3

151
481 × 8
7

04 (몇십)×(몇십), (몇십몇)×(몇십)

🍂 24×40 알아보기

$$\begin{array}{r} 2\ 4 \\ \times\ 4\ 0 \\ \hline 0 \end{array}$$ 0이 1개

➡

$$\begin{array}{r} {}^{1}\ \ \\ 2\ 4 \\ \times\ 4\ 0 \\ \hline 6\ 0 \end{array}$$ 4×4=16

➡

$$\begin{array}{r} {}^{1}\ \ \\ 2\ 4 \\ \times\ 4\ 0 \\ \hline 9\ 6\ 0 \end{array}$$ (2×4)+1=9

1 곱셈을 하세요.

보기

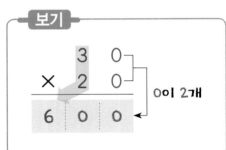

$$\begin{array}{r} 3\ 0 \\ \times\ 2\ 0 \\ \hline 6\ 0\ 0 \end{array}$$ 0이 2개

$$\begin{array}{r} 3\ 0 \\ \times\ 3\ 0 \\ \hline\ \ \ 0\ \ 0 \end{array}$$

$$\begin{array}{r} 4\ 0 \\ \times\ 5\ 0 \\ \hline\ \ \ 0\ \ 0 \end{array}$$

$$\begin{array}{r} 2\ 0 \\ \times\ 4\ 0 \\ \hline \end{array}$$

$$\begin{array}{r} 6\ 0 \\ \times\ 3\ 0 \\ \hline \end{array}$$

$$\begin{array}{r} 4\ 0 \\ \times\ 7\ 0 \\ \hline \end{array}$$

$$\begin{array}{r} 3\ 0 \\ \times\ 1\ 0 \\ \hline \end{array}$$

$$\begin{array}{r} 8\ 0 \\ \times\ 5\ 0 \\ \hline \end{array}$$

$$\begin{array}{r} 7\ 0 \\ \times\ 8\ 0 \\ \hline \end{array}$$

$$\begin{array}{r} 2\ 0 \\ \times\ 2\ 0 \\ \hline \end{array}$$

$$\begin{array}{r} 3\ 0 \\ \times\ 9\ 0 \\ \hline \end{array}$$

$$\begin{array}{r} 6\ 0 \\ \times\ 5\ 0 \\ \hline \end{array}$$

2 곱셈을 하세요.

1

```
    4  6
×   2  0
─────────
    2  0
```

```
    7  5
×   3  0
─────────
       0
```

```
    4  6
×   8  0
─────────
       0
```

```
    1  9
×   3  0
─────────
       0
```

```
    2  5
×   5  0
─────────
```

```
    3  8
×   4  0
─────────
```

```
    2  6
×   4  0
─────────
```

```
    5  6
×   7  0
─────────
```

```
    6  4
×   6  0
─────────
```

```
    8  7
×   6  0
─────────
```

```
    6  2
×   7  0
─────────
```

```
    5  9
×   9  0
─────────
```

```
    7  7
×   4  0
─────────
```

```
    8  4
×   5  0
─────────
```

```
    2  8
×   8  0
─────────
```

```
    9  6
×   7  0
─────────
```

```
    5  5
×   6  0
─────────
```

```
    4  3
×   5  0
─────────
```

3 보기 와 같이 곱셈을 하세요.

보기

$31 \times 60 = $ ☐ ☐ ☐ 0   ➡ $31 \times 60 = $ 1 8 6 0

0이 1개   · $31 \times 6 = 186$

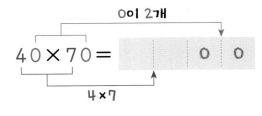

0이 2개

$40 \times 70 = $ ☐ ☐ 0 0 $21 \times 40 = $ ☐ ☐ ☐ 0

4×7 21×4

$60 \times 80 = $ ☐ ☐ 0 0 $35 \times 50 = $ ☐ ☐ ☐ 0

$30 \times 80 = $ ☐ ☐ ☐ ☐ $72 \times 20 = $ ☐ ☐ ☐ ☐

$50 \times 20 = $ ☐ ☐ ☐ ☐ $87 \times 30 = $ ☐ ☐ ☐ ☐

$17 \times 90 = $ ☐ ☐ ☐ ☐ $46 \times 50 = $ ☐ ☐ ☐ ☐

$92 \times 60 = $ ☐ ☐ ☐ ☐ $23 \times 70 = $ ☐ ☐ ☐ ☐

$53 \times 80 = $ ☐ ☐ ☐ ☐ $19 \times 60 = $ ☐ ☐ ☐ ☐

$75 \times 20 = $ ☐ ☐ ☐ ☐ $38 \times 40 = $ ☐ ☐ ☐ ☐

4 빈 곳에 알맞은 수를 써넣으세요.

×20

20	
70	
86	

×50

30	
45	
69	

×70

50	
67	
95	

×30

12	
60	
73	

×80

35	
47	
80	

×40

25	
53	
90	

×60

24	
47	
83	

×90

19	
36	
71	

05 (몇)×(몇십몇)

초등 3-2

① 곱셈

🍂 8×26 알아보기

```
      8              8
  ×  2 6         ×  2 6
  ─────          ─────
    4 8            4 8
                 1 6 0
                 ─────
                 2 0 8
```

 1 곱셈을 하세요.

```
        6
    ×  | 3
    ───────
    [    ]      ← 6×3
    [   ] 0     ← 6×10
    ───────
    [    ]
```

```
        5
    ×  7 8
    ───────
    [    ]      ← 5×8
    [   ] 0     ← 5×70
    ───────
    [    ]
```

```
        7
    ×  9 2
    ───────
    [    ]      ← 7×2
    [   ] 0     ← 7×90
    ───────
    [    ]
```

```
        3
    ×  3 6
    ───────
    [    ]
    [   ] 0
    ───────
    [    ]
```

```
        7
    ×  5 4
    ───────
    [    ]
    [   ] 0
    ───────
    [    ]
```

```
        9
    ×  4 8
    ───────
    [    ]
    [   ] 0
    ───────
    [    ]
```

```
        2
    ×  8 7
    ───────
    [    ]
    [   ] 0
    ───────
    [    ]
```

```
        4
    ×  6 6
    ───────
    [    ]
    [   ] 0
    ───────
    [    ]
```

```
        7
    ×  2 5
    ───────
    [    ]
    [   ] 0
    ───────
    [    ]
```

2 보기와 같이 곱셈을 하세요.

보기

		6	
×	4	3	
			8

$6 × 3 =$ 18 ➡

		6	
×	4	3	
2	5	8	

$(6 × 4) + 1 = 25$

---

①
$$\begin{array}{r} 7 \\ \times\ 6\ 2 \\ \hline 4 \end{array}$$

$$\begin{array}{r} 4 \\ \times\ 8\ 4 \\ \hline \end{array}$$

$$\begin{array}{r} 6 \\ \times\ 5\ 3 \\ \hline \end{array}$$

$$\begin{array}{r} 3 \\ \times\ 7\ 6 \\ \hline \end{array}$$

$$\begin{array}{r} 2 \\ \times\ 5\ 9 \\ \hline \end{array}$$

$$\begin{array}{r} 5 \\ \times\ 9\ 2 \\ \hline \end{array}$$

$$\begin{array}{r} 9 \\ \times\ 1\ 4 \\ \hline \end{array}$$

$$\begin{array}{r} 8 \\ \times\ 4\ 8 \\ \hline \end{array}$$

$$\begin{array}{r} 6 \\ \times\ 2\ 3 \\ \hline \end{array}$$

$$\begin{array}{r} 7 \\ \times\ 8\ 5 \\ \hline \end{array}$$

$$\begin{array}{r} 5 \\ \times\ 4\ 2 \\ \hline \end{array}$$

$$\begin{array}{r} 8 \\ \times\ 3\ 7 \\ \hline \end{array}$$

3 와 같이 곱셈을 하세요.

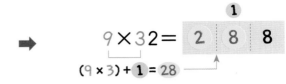

보기

$$9 \times 32 = \boxed{ \vdots 8}$$

$9 \times 2 = 18$

➡

$$9 \times 32 = \boxed{2 \mid 8 \mid 8}$$

$(9 \times 3) + 1 = 28$

$$6 \times 54 = \boxed{ \vdots 4}$$

$$4 \times 48 = \boxed{}$$

$$3 \times 85 = \boxed{}$$

$$5 \times 66 = \boxed{}$$

$$7 \times 29 = \boxed{}$$

$$9 \times 82 = \boxed{}$$

$$2 \times 67 = \boxed{}$$

$$8 \times 36 = \boxed{}$$

$$5 \times 57 = \boxed{}$$

$$7 \times 62 = \boxed{}$$

$$4 \times 39 = \boxed{}$$

$$6 \times 32 = \boxed{}$$

$$2 \times 96 = \boxed{}$$

$$3 \times 38 = \boxed{}$$

$$8 \times 18 = \boxed{}$$

$$9 \times 54 = \boxed{}$$

4 곱셈한 값이 큰 쪽의 길을 따라가 집에 도착해 보세요.

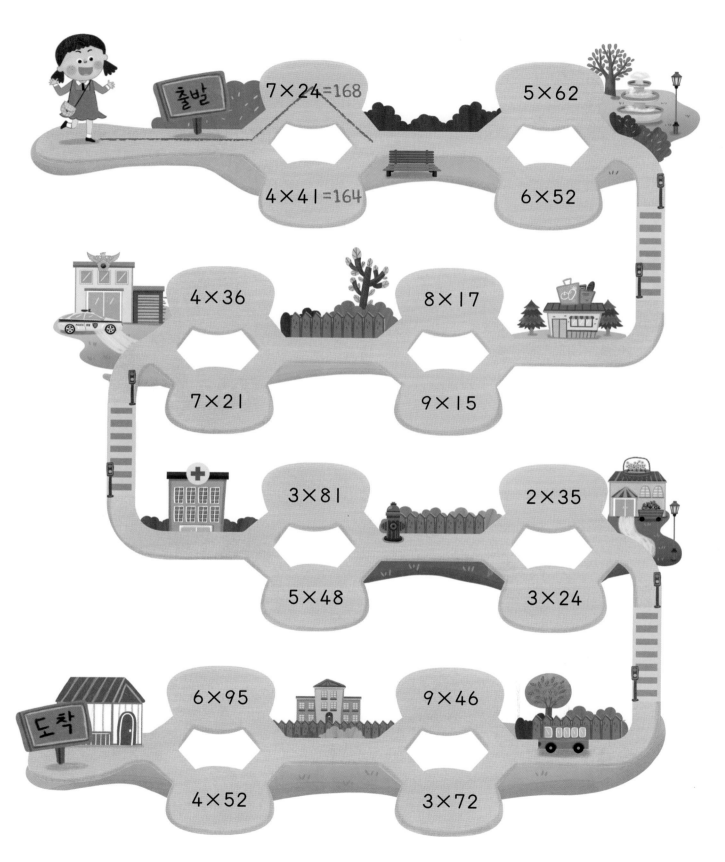

출발

$7 \times 24 = 168$

$4 \times 41 = 164$

5×62

6×52

4×36

7×21

8×17

9×15

3×81

5×48

2×35

3×24

도착

6×95

4×52

9×46

3×72

06 올림이 한 번 있는 (몇십몇)×(몇십몇)

🍂 36×12 알아보기

```
    3 6
  ×  1 2
  ─────
    7 2  ←── 36×2
```

➡

```
    3 6
  ×  1 2
  ─────
    7 2
    3 6 0  ←── 36×10
```

➡

```
    3 6
  ×  1 2
  ─────
    7 2
  3 6 0      0을 생략하여
  ─────      나타낼 수 있음
  4 3 2  ←── 72+360
```

 1 안에 알맞은 수를 써넣으세요.

```
    2 4          2 4
  ×  3 2        ×    2
  ─────        ─────
  ░░░░    ←──   4 | 8
  ░░░░
  ─────          2 4
  ░░░░         ×  3 0
               ─────
               ░░░░
```

```
    1 7          1 7
  ×  1 4        ×    4
  ─────        ─────
  ░░░░    ←──   ░░░░
  ░░░░
  ─────          1 7
  ░░░░         ×  1 0
               ─────
               ░░░░
```

```
    2 3          2 3
  ×  4 2        ×    2
  ─────        ─────
  ░░░░    ←──   ░░░░
  ░░░░
  ─────          2 3
  ░░░░         ×  4 0
               ─────
               ░░░░
```

```
    6 2          6 2
  ×  1 3        ×    3
  ─────        ─────
  ░░░░    ←──   ░░░░
  ░░░░
  ─────          6 2
  ░░░░         ×  1 0
               ─────
               ░░░░
```

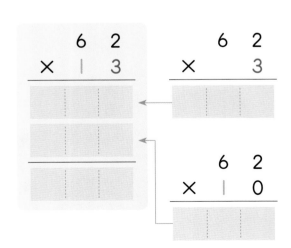

2 곱셈을 하세요.

보기

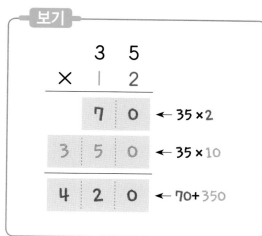

```
      3  5
  ×   1  2
      7  0   ← 35 × 2
  3   5  0   ← 35 × 10
  4   2  0   ← 70 + 350
```

```
      2  4
  ×   4  1
             ← 24 × 1
             ← 24 × 40
```

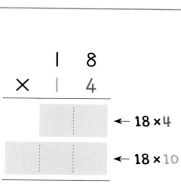

```
      1  8
  ×   1  4
             ← 18 × 4
             ← 18 × 10
```

```
      5  2
  ×   1  3
             ← 52 × 3
             ← 52 × 10
```

```
      3  7
  ×   2  1
```

```
      2  3
  ×   4  3
```

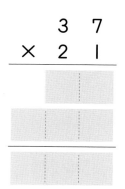

```
      3  1
  ×   2  6
```

```
      1  9
  ×   3  1
```

3 곱셈을 하세요.

$$\begin{array}{r} 2\ 5 \\ \times\ 1\ 2 \\ \hline \end{array}$$

$$\begin{array}{r} 1\ 9 \\ \times\ 1\ 4 \\ \hline \end{array}$$

$$\begin{array}{r} 4\ 5 \\ \times\ 2\ 1 \\ \hline \end{array}$$

$$\begin{array}{r} 6\ 3 \\ \times\ 1\ 3 \\ \hline \end{array}$$

$$\begin{array}{r} 7\ 1 \\ \times\ 1\ 2 \\ \hline \end{array}$$

$$\begin{array}{r} 8\ 2 \\ \times\ 1\ 3 \\ \hline \end{array}$$

$$\begin{array}{r} 4\ 7 \\ \times\ 2\ 1 \\ \hline \end{array}$$

$$\begin{array}{r} 5\ 2 \\ \times\ 1\ 3 \\ \hline \end{array}$$

$$\begin{array}{r} 1\ 4 \\ \times\ 2\ 6 \\ \hline \end{array}$$

$$\begin{array}{r} 3\ 2 \\ \times\ 3\ 4 \\ \hline \end{array}$$

$$\begin{array}{r} 7\ 2 \\ \times\ 1\ 3 \\ \hline \end{array}$$

$$\begin{array}{r} 1\ 7 \\ \times\ 1\ 5 \\ \hline \end{array}$$

4 가로세로 퍼즐을 완성해 보세요.

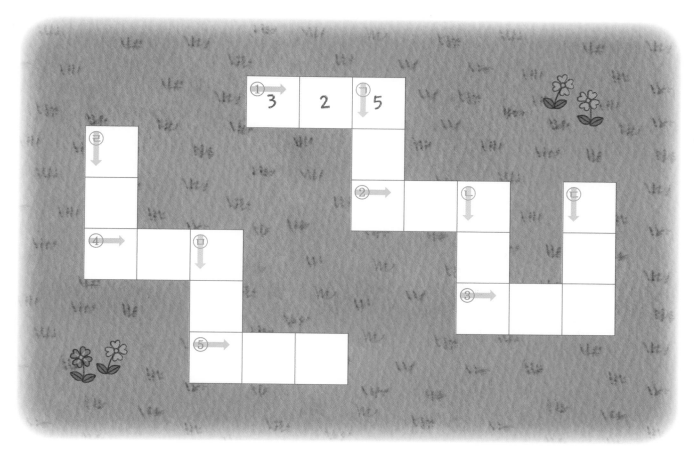

	가로 열쇠			세로 열쇠	

①
$$\begin{array}{r} 2\ 5 \\ \times\ 1\ 3 \\ \hline 3\ 2\ 5 \end{array}$$

②
$$\begin{array}{r} 4\ 3 \\ \times\ 2\ 3 \\ \hline \end{array}$$

㉠
$$\begin{array}{r} 3\ 1 \\ \times\ 1\ 9 \\ \hline \end{array}$$

㉡
$$\begin{array}{r} 7\ 1 \\ \times\ 1\ 3 \\ \hline \end{array}$$

③ $21 \times 19 =$

㉢ $53 \times 13 =$

④ $42 \times 14 =$

㉣ $15 \times 21 =$

⑤ $51 \times 16 =$

㉤ $62 \times 14 =$

초등 3-2

❶ 곱셈

🌰 52×38 알아보기

```
      5 2
  ×   3 8
  ─────────
  4 1 6   ←52×8
```
→
```
      5 2
  ×   3 8
  ─────────
  4 1 6
1 5 6 0   ←52×30
```
→
```
      5 2
  ×   3 8
  ─────────
  4 1 6
1 5 6 0     0을 생략하여
            나타낼 수 있음
1 9 7 6   ←  416+1560
```

 1 ▨ 안에 알맞은 수를 써넣으세요.

```
    3 7            3 7
×   6 2        ×     2
─────────      ─────────
      ▨        ←  7 4
─────────
▨ ▨            
─────────          3 7
               ×   6 0
               ─────────
                   ▨
```

```
    5 7            5 7
×   4 3        ×     3
─────────      ─────────
      ▨        ←  ▨
─────────
▨ ▨                5 7
─────────      ×   4 0
               ─────────
                   ▨
```

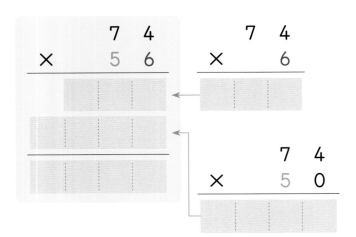

```
    7 4            7 4
×   5 6        ×     6
─────────      ─────────
      ▨        ←  ▨
─────────
▨ ▨                7 4
─────────      ×   5 0
               ─────────
                   ▨
```

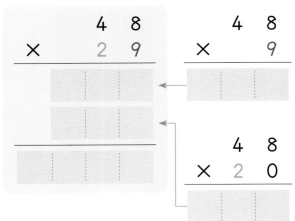

```
    4 8            4 8
×   2 9        ×     9
─────────      ─────────
      ▨        ←  ▨
─────────
▨ ▨                4 8
─────────      ×   2 0
               ─────────
                   ▨
```

보기

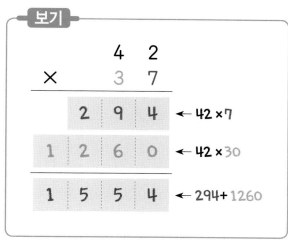

$$
\begin{array}{r}
4\ 2 \\
\times\ \ 3\ 7 \\
\hline
2\ 9\ 4 \quad \leftarrow 42 \times 7 \\
1\ 2\ 6\ 0 \quad \leftarrow 42 \times 30 \\
\hline
1\ 5\ 5\ 4 \quad \leftarrow 294 + 1260 \\
\end{array}
$$

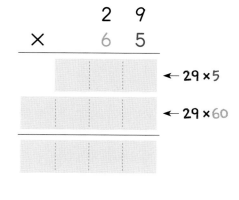

$$
\begin{array}{r}
2\ 9 \\
\times\ \ 6\ 5 \\
\hline
\qquad \leftarrow 29 \times 5 \\
\qquad \leftarrow 29 \times 60 \\
\hline
\qquad \\
\end{array}
$$

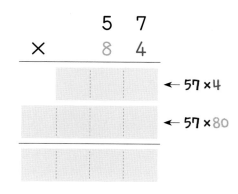

$$
\begin{array}{r}
5\ 7 \\
\times\ \ 8\ 4 \\
\hline
\qquad \leftarrow 57 \times 4 \\
\qquad \leftarrow 57 \times 80 \\
\hline
\qquad \\
\end{array}
$$

$$
\begin{array}{r}
3\ 6 \\
\times\ \ 2\ 8 \\
\hline
\qquad \leftarrow 36 \times 8 \\
\qquad \leftarrow 36 \times 20 \\
\hline
\qquad \\
\end{array}
$$

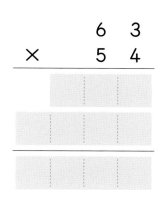

$$
\begin{array}{r}
6\ 3 \\
\times\ \ 5\ 4 \\
\hline
\qquad \\
\qquad \\
\hline
\qquad \\
\end{array}
$$

$$
\begin{array}{r}
9\ 1 \\
\times\ \ 3\ 5 \\
\hline
\qquad \\
\qquad \\
\hline
\qquad \\
\end{array}
$$

$$
\begin{array}{r}
1\ 8 \\
\times\ \ 7\ 6 \\
\hline
\qquad \\
\qquad \\
\hline
\qquad \\
\end{array}
$$

$$
\begin{array}{r}
4\ 4 \\
\times\ \ 6\ 9 \\
\hline
\qquad \\
\qquad \\
\hline
\qquad \\
\end{array}
$$

$$\begin{array}{r} 2\ 7 \\ \times\ 5\ 9 \\ \hline \end{array}$$

$$\begin{array}{r} 3\ 8 \\ \times\ 7\ 4 \\ \hline \end{array}$$

$$\begin{array}{r} 4\ 9 \\ \times\ 6\ 2 \\ \hline \end{array}$$

$$\begin{array}{r} 9\ 3 \\ \times\ 3\ 8 \\ \hline \end{array}$$

$$\begin{array}{r} 5\ 6 \\ \times\ 6\ 3 \\ \hline \end{array}$$

$$\begin{array}{r} 8\ 5 \\ \times\ 2\ 3 \\ \hline \end{array}$$

$$\begin{array}{r} 4\ 3 \\ \times\ 7\ 9 \\ \hline \end{array}$$

$$\begin{array}{r} 3\ 6 \\ \times\ 8\ 2 \\ \hline \end{array}$$

$$\begin{array}{r} 2\ 6 \\ \times\ 6\ 7 \\ \hline \end{array}$$

$$\begin{array}{r} 5\ 8 \\ \times\ 7\ 4 \\ \hline \end{array}$$

$$\begin{array}{r} 2\ 9 \\ \times\ 8\ 5 \\ \hline \end{array}$$

$$\begin{array}{r} 9\ 4 \\ \times\ 3\ 2 \\ \hline \end{array}$$

4 빈칸에 알맞은 수를 써넣으세요.

×

32	65	2080
76	48	

32×65

×

57	26	
19	82	1558

×

53	61	
85	18	1530

×

27	36	972
95	44	

×

72	39	
45	64	

×

89	23	
58	94	

×

17	82	
68	25	

×

34	49	
56	73	

×

97	42	
55	67	

×

38	71	
24	87	

유형 1

고구마밭에서 캔 고구마를 한 상자에 ⎛132⎞개씩 담았습니다. ⎛3⎞상자에는 고구마가 모두 몇 개 들어 있을까요?

✐ 주어진 수에 ○표 하고, 구하는 것에 밑줄 치기

한 상자에 담은 고구마의 수 : 132 개, 상자의 수 : ⬚ 상자

✐ 문제 해결하기

한 상자에 담은 고구마의 수와 상자의 수를 (곱합니다 , 나눕니다).

✐ 문제 풀기

(전체 고구마의 수)＝(한 상자에 담은 고구마의 수)×(상자의 수)

＝ ⬚ × ⬚ ＝ ⬚ (개)

✐ 답 쓰기

고구마가 모두 ⬚ 개 들어 있습니다.

유형＋ 1

현서는 매일 줄넘기를 180번씩 했습니다. 현서는 일주일 동안 줄넘기를 모두 몇 번 했을까요?

✐ 주어진 수에 ○표 하고, 구하는 것에 밑줄 치기

매일 한 줄넘기 횟수 : ⬚ 번, 일주일의 날수 : ⬚ 일

✐ 문제 해결하기

매일 한 줄넘기 횟수와 일주일의 날수를 (더합니다 , 곱합니다).

✐ 문제 풀기

(일주일 동안 한 줄넘기 횟수)＝(매일 한 줄넘기 횟수)×(일주일의 날수)

＝ ⬚ × ⬚ ＝ ⬚ (번)

✐ 답 쓰기

일주일 동안 한 줄넘기 횟수는 모두 ⬚ 번입니다.

달걀이 한 판에 ㉚개씩 들어 있습니다. ㊵판에 들어 있는 달걀은 모두 몇 개일까요?

■▶ **주어진 수에 ○표 하고, 구하는 것에 밑줄 치기**

한 판에 들어 있는 달걀의 수: 30 개, 달걀판의 수: ⬚ 판

■▶ **문제 해결하기**

한 판에 들어 있는 달걀의 수와 달걀판의 수를 (곱합니다, 나눕니다).

■▶ **문제 풀기**

(전체 달걀의 수)＝(한 판에 들어 있는 달걀의 수)×(달걀판의 수)

$$= \boxed{} \times \boxed{} = \boxed{} (개)$$

■▶ **답 쓰기**

달걀은 모두 ⬚ 개입니다.

효진이는 매일 동화책을 46쪽씩 읽었습니다. 효진이는 15일 동안 동화책을 모두 몇 쪽 읽었을까요?

■▶ **주어진 수에 ○표 하고, 구하는 것에 밑줄 치기**

매일 읽은 동화책의 쪽수: ⬚ 쪽, 동화책을 읽은 날수: ⬚ 일

■▶ **문제 해결하기**

매일 읽은 동화책의 쪽수와 동화책을 읽은 날수를 (곱합니다, 나눕니다).

■▶ **문제 풀기**

(전체 읽은 동화책의 쪽수)＝(매일 읽은 동화책의 쪽수)×(동화책을 읽은 날수)

$$= \boxed{} \times \boxed{} = \boxed{} (쪽)$$

■▶ **답 쓰기**

동화책을 모두 ⬚ 쪽 읽었습니다.

● 안에 알맞은 수를 써넣고 답을 구하세요.

1 Drill

122cm짜리 리본 4개를 겹치지 않게 이어 붙이면 전체 길이는 몇 cm가 될까요?

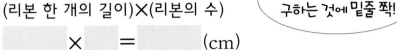

풀이 (전체 리본의 길이)=(리본 한 개의 길이)×(리본의 수)

= ☐ × ☐ = ☐ (cm)

답 ☐ cm

2 Drill

하루에 곰인형을 528개씩 만드는 공장이 있습니다. 이 공장에서 6일 동안 만든 곰인형은 모두 몇 개일까요?

풀이 (전체 곰인형의 수)=(하루에 만드는 곰인형의 수)×(만든 날수)

= ☐ × ☐ = ☐ (개)

답 ☐ 개

3 Drill

연우의 저금통에는 50원짜리 동전 40개가 있습니다. 저금통에 있는 돈은 모두 얼마일 까요?

풀이 (저금통에 있는 돈)=(동전 한 개의 가격)×(동전의 수)

= ☐ × ☐ = ☐ (원)

답 ☐ 원

4 Drill

승객이 38명씩 탈 수 있는 공항버스가 서울에서 인천공항까지 하루에 27번 운행됩니 다. 매일 버스를 타고 서울에서 인천공항까지 갈 수 있는 승객은 모두 몇 명일까요?

풀이 (전체 승객의 수)=(한 대에 탈 수 있는 승객의 수)×(하루 운행 횟수)

= ☐ × ☐ = ☐ (명)

답 ☐ 명

● 서술형 문제를 읽고 풀이 과정과 답을 쓰세요.

도전 1

정우는 훌라후프를 154번 했고, 지혜는 정우의 4배만큼 했습니다. 지혜는 훌라후프를 몇 번 했을까요?

풀이

답 _____

도전 2

구슬이 한 상자에 426개씩 들어 있습니다. 7상자에 들어 있는 구슬은 모두 몇 개일까요?

풀이

답 _____

도전 3

1시간은 60분이고, 1분은 60초입니다. 1시간은 몇 초일까요?

풀이

답 _____

도전 4

최대 정원이 24명인 승강기가 있습니다. 한 사람의 몸무게가 65kg이라면 한 번에 실을 수 있는 최대 무게는 몇 kg일까요?

풀이

답 _____

형성 평가

01 곱셈을 하세요.

(1)
$$\begin{array}{r} 3\ 1\ 2 \\ \times\qquad 3 \\ \hline \end{array}$$

(2)
$$\begin{array}{r} 1\ 0\ 1 \\ \times\qquad 6 \\ \hline \end{array}$$

02 곱셈을 하세요.

(1) $423 \times 2 =$

(2) $120 \times 4 =$

03 안에 알맞은 수를 써넣으세요.

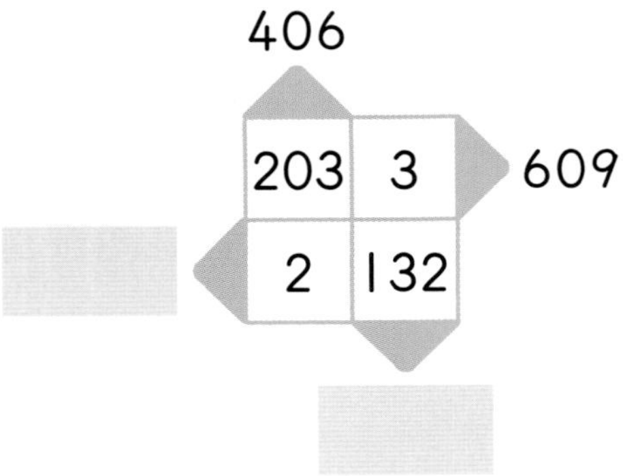

406

203	3	609
2	132	

04 곱셈을 하세요.

(1)
$$\begin{array}{r} 2\ 1\ 7 \\ \times\qquad 4 \\ \hline \end{array}$$

(2)
$$\begin{array}{r} 3\ 2\ 5 \\ \times\qquad 3 \\ \hline \end{array}$$

05 곱셈을 하세요.

(1) $218 \times 4 =$

(2) $116 \times 5 =$

(3) $425 \times 2 =$

(4) $109 \times 6 =$

(5) $317 \times 3 =$

06 곱셈을 하세요.

(1)

```
    1  5  1
 ×        5
 _____
```

(2)

```
    8  6  3
 ×        3
 _____
```

07 곱셈을 하세요.

(1) 263 × 3 =

(2) 531 × 7 =

08 안에 알맞은 수를 써넣으세요.

```
      561
  392  ×  4
       8
```

09 곱셈을 하세요.

(1)

```
    3  0
 ×  2  0
 _____
```

(2)

```
    8  0
 ×  6  0
 _____
```

10 곱셈을 하세요.

(1)

```
    4  7
 ×  2  0
 _____
```

(2)

```
    5  3
 ×  8  0
 _____
```

11 곱셈을 하세요.

(1) $26 \times 30 =$ ⬚⬚⬚

(2) $40 \times 60 =$ ⬚⬚⬚⬚

(3) $37 \times 50 =$ ⬚⬚⬚

(4) $68 \times 40 =$ ⬚⬚⬚

(5) $73 \times 80 =$ ⬚⬚⬚

12 빈 곳에 알맞은 수를 써넣으세요.

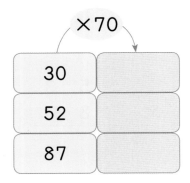

×70	
30	
52	
87	

13 곱셈을 하세요.

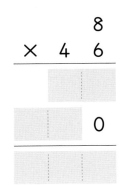

$$\begin{array}{r} 8 \\ \times\ 4\ 6 \\ \hline \\ \ 0 \\ \hline \end{array}$$

14 곱셈을 하세요.

(1)

$$\begin{array}{r} 6 \\ \times\ 3\ 8 \\ \hline \end{array}$$

(2)

$$\begin{array}{r} 9 \\ \times\ 4\ 7 \\ \hline \end{array}$$

15 곱셈을 하세요.

(1) $7 \times 63 =$ ⬚⬚⬚

(2) $4 \times 97 =$ ⬚⬚⬚

16 곱셈을 하세요.

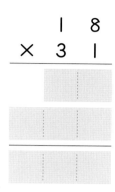

$$\begin{array}{r} 1\ 8 \\ \times\ 3\ 1 \\ \hline \end{array}$$

17 곱셈을 하세요.

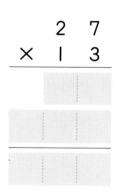

$$\begin{array}{r} 2\ 7 \\ \times\ 1\ 3 \\ \hline \end{array}$$

18 곱셈을 하세요.

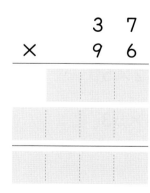

$$\begin{array}{r} 3\ 7 \\ \times\ 9\ 6 \\ \hline \end{array}$$

19 곱셈을 하세요.

(1)

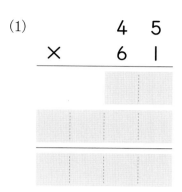

$$\begin{array}{r} 4\ 5 \\ \times\ 6\ 1 \\ \hline \end{array}$$

(2)

$$\begin{array}{r} 2\ 9 \\ \times\ 8\ 3 \\ \hline \end{array}$$

20 빈칸에 알맞은 수를 써넣으세요.

(1) ⊗ →

26	83	
54	79	

(2) ⊗ →

98	35	
47	86	

1 수 모형을 보고 안에 알맞은 수를 써넣으세요.

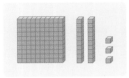 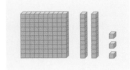

$123 \times 2 =$

2 덧셈식을 곱셈식으로 나타내고 답을 구하세요.

$$214 + 214 + 214 + 214$$

➡ $214 \times$ ☐ = ☐

3 안에 알맞은 수를 써넣으세요.

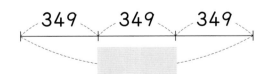

4 곱셈식에서 ⬤ 안의 숫자끼리의 곱은 실제로 얼마를 나타낼까요?

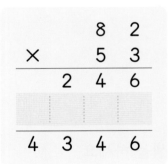

(   )

5 안에 들어갈 수는 실제로 어떤 계산을 한 것일까요? (   )

$$\begin{array}{r} 8\ 2 \\ \times\ \ 5\ 3 \\ \hline 2\ 4\ 6 \\ \hline \\ \hline 4\ 3\ 4\ 6 \end{array}$$

① 82×3 ② 82×5

③ 82×50 ④ 2×53

⑤ 8×53

6 빈 곳에 두 수의 곱을 써넣으세요.

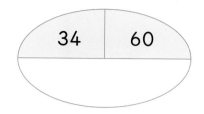

7 ㉠과 ㉡의 곱을 구하세요.

> ㉠ 10이 3개인 수
> ㉡ 10이 7개인 수

(   )

8 빈 곳에 알맞은 수를 써넣으세요.

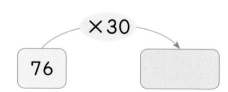

9   안에 알맞은 수를 써넣으세요.

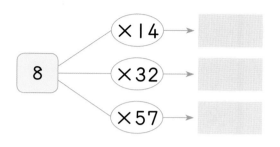

10   안에 알맞은 수를 써넣으세요.

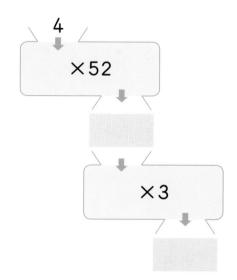

11 계산에서 <u>잘못된</u> 부분을 찾아 바르게 고쳐 보세요.

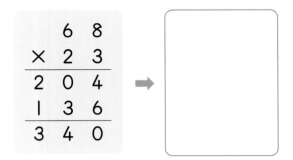

12 곱이 같은 것끼리 선으로 이어 보세요.

12×16 •　　• 248×3

34×43 •　　• 6×32

31×24 •　　• 17×86

13 ◯ 안에 >, =, <를 알맞게 써넣으세요.

35×56 ◯ 28×74

14 계산 결과가 큰 것부터 차례로 ◯ 안에 1, 2, 3을 써넣으세요.

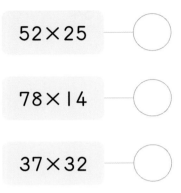

52×25 ◯

78×14 ◯

37×32 ◯

15 가장 큰 수와 가장 작은 수의 곱을 구하세요.

24　　39　　57　　43

(　　　　　　　　)

16 주어진 숫자를 ▨ 안에 알맞게 써넣으세요.

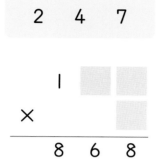

17 어느 공원의 어린이 입장료는 850원입니다. 어린이 6명이 입장한다면 입장료는 모두 얼마인지 풀이 과정을 쓰고 답을 구하세요.

풀이

답

18 구슬이 한 봉지에 30개씩 들어 있습니다. 12봉지에 들어 있는 구슬은 모두 몇 개일까요?

(   )개

19 운동장에 학생들이 한 줄에 25명씩 15줄로 서 있습니다. 운동장에 서 있는 학생은 모두 몇 명일까요?

(   )명

20 서진이는 문구점에서 450원짜리 지우개를 6개 사고 3000원을 냈습니다. 거스름돈으로 얼마를 받아야 하는지 풀이 과정을 쓰고 답을 구하세요.

풀이

답

memo

논리적 사고력과 창의적 문제해결력을 키워 주는
매스티안 교재 활용법!

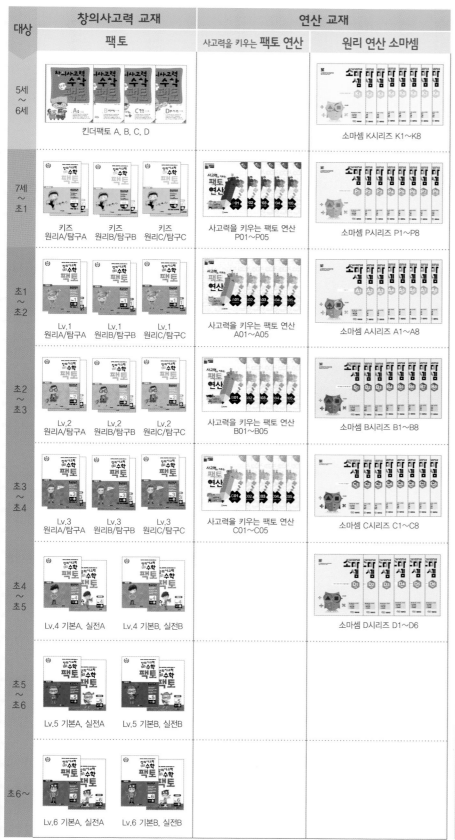

대상	창의사고력 교재		연산 교재	
	팩토		**사고력을 키우는 팩토 연산**	**원리 연산 소마셈**
5세~6세	킨더팩토 A, B, C, D			소마셈 K시리즈 K1~K8
7세~초1	키즈 원리A/탐구A	키즈 원리B/탐구B	키즈 원리C/탐구C	사고력을 키우는 팩토 연산 P01~P05	소마셈 P시리즈 P1~P8
초1~초2	Lv.1 원리A/탐구A	Lv.1 원리B/탐구B	Lv.1 원리C/탐구C	사고력을 키우는 팩토 연산 A01~A05	소마셈 A시리즈 A1~A8
초2~초3	Lv.2 원리A/탐구A	Lv.2 원리B/탐구B	Lv.2 원리C/탐구C	사고력을 키우는 팩토 연산 B01~B05	소마셈 B시리즈 B1~B8
초3~초4	Lv.3 원리A/탐구A	Lv.3 원리B/탐구B	Lv.3 원리C/탐구C	사고력을 키우는 팩토 연산 C01~C05	소마셈 C시리즈 C1~C8
초4~초5	Lv.4 기본A, 실전A	Lv.4 기본B, 실전B			소마셈 D시리즈 D1~D6
초5~초6	Lv.5 기본A, 실전A	Lv.5 기본B, 실전B			
초6~	Lv.6 기본A, 실전A	Lv.6 기본B, 실전B			

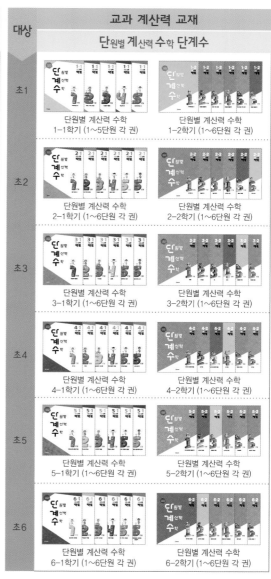

대상	교과 계산력 교재	
	단원별 계산력 수학 단계수	
초1	단원별 계산력 수학 1-1학기 (1~5단원 각 권)	단원별 계산력 수학 1-2학기 (1~6단원 각 권)
초2	단원별 계산력 수학 2-1학기 (1~6단원 각 권)	단원별 계산력 수학 2-2학기 (1~6단원 각 권)
초3	단원별 계산력 수학 3-1학기 (1~6단원 각 권)	단원별 계산력 수학 3-2학기 (1~6단원 각 권)
초4	단원별 계산력 수학 4-1학기 (1~6단원 각 권)	단원별 계산력 수학 4-2학기 (1~6단원 각 권)
초5	단원별 계산력 수학 5-1학기 (1~6단원 각 권)	단원별 계산력 수학 5-2학기 (1~6단원 각 권)
초6	단원별 계산력 수학 6-1학기 (1~6단원 각 권)	단원별 계산력 수학 6-2학기 (1~6단원 각 권)

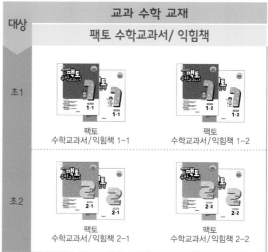

대상	교과 수학 교재	
	팩토 수학교과서/ 익힘책	
초1	팩토 수학교과서/익힘책 1-1	팩토 수학교과서/익힘책 1-2
초2	팩토 수학교과서/익힘책 2-1	팩토 수학교과서/익힘책 2-2

단계수 학습 순서

매일 학습

단원별로 꼭 알아야 할 개념만 쏙쏙 학습하고, 다양한 연산 문제를 통해 필수 개념을 숙달하여 계산력을 쑥쑥 키울 수 있습니다.

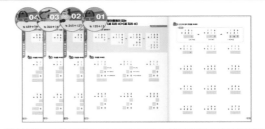

도전! 응용문제

필수 개념을 활용한 **응용** 문제 또는 **서술형** 문제를 통해 사고력과 문제해결력을 기를 수 있습니다.

형성 평가

단원의 **복습 단계**로 문제를 풀면서 학습한 내용을 잘 알고 있는지 다시 한 번 확인할 수 있습니다.

단원 평가

단원의 **마무리 학습**으로 학교 시험에 자주 나오는 문제 유형을 통해서 수시 평가 등 학교 시험에 대비할 수 있습니다.

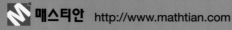 매스티안 http://www.mathtian.com

자율안전확인신고필증번호 : B361H200-4001

1. 주소 : 06153 서울특별시 강남구 봉은사로 442 (삼성동)
2. 문의전화 : 1588-6066
3. 제조국 : 대한민국
4. 사용연령 : 10세 이상

※ KC마크는 이 제품이 공통안전기준에 적합하였음을 의미합니다.

 ⚠ 주의

종이, 모서리에 다칠 수 있으니 주의하세요!

	초등학교	반	번
이름			

3-2
초등 수학
팩토

단원별 계산력 수학

2
단원

나눗셈

매스티안

팩토는 자유롭게 자신감있게 창의적으로 생각하는 주니어수학자입니다.

단원별 산력수학

펴낸 곳 (주)타임교육C&P **펴낸이** 이길호 **지은이** 매스티안R&D센터

주소 06153 서울특별시 강남구 봉은사로 442 (삼성동) **문의전화** 1588.6066

팩토카페 http://cafe.naver.com/factos **홈페이지** http://www.mathtian.com

JW2204

생각이 자유로운 사람들! 매스티안R&D센터

매스티안R&D센터의 논리적 사고력과 창의적 문제해결력을 키우는 수학 콘텐츠는 국내외 수많은 교육 현장에서 그 우수성을 높이 평가받고 있습니다.

매스티안R&D센터는 여기에 안주하지 않고 앞으로도 학생, 교사, 학부모 모두가 행복한 수학 시간을 만들 수 있도록 노력하겠습니다.

매스티안 공식 홈페이지 ··· (http://www.mathtian.com)

· 매스티안의 다양한 출간 교재 소개

· 출간 교재와 관련된 학습 자료(보충 학습지, 활동지 등) 제공

· 출간 교재와 관련된 평가 시험 및 분석 제공

매스티안 공식 카페 ··· 팩토 (http://cafe.naver.com/factos)

· 창의사고력 수학 팩토 무료 동영상 강의 제공

· 출간 교재에 관한 질문 및 답변

· 영재교육원 대비 자료(기출 문제, 예상 문제) 제공

· 초등 수학 비법 및 Q&A

3-2

초등 수학
팩토

단원별 계산력 수학

2
단원

나눗셈

N 매스티안

2 나눗셈

 Teaching Guide

나눗셈에는 크게 포함제와 등분제의 의미가 있습니다. 포함제는 주어진 양을 일정한 단위로 묶으면 몇 묶음이나 되는지 묶음의 수를 묻는 상황입니다. 또 등분제는 주어진 대상을 몇 묶음으로 똑같이 나누었을 때 한 묶음의 크기가 얼마인지를 묻는 상황입니다.

포함제
미술 시간에 고무찰흙 70개를 한 명에게 5개씩 주려고 합니다. 고무찰흙을 몇 명에게 나누어 줄 수 있는지 생각해 봅시다.

등분제
색종이 60장을 3명이 똑같이 나누어 가지려고 합니다. 한 명이 색종이를 몇 장씩 가질 수 있는지 생각해 봅시다.

3. 덧셈과 뺄셈
- 두 자리 수의 덧셈과 뺄셈
- 세 수의 계산

2-1

1. 덧셈과 뺄셈
- 세 자리 수의 덧셈과 뺄셈

3-1

1. 자연수의 혼합 계산
- 괄호가 없을 때와 있을 때의 덧셈, 뺄셈, 곱셈, 나눗셈의 혼합 계산

5-1

3-2

1. 곱셈
- (세 자리 수)×(한 자리 수)
- (두 자리 수)×(두 자리 수)

3-2

2. 나눗셈
- (두 자리 수)÷(한 자리 수)
- (세 자리 수)÷(한 자리 수)

4-1

3. 곱셈과 나눗셈
- (세 자리 수)×(두 자리 수)
- (두 자리 수)÷(두 자리 수)
- (세 자리 수)÷(두 자리 수)

중학 1-1

정수의 계산

공부한 날짜

❶일차	내림이 없는 (몇십)÷(몇)	❷일차	나머지가 없는 (몇십몇)÷(몇)	❸일차	나머지가 있는 (몇십몇)÷(몇)(1)	❹일차	나머지가 있는 (몇십몇)÷(몇)(2)
	월 일		월 일		월 일		월 일

❺일차	나머지가 없는 (세 자리 수)÷(한 자리 수)	❻일차	나머지가 있는 (세 자리 수)÷(한 자리 수)	❼일차	나눗셈 연습
	월 일		월 일		월 일

❽일차	응용 문제	❾일차	형성 평가	❿일차	단원 평가
	월 일		월 일		월 일

01 내림이 없는 (몇십)÷(몇)

🍂 60÷2 알아보기

$$6 \div 2 = 3$$

10배↓   몫:10배↓

$$60 \div 2 = 30$$

가로셈	세로셈

$$60 \div 2 = 30 \implies 2\overline{)60}^{30}$$

 1 안에 알맞은 수를 써넣으세요.

$$8 \div 2 = 4$$
10배↓   ↓10배
$$80 \div 2 = \boxed{}$$

$$6 \div 6 = 1$$
10배↓   ↓10배
$$60 \div 6 = \boxed{}$$

$$2 \div 2 = 1$$
10배↓   ↓10배
$$20 \div 2 = \boxed{}$$

$$5 \div 5 = 1$$
10배↓
$$50 \div 5 = \boxed{}$$

$$6 \div 3 = 2$$
10배↓
$$60 \div 3 = \boxed{}$$

$$4 \div 4 = 1$$
10배↓
$$40 \div 4 = \boxed{}$$

$$9 \div 3 = 3$$
$$90 \div 3 = \boxed{}$$

$$7 \div 7 = 1$$
$$70 \div 7 = \boxed{}$$

$$8 \div 4 = 2$$
$$80 \div 4 = \boxed{}$$

$$8 \div 8 = 1$$
$$80 \div 8 = \boxed{}$$

$$4 \div 2 = 2$$
$$40 \div 2 = \boxed{}$$

$$9 \div 9 = 1$$
$$90 \div 9 = \boxed{}$$

2 보기와 같이 나눗셈식을 세로로 써 보세요.

보기

$$40 \div 2 \Rightarrow 2 \overline{)40}$$

$$20 \div 2 \Rightarrow \overline{)}$$

$$30 \div 3 \Rightarrow \overline{)}$$

$$60 \div 3 \Rightarrow \overline{)}$$

$$80 \div 2 \Rightarrow \overline{)}$$

$$40 \div 4 \Rightarrow \overline{)}$$

$$60 \div 6 \Rightarrow$$

$$50 \div 5 \Rightarrow$$

$$80 \div 4 \Rightarrow$$

$$70 \div 7 \Rightarrow$$

$$90 \div 9 \Rightarrow$$

$$60 \div 2 \Rightarrow$$

$$80 \div 8 \Rightarrow$$

$$90 \div 3 \Rightarrow$$

보기

$$2 \times \boxed{30} = 60 \implies 2 \times \boxed{30} = 60 \implies 2 \times \boxed{30} = 60$$

```
    3 0
2 ) 6 0
```

```
    3 0
2 ) 6 0
    6 0   ← 2×30
```

```
    3 0
2 ) 6 0
    6 0
      0   ← 60-60
```

$$4 \times \boxed{20} = 80$$

```
    2 0
4 ) 8 0
          ← 4×20
```

$$3 \times \boxed{20} = 60$$

```
    2 0
3 ) 6 0
          ← 3×20
```

$$4 \times \boxed{10} = 40$$

```
    1 0
4 ) 4 0
          ← 4×10
```

$$3 \times \boxed{} = 30$$

```
3 ) 3 0
```

$$7 \times \boxed{} = 70$$

```
7 ) 7 0
```

$$2 \times \boxed{} = 80$$

```
2 ) 8 0
```

$$3 \times \boxed{} = 90$$

```
3 ) 9 0
```

$$5 \times \boxed{} = 50$$

```
5 ) 5 0
```

$$8 \times \boxed{} = 80$$

```
8 ) 8 0
```

4 나눗셈 실력을 점검해 보세요.

실력평가

맞힌 개수: 개 | 제한 시간: 10 분

1. $60 \div 2$

2. $30 \div 3$

3. $50 \div 5$

4. $20 \div 2$

5. $80 \div 4$

6. $40 \div 2$

7. $70 \div 7$

8. $60 \div 3$

9. $90 \div 3$

10. $4\overline{)40}$

11. $2\overline{)80}$

12. $6\overline{)60}$

13. $8\overline{)80}$

14. $2\overline{)40}$

15. $9\overline{)90}$

16. $3\overline{)30}$

17. $3\overline{)90}$

수고하셨습니다!

02 나머지가 없는 (몇십몇)÷(몇)

🌰 24÷3 알아보기

잘못된 계산	바른 계산	잘못된 계산

잘못된 계산

```
        7
  3) 2 4
나누는 수↗  2 1  ← 3×7
        3  ← 나머지
```

이유 (나누는 수)=(나머지)
이므로 한 번 더 나눌
수 있음

바른 계산

```
        8  ← 몫
  3) 2 4
나누는 수↗  2 4  ← 3×8
        0  ← 나머지
```

24에는 3이
최대 8번 들어감

잘못된 계산

```
        9
  3) 2 4
      2 7  ← 3×9
```

이유 24-27을
계산할 수 없음

1 ▨ 안에 알맞은 수를 써넣으세요.

보기

$4 \times 6 = 24$

```
      6
  4) 2 4
    2 4
      0
```

$7 \times 5 = 35$

```
      5
  7) 3 5
```

$6 \times 8 = 48$

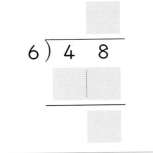

$3 \times = 27$

```
  3) 2 7
```

$5 \times = 25$

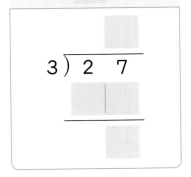

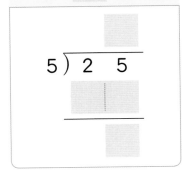

$8 \times = 32$

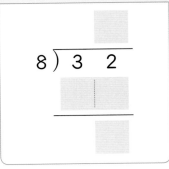

$2\overline{)14}$

$4\overline{)32}$

$5\overline{)30}$

$3\overline{)12}$

$8\overline{)72}$

$7\overline{)28}$

$6\overline{)18}$

$9\overline{)54}$

$2\overline{)16}$

$5\overline{)45}$

$6\overline{)36}$

$3\overline{)21}$

$8\overline{)40}$

$7\overline{)14}$

$4\overline{)36}$

🍂 86÷2 알아보기

$$2 \overline{)86}$$

→

$$\begin{array}{r} 4\,0 \\ 2\overline{)8\,6} \\ 8\,0 \end{array}$$
$2 \times 40 \rightarrow 80$

8에는 2가
최대 4번 들어감

→

$$\begin{array}{r} 4 \\ 2\overline{)8\,6} \\ 8\,0 \\ \hline 6 \end{array}$$

남은 수를 구함
$86 - 80 = 6$

→

$$\begin{array}{r} 4\,3 \leftarrow 몫 \\ 2\overline{)8\,6} \\ 8\,0 \\ \hline 6 \\ 6 \leftarrow 2 \times 3 \\ \hline 0 \leftarrow 나머지\ (6-6) \end{array}$$

6에는 2가
최대 3번 들어감

3 보기 와 같이 빈칸에 알맞은 수를 써넣으세요.

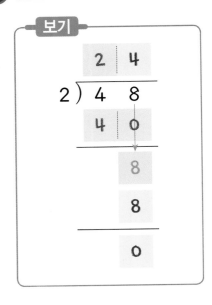

보기

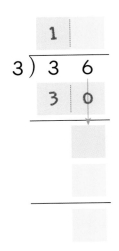

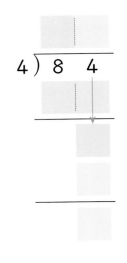

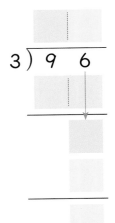

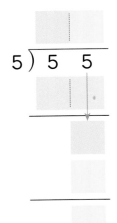

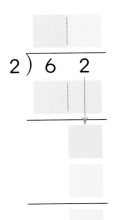

10

4 나눗셈 실력을 점검해 보세요.

실력평가

맞힌 개수	제한 시간
개	10 분

1. $2\overline{)18}$

2. $3\overline{)15}$

3. $5\overline{)35}$

4. $4\overline{)12}$

5. $9\overline{)36}$

6. $8\overline{)56}$

7. $3\overline{)39}$

8. $6\overline{)66}$

9. $2\overline{)46}$

10. $4\overline{)88}$

11. $3\overline{)63}$

12. $9\overline{)99}$

13. $2\overline{)84}$

14. $4\overline{)48}$

수고하셨습니다!

🌿 **17÷3 알아보기**

잘못된 계산	바른 계산	잘못된 계산

잘못된 계산

```
        4
3 ) 1 7
나누는 수↗  1 2  ←3×4
        5   ←나머지
```

이유 (나누는 수)<(나머지)이므로 한 번 더 나눌 수 있음

바른 계산

```
        5  ←몫
3 ) 1 7
나누는 수↗  1 5  ←3×5
        2   ←나머지
```

17에는 3이 최대 5번 들어감

잘못된 계산

```
        6
3 ) 1 7
    1 8  ←3×6
```

이유 17-18을 계산할 수 없음

---

1 ⬜ 안에 알맞은 수를 써넣으세요.

보기

$4 \times \boxed{8} < 35$

35에 가장 가까운 곱

```
        8
4 ) 3 5
    3 | 2
      3
```

$6 \times \boxed{4} < 26$

26에 가장 가까운 곱

```
        4
6 ) 2 6
```

$3 \times \boxed{} < 22$

22에 가장 가까운 곱

```
3 ) 2 2
```

$5 \times \boxed{} < 34$

34에 가장 가까운 곱

```
5 ) 3 4
```

$8 \times \boxed{} < 27$

27에 가장 가까운 곱

```
8 ) 2 7
```

$9 \times \boxed{} < 74$

74에 가장 가까운 곱

```
9 ) 7 4
```

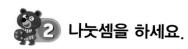

$$2\overline{)13}$$

$$5\overline{)22}$$

$$6\overline{)25}$$

$$4\overline{)27}$$

$$3\overline{)29}$$

$$7\overline{)47}$$

$$3\overline{)16}$$

$$2\overline{)19}$$

$$9\overline{)57}$$

$$6\overline{)44}$$

$$4\overline{)31}$$

$$8\overline{)65}$$

$$5\overline{)39}$$

$$8\overline{)45}$$

$$9\overline{)31}$$

🌰 37÷3 알아보기

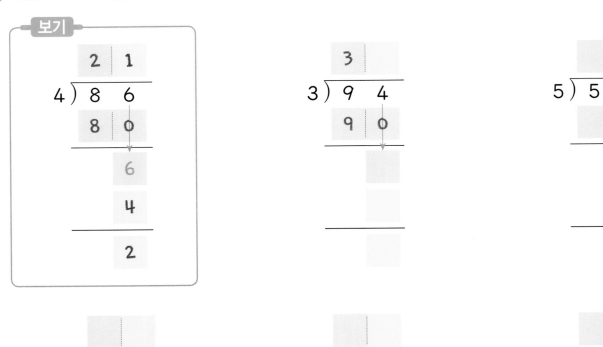

3에는 3이
최대 1번 들어감

$3 \times 10 \rightarrow 30$

남은 수를 구함
$37 - 30 = 7$

7에는 3이
최대 2번 들어감

← 몫

3×2

← 나머지 (7−6)

---

3 보기 와 같이 빈칸에 알맞은 수를 써넣으세요.

보기

```
    2 1
4 ) 8 6
    8 0
    ─────
      6
      4
    ─────
      2
```

```
    3
3 ) 9 4
    9 0
    ─────
```

```
5 ) 5 8
    ─────
```

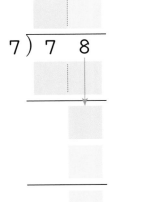

```
7 ) 7 8
    ─────
```

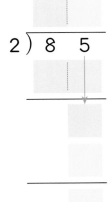

```
2 ) 8 5
    ─────
```

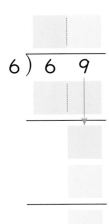

```
6 ) 6 9
    ─────
```

14

④ 보기 와 같이 계산을 하고 검산해 보세요.

보기

$$3 \overset{\times\ 8}{\overline{)26}}$$

$$\underset{24}{\underline{24}}\ \underset{26}{\ }$$

$$\overset{+}{\longrightarrow} 2$$

검산 $3 \times 8 + 2 = 26$

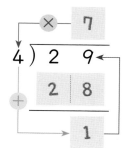

검산 _____

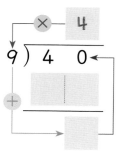

검산 _____

$$5 \overline{)59}$$
$$\quad 0$$

검산 _____

$$6 \overline{)68}$$
$$\quad 0$$

검산 _____

$$8 \overline{)89}$$
$$\quad 0$$

검산 _____

$$2 \overline{)45}$$

검산 _____

$$7 \overline{)79}$$

검산 _____

$$3 \overline{)98}$$

검산 _____

04 나머지가 있는 (몇십몇)÷(몇) (2)

정답 15쪽

🍂 54÷4 알아보기

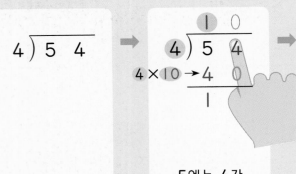

$4\overline{)5\ 4}$ →
$\begin{array}{r} 1\ 0 \\ 4\overline{)5\ 4} \\ 4\times10 \to 4\ 0 \\ \hline 1 \end{array}$

5에는 4가
최대 1번 들어감

→ $\begin{array}{r} 1 \\ 4\overline{)5\ 4} \\ 4\ 0 \\ \hline 1\ 4 \end{array}$

남은 수를 구함
54−40=14

→ $\begin{array}{r} 1\ 3 \leftarrow 몫 \\ 4\overline{)5\ 4} \\ 4\ 0 \\ \hline 1\ 4 \\ 1\ 2 \leftarrow 4\times3 \\ \hline 2 \leftarrow 14-12 \end{array}$

14에는 4가
최대 3번 들어감

1 보기 와 같이 빈칸에 알맞은 수를 써넣으세요.

보기

$\begin{array}{r} 1\ 8 \\ 3\overline{)5\ 6} \\ 3\ 0 \\ \hline 2\ 6 \\ 2\ 4 \\ \hline 2 \end{array}$

$\begin{array}{r} 2 \\ 2\overline{)5\ 3} \\ 4 \\ \hline \end{array}$

$\begin{array}{r} 1 \\ 5\overline{)6\ 4} \end{array}$

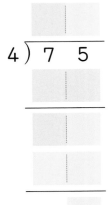
$4\overline{)7\ 5}$

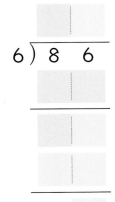
$6\overline{)8\ 6}$

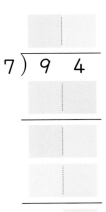
$7\overline{)9\ 4}$

2 나눗셈을 하세요.

$$2 \overline{)73}$$

$$5 \overline{)62}$$

$$3 \overline{)85}$$

$$4 \overline{)59}$$

$$8 \overline{)97}$$

$$6 \overline{)88}$$

$$7 \overline{)86}$$

$$3 \overline{)49}$$

$$6 \overline{)92}$$

$$8 \overline{)91}$$

$$2 \overline{)75}$$

$$5 \overline{)86}$$

$$3 \overline{)53}$$

$$7 \overline{)96}$$

$$4 \overline{)67}$$

3 계산을 하고 검산해 보세요.

```
  ×  1 4
4 ) 5 7
56   4 0   57
     1 7
     1 6
       1
```

검산 4 × 14 + 1 = 57

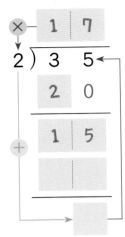

검산 _____

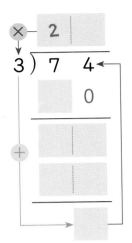

검산 _____

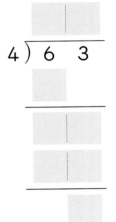

```
4 ) 6 3
```

검산 _____

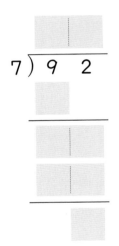

```
7 ) 9 2
```

검산 _____

```
5 ) 8 9
```

검산 _____

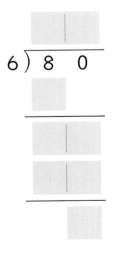

```
6 ) 8 0
```

검산 _____

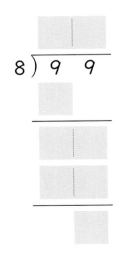

```
8 ) 9 9
```

검산 _____

```
4 ) 5 3
```

검산 _____

4 나눗셈 실력을 점검해 보세요.

실력평가

맞힌 개수	제한 시간
개	10 분

1. $2\overline{)37}$

2. $4\overline{)58}$

3. $3\overline{)76}$

4. $6\overline{)83}$

5. $8\overline{)90}$

6. $4\overline{)69}$

7. $7\overline{)93}$

8. $2\overline{)79}$

9. $6\overline{)77}$

10. $8\overline{)94}$

11. $3\overline{)55}$

12. $5\overline{)93}$

13. $2\overline{)51}$

14. $4\overline{)67}$

수고하셨습니다!

🍂 450÷3 알아보기

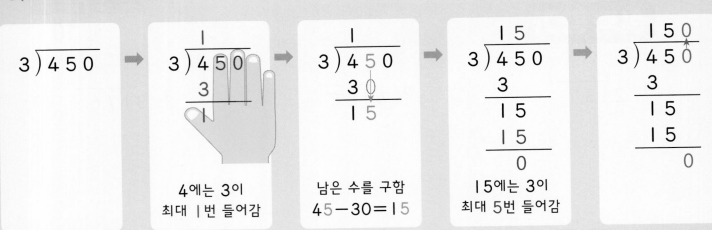

4에는 3이 최대 1번 들어감

남은 수를 구함 45−30=15

15에는 3이 최대 5번 들어감

 1 **보기** 와 같이 빈칸에 알맞은 수를 써넣으세요.

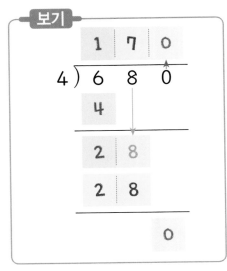

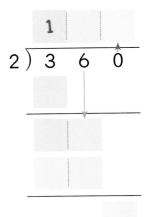

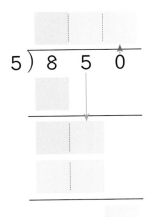

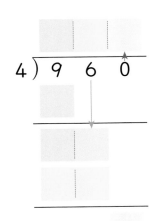

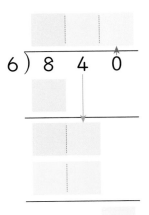

$2\overline{)540}$

$3\overline{)480}$

$5\overline{)750}$

$4\overline{)640}$

$6\overline{)720}$

$8\overline{)960}$

$7\overline{)910}$

$4\overline{)560}$

$2\overline{)320}$

$3\overline{)870}$

$6\overline{)780}$

$5\overline{)600}$

$7\overline{)840}$

$4\overline{)920}$

$3\overline{)540}$

🍂 380÷5 알아보기

```
   5 ) 3 8 0
```
→
```
       7
   5 ) 3 8 0
       3 5
         3
```
38에는 5가
최대 7번 들어감
→
```
       7
   5 ) 3 8 0
       3 5
         3 0
```
남은 수를 구함
380−350=30
→
```
       7 6
   5 ) 3 8 0
       3 5
         3 0
         3 0
           0
```
30에는 5가
최대 6번 들어감

3 보기 와 같이 빈칸에 알맞은 수를 써넣으세요.

보기

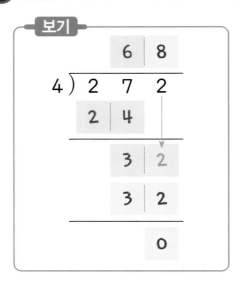

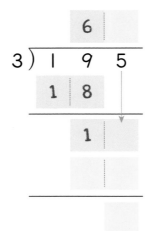

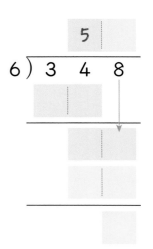

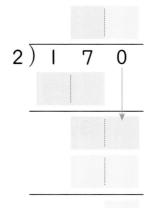

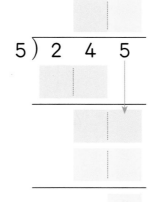

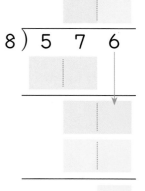

22

4 계산을 하고 검산해 보세요.

보기

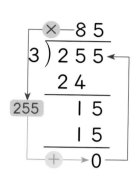

검산   3×85=255

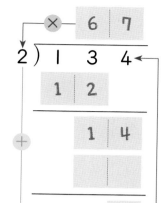

검산 _____

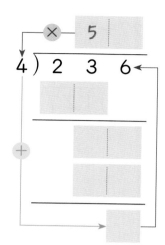

검산 _____

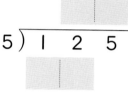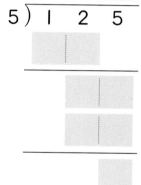

검산 _____

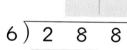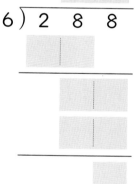

검산 _____

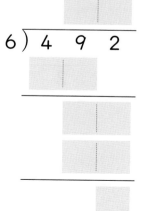

검산 _____

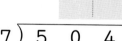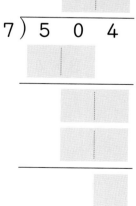

검산 _____

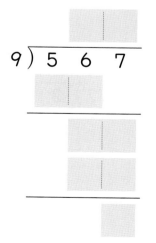

검산 _____

검산 _____

06 나머지가 있는 (세 자리 수)÷(한 자리 수)

초등 3-2 ❷ 나눗셈

🌿 127÷3 알아보기

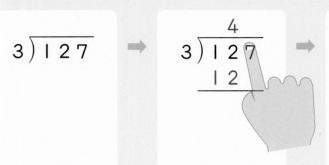

12에는 3이 최대 4번 들어감	남은 수를 구함 127−120=7
7에는 3이 최대 2번 들어감	

---

1 보기 와 같이 빈칸에 알맞은 수를 써넣으세요.

보기

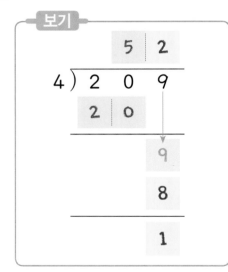

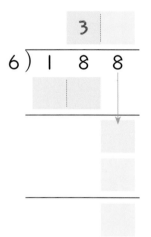

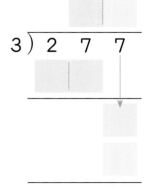

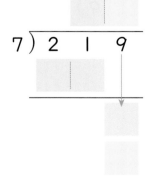

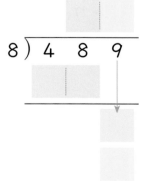

🍂 255÷4 알아보기

```
 4)255
```
→
```
    6
 4)255
   24
    1
```
25에는 4가
최대 6번 들어감

→
```
    6
 4)255
   240
    15
```
남은 수를 구함
255−240=15

→
```
   63
 4)255
   24
   15
   12
    3
```
15에는 4가
최대 3번 들어감

---

2 보기 와 같이 ▨ 안에 알맞은 수를 써넣으세요.

보기
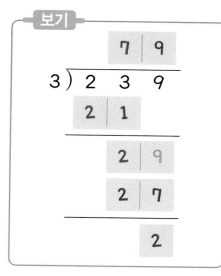

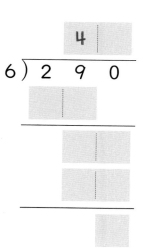

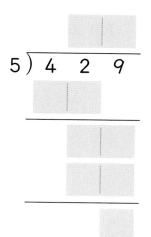

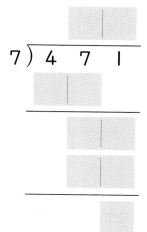

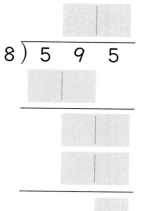

3 계산을 하고 검산해 보세요.

보기

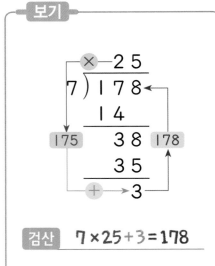

검산 7×25+3=178

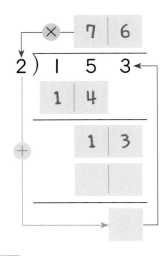

검산

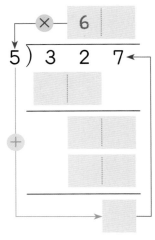

검산

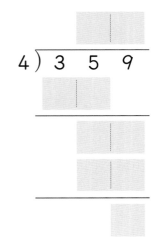

검산

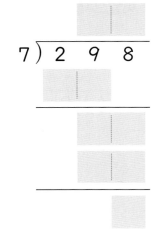

검산

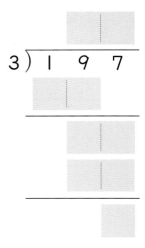

검산

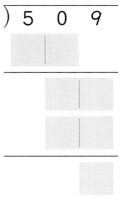

검산

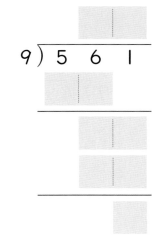

검산

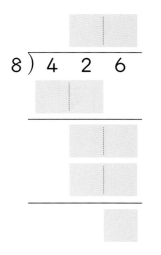

검산

실력평가

맞힌 개수 □ 개 | 제한 시간 10 분

1. 2)145

2. 3)217

3. 5)408

4. 4)246

5. 6)549

6. 8)489

7. 6)195

8. 3)263

9. 5)324

10. 4)346

11. 8)739

12. 7)598

13. 3)205

14. 9)572

수고하셨습니다!

1 안에 알맞은 수를 써넣으세요.

40 → ÷2 →

60 → ÷3 →

80 → ÷4 →

50 → ÷5 →

24 → ÷6 →

64 → ÷8 →

49 → ÷7 →

45 → ÷5 →

63 → ÷9 →

99 → ÷3 →

46 → ÷2 →

84 → ÷4 →

77 → ÷7 →

62 → ÷2 →

2 　 안에 몫을 써넣고, 　 안에 나머지를 써넣으세요.

÷ →

22	4	
17	3	

÷ →

17	2	
45	6	

÷ →

37	5	
59	8	

÷ →

24	7	
64	9	

÷ →

56	6	
33	4	

÷ →

43	2	
68	3	

÷ →

57	5	
89	6	

÷ →

47	3	
79	7	

÷ →

67	4	
94	3	

÷ →

65	2	
87	4	

3 나눗셈 실력을 점검해 보세요.

실력평가

맞힌 개수 ( )개 | 제한 시간 15분

1. $2\overline{)35}$

2. $4\overline{)63}$

3. $5\overline{)67}$

4. $3\overline{)52}$

5. $6\overline{)98}$

6. $7\overline{)89}$

7. $3\overline{)750}$

8. $2\overline{)340}$

9. $5\overline{)650}$

10. $4\overline{)560}$

11. $6\overline{)270}$

12. $7\overline{)581}$

13. 9) 3 9 6

14. 4) 1 8 8

15. 2) 1 9 2

16. 5) 2 0 6

17. 3) 2 7 5

18. 8) 4 0 9

19. 6) 4 2 8

20. 7) 5 6 9

21. 4) 3 6 9

22. 3) 2 3 6

23. 2) 1 7 3

24. 3) 2 6 8

25. 5) 4 3 4

수고하셨습니다!

유형 1

사과 63개를 상자 3개에 똑같이 나누어 담으려고 합니다. 한 상자에 몇 개씩 담아야 할까요?

➡ **주어진 수에 ○표 하고, 구하는 것에 밑줄 치기**

전체 사과의 수: 63 개, 상자의 수: ☐ 개

➡ **문제 해결하기**

전체 사과의 수를 상자의 수로 (곱합니다 , 나눕니다).

➡ **문제 풀기**

(한 상자에 담아야 하는 사과의 수)=(전체 사과의 수)÷(상자의 수)

= ☐ ÷ ☐ = ☐ (개)

➡ **답 쓰기**

한 상자에 담아야 하는 사과의 수는 ☐ 개입니다.

유형+ 1

구슬 138개를 6명이 똑같이 나누어 가지려고 합니다. 한 사람이 몇 개씩 가져야 할까요?

➡ **주어진 수에 ○표 하고, 구하는 것에 밑줄 치기**

전체 구슬의 수: ☐ 개, 나누어 가질 사람 수: ☐ 명

➡ **문제 해결하기**

전체 구슬의 수를 사람 수로 (곱합니다 , 나눕니다).

➡ **문제 풀기**

(한 사람이 가질 구슬의 수)=(전체 구슬의 수)÷(사람 수)

= ☐ ÷ ☐ = ☐ (개)

➡ **답 쓰기**

한 사람이 가질 구슬의 수는 ☐ 개입니다.

사탕 ⑤2개를 ⑦개의 봉지에 똑같이 나누어 담았습니다. 한 봉지에 사탕을 몇 개씩 담을 수 있고, 남는 사탕은 몇 개일까요?

■▶ 주어진 수에 ○표 하고, 구하는 것에 밑줄 치기

전체 사탕의 수: 　52　 개, 봉지의 수: 　　　 개

■▶ 문제 해결하기

전체 사탕의 수를 봉지의 수로 (곱합니다 , 나눕니다).

■▶ 문제 풀기

(한 봉지에 담을 수 있는 사탕의 수)=(전체 사탕의 수)÷(봉지의 수)

= 　　　 ÷ 　　　 = 　　　 …

■▶ 답 쓰기

한 봉지에 담을 수 있는 사탕의 수는 　　　 개이고, 남는 사탕은 　　　 개입니다.

색 테이프 8cm로 리본 한 개를 만들 수 있습니다. 색 테이프 260cm로 리본을 몇 개 만들 수 있고, 남는 색 테이프는 몇 cm일까요?

■▶ 주어진 수에 ○표 하고, 구하는 것에 밑줄 치기

전체 색 테이프의 길이: 　　　 cm, 리본 한 개를 만드는 데 필요한 길이: 　　　 cm

■▶ 문제 해결하기

전체 색 테이프의 길이를 리본 한 개를 만드는 데 필요한 길이로 (곱합니다 , 나눕니다).

■▶ 문제 풀기

(만들 수 있는 리본의 수)=(전체 색 테이프의 길이)÷(리본 한 개를 만드는 데 필요한 길이)

= 　　　 ÷ 　　　 = 　　　 …

■▶ 답 쓰기

만들 수 있는 리본의 수는 　　　 개이고, 남는 색 테이프는 　　　 cm입니다.

● 안에 알맞은 수를 써넣고 답을 구하세요.

1 Drill

지호네 반은 28명입니다. 4명씩 모둠을 만들면 몇 모둠이 될까요?

풀이 (만든 모둠의 수)＝(전체 학생의 수)÷(한 모둠의 학생 수)

$$= \boxed{} ÷ \boxed{} = \boxed{} \text{(모둠)}$$

주어진 수에 ○표 하고, 구하는 것에 밑줄 쫙!

답 　　모둠

2 Drill

준우는 185쪽짜리 수학 문제집을 하루에 5쪽씩 풀려고 합니다. 준우가 수학 문제집을 모두 풀려면 며칠이 걸릴까요?

풀이 (푸는 데 걸리는 날수)＝(전체 쪽수)÷(하루에 푸는 쪽수)

$$= \boxed{} ÷ \boxed{} = \boxed{} \text{(일)}$$

답 　　일

3 Drill

쿠키 95개를 7명에게 똑같이 나누어 주려고 합니다. 한 사람에게 몇 개씩 나누어 줄 수 있고, 남는 쿠키는 몇 개일까요?

풀이 (나누어 줄 쿠키의 수)＝(전체 쿠키의 수)÷(사람 수)

$$= \boxed{} ÷ \boxed{} = \boxed{} \cdots \boxed{}$$

답 　　개, 남는 쿠키의 수: 　　개

4 Drill

사과 203개를 한 상자에 8개씩 담으려고 합니다. 사과 203개를 모두 담으려면 상자는 몇 개가 필요할까요?

풀이 (필요한 상자의 수)＝(전체 사과의 수)÷(한 상자에 담는 사과의 수)

$$= \boxed{} ÷ \boxed{} = \boxed{} \cdots \boxed{}$$

나머지 　　개도 상자에 담아야 하므로 상자는 모두 　　상자가 필요합니다.

답 　　상자

● 서술형 문제를 읽고 풀이 과정과 답을 쓰세요.

도전 ①

책 84권을 책꽂이 4칸에 똑같이 나누어 꽂으려고 합니다. 한 칸에 책을 몇 권씩 꽂아야 할까요?

풀이

답 _____

도전 ②

연필 162자루가 있습니다. 한 명당 연필을 6자루씩 나누어 주면 몇 명에게 나누어 줄 수 있을까요?

풀이

답 _____

도전 ③

꽃 78송이를 꽃병 한 개에 5송이씩 꽂으려고 합니다. 꽃병에 꽂고 남은 꽃은 몇 송이일까요?

풀이

답 _____

도전 ④

자전거 바퀴가 794개 있습니다. 이 바퀴로 만들 수 있는 세발자전거는 몇 대일까요?

풀이

답 _____

01 　 안에 알맞은 수를 써넣으세요.

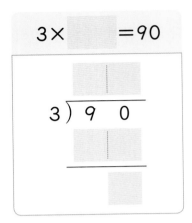

$$3 \times \boxed{} = 90$$

02 나눗셈을 하세요.

(1) $20 \div 2 = \boxed{}$

(2) $40 \div 2 = \boxed{}$

(3) $60 \div 2 = \boxed{}$

(4) $90 \div 3 = \boxed{}$

(5) $80 \div 4 = \boxed{}$

03 　 안에 알맞은 수를 써넣으세요.

$$7 \times \boxed{} = 56$$

04 빈칸에 알맞은 수를 써넣으세요.

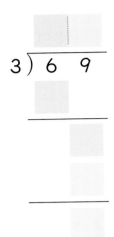

05 나눗셈을 하세요.

(1)

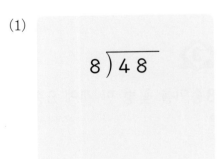

(2)

$$2 \overline{)86}$$

06 ⬚ 안에 알맞은 수를 써넣으세요.

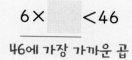

$6 \times \boxed{} < 46$

46에 가장 가까운 곱

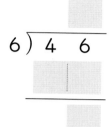

$6\,)\,4\;6$

07 빈칸에 알맞은 수를 써넣으세요.

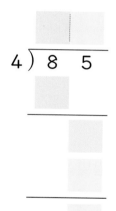

$4\,)\,8\;5$

08 계산을 하고 검산해 보세요.

$3\,)\,2\;3$

검산 _____

09 나눗셈을 하세요.

(1)

$7\,)\,3\;8$

(2)

$5\,)\,5\;6$

10 빈칸에 알맞은 수를 써넣으세요.

$6\,)\,8\;7$

11 계산을 하고 검산해 보세요.

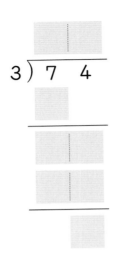

$3\overline{)74}$

검산 _____

12 나눗셈을 하세요.

$6\overline{)87}$

13 빈칸에 알맞은 수를 써넣으세요.

$5\overline{)950}$

14 나눗셈을 하세요.

(1)

$5\overline{)700}$

(2)

$7\overline{)980}$

15 빈칸에 알맞은 수를 써넣으세요.

$8\overline{)512}$

16 빈칸에 알맞은 수를 써넣으세요.

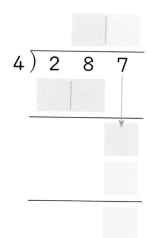

17 ☐ 안에 알맞은 수를 써넣으세요.

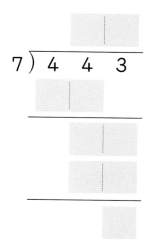

18 계산을 하고 검산해 보세요.

9) 6 6 9

검산

19 ☐ 안에 알맞은 수를 써넣으세요.

(1) 72 → ÷3 →

(2) 375 → ÷5 →

20 ☐ 안에 몫을 써넣고, ⬭ 안에 나머지를 써넣으세요.

(1) ÷→

71	4		
82	6		

(2) ÷→

516	7		
371	8		

1 안에 알맞은 수를 써넣으세요.

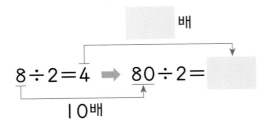

배

$8 \div 2 = 4$ ➡ $80 \div 2 =$

10배

2 관계있는 것끼리 선으로 이어 보세요.

$90 \div 3$ •   • 40

$80 \div 2$ •   • 30

$60 \div 3$ •   • 20

3 나눗셈을 하세요.

(1) $3 \overline{)69}$ (2) $4 \overline{)84}$

4 계산을 보고 몫과 나머지를 쓰세요.

$$
\begin{array}{r}
9 \\
8 \overline{)75} \\
72 \\
\hline
3
\end{array}
$$

몫 (   )

나머지 (   )

5 빈칸에 알맞은 수를 써넣으세요.

나눗셈식	몫	나머지
$46 \div 5$		
$51 \div 7$		
$62 \div 8$		

6 다음 수를 6으로 나눈 몫은 얼마일까요?

$$10이 9개인 수$$

(   )

7 큰 수를 작은 수로 나눈 몫을 빈 곳에 써넣으세요.

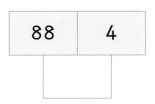

8 몫이 24인 것을 찾아 ○표 하세요.

92÷4	72÷3	95÷5

(   ) (   ) (   )

9 ▨ 안에 알맞은 수를 써넣으세요.

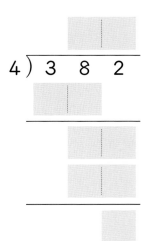

10 ▨ 안에 몫을 써넣고, ◯ 안에 나머지를 써넣으세요.

÷		
128	5	
371	6	
442	8	

11 ㉠과 ㉡의 차를 구하세요.

$$147 \div 7 = ㉠$$
$$60 \div 4 = ㉡$$

(   )

12 나머지가 5가 될 수 없는 나눗셈식은 어느 것일까요? (   )

① ▨ $\div 5$ ② ▨ $\div 6$

③ ▨ $\div 7$ ④ ▨ $\div 8$

⑤ ▨ $\div 9$

13 나눗셈식의 몫과 나머지의 차를 구하세요.

$$320 \div 7$$

(   )

14 몫이 가장 큰 것부터 차례로 기호를 쓰세요.

㉠ $60 \div 5$	㉡ $70 \div 5$
㉢ $80 \div 4$	㉣ $90 \div 6$

(   )

15 나머지가 가장 작은 것부터 차례로 ◯ 안에 1, 2, 3을 써넣으세요.

$429 \div 5$ ——◯

$442 \div 8$ ——◯

$375 \div 6$ ——◯

16 안에 알맞은 수를 써넣으세요.

$$\boxed{} \div 8 = 12 \cdots 2$$

17 몫과 나머지의 합이 가장 큰 나눗셈식을 찾아 기호를 쓰세요.

ㄱ 84÷9
ㄴ 38÷3
ㄷ 61÷5

(   )

18 사탕이 한 묶음에 10개씩 7묶음 있습니다. 한 명에게 5개씩 나누어 준다면 몇 명에게 나누어 줄 수 있을까요?

(   )명

19 계산을 하고 검산해 보세요.

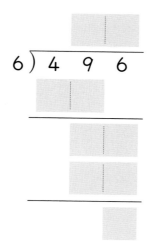

검산 _____

20 구슬 50개를 4명에게 똑같이 나누어 주려고 합니다. 구슬이 남지 않도록 나누어 주려면 적어도 몇 개가 더 필요한지 풀이 과정을 쓰고 답을 구하세요.

풀이 _____

_____

_____

답 _____

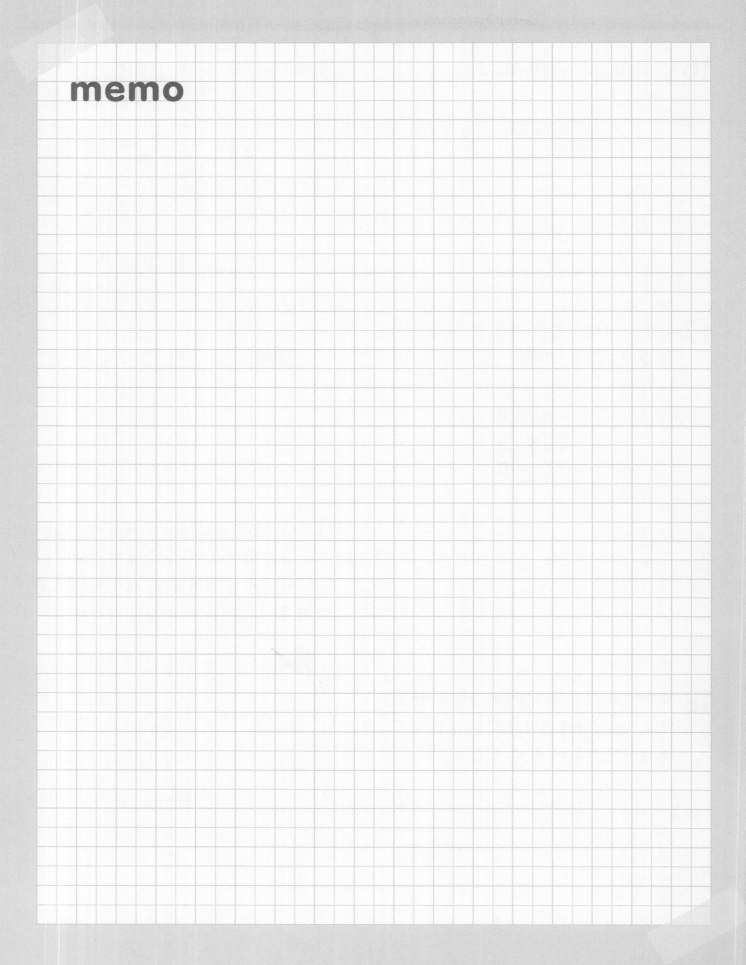

memo

논리적 사고력과 창의적 문제해결력을 키워 주는
매스티안 교재 활용법!

대상	창의사고력 교재	연산 교재	
	팩토	**사고력을 키우는 팩토 연산**	**원리 연산 소마셈**
5세 ~ 6세	킨더팩토 A, B, C, D		소마셈 K시리즈 K1~K8
7세 ~ 초1	키즈 원리A/탐구A · 키즈 원리B/탐구B · 키즈 원리C/탐구C	사고력을 키우는 팩토 연산 P01~P05	소마셈 P시리즈 P1~P8
초1 ~ 초2	Lv.1 원리A/탐구A · Lv.1 원리B/탐구B · Lv.1 원리C/탐구C	사고력을 키우는 팩토 연산 A01~A05	소마셈 A시리즈 A1~A8
초2 ~ 초3	Lv.2 원리A/탐구A · Lv.2 원리B/탐구B · Lv.2 원리C/탐구C	사고력을 키우는 팩토 연산 B01~B05	소마셈 B시리즈 B1~B8
초3 ~ 초4	Lv.3 원리A/탐구A · Lv.3 원리B/탐구B · Lv.3 원리C/탐구C	사고력을 키우는 팩토 연산 C01~C05	소마셈 C시리즈 C1~C8
초4 ~ 초5	Lv.4 기본A, 실전A · Lv.4 기본B, 실전B		소마셈 D시리즈 D1~D6
초5 ~ 초6	Lv.5 기본A, 실전A · Lv.5 기본B, 실전B		
초6 ~	Lv.6 기본A, 실전A · Lv.6 기본B, 실전B		

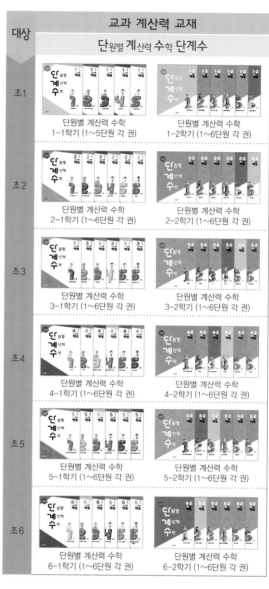

교과 계산력 교재

단원별 계산력 수학 단계수

대상		
초1	단원별 계산력 수학 1-1학기 (1~5단원 각 권)	단원별 계산력 수학 1-2학기 (1~6단원 각 권)
초2	단원별 계산력 수학 2-1학기 (1~6단원 각 권)	단원별 계산력 수학 2-2학기 (1~6단원 각 권)
초3	단원별 계산력 수학 3-1학기 (1~6단원 각 권)	단원별 계산력 수학 3-2학기 (1~6단원 각 권)
초4	단원별 계산력 수학 4-1학기 (1~6단원 각 권)	단원별 계산력 수학 4-2학기 (1~6단원 각 권)
초5	단원별 계산력 수학 5-1학기 (1~6단원 각 권)	단원별 계산력 수학 5-2학기 (1~6단원 각 권)
초6	단원별 계산력 수학 6-1학기 (1~6단원 각 권)	단원별 계산력 수학 6-2학기 (1~6단원 각 권)

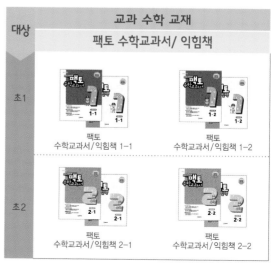

교과 수학 교재

팩토 수학교과서/익힘책

대상		
초1	팩토 수학교과서/익힘책 1-1	팩토 수학교과서/익힘책 1-2
초2	팩토 수학교과서/익힘책 2-1	팩토 수학교과서/익힘책 2-2

단계수 학습 순서

매일 학습

단원별로 꼭 알아야 할 개념만 쏙쏙 학습하고, 다양한 연산 문제를 통해 필수 개념을 숙달하여 계산력을 쑥쑥 키울 수 있습니다.

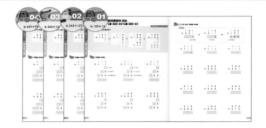

도전! 응용문제

필수 개념을 활용한 **응용** 문제 또는 **서술형** 문제를 통해 사고력과 문제해결력을 기를 수 있습니다.

형성 평가

단원의 **복습 단계**로 문제를 풀면서 학습한 내용을 잘 알고 있는지 다시 한 번 확인할 수 있습니다.

단원 평가

단원의 **마무리 학습**으로 학교 시험에 자주 나오는 문제 유형을 통해서 수시 평가 등 학교 시험에 대비할 수 있습니다.

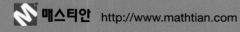 매스티안 http://www.mathtian.com

 자율안전확인신고필증번호 : B361H200-4001
1. 주소 : 06153 서울특별시 강남구 봉은사로 442 (삼성동)
2. 문의전화 : 1588-6066
3. 제조국 : 대한민국
4. 사용연령 : 10세 이상
※ KC마크는 이 제품이 공통안전기준에 적합하였음을 의미합니다.

 ⚠ 주의
종이, 모서리에 다칠 수 있으니 주의하세요!

	초등학교	반	번
이름			

3-2

초등 수학
팩토

단원별

계산력

수학

3
단원

원

매스티안

팩토는 자유롭게 자신감있게 창의적으로 생각하는 주니어수학자입니다.

단계별산력수학

펴낸 곳 (주)타임교육C&P   **펴낸이** 이길호   **지은이** 매스티안R&D센터

주소 06153 서울특별시 강남구 봉은사로 442 (삼성동)   **문의전화** 1588.6066

팩토카페 http://cafe.naver.com/factos   **홈페이지** http://www.mathtian.com

JW2204

생각이 자유로운 사람들! 매스티안R&D센터

매스티안R&D센터의 논리적 사고력과 창의적 문제해결력을 키우는 수학 콘텐츠는 국내외 수많은 교육 현장에서 그 우수성을 높이 평가받고 있습니다.

매스티안R&D센터는 여기에 안주하지 않고 앞으로도 학생, 교사, 학부모 모두가 행복한 수학 시간을 만들 수 있도록 노력하겠습니다.

매스티안 공식 홈페이지 … (http://www.mathtian.com)

· 매스티안의 다양한 출간 교재 소개

· 출간 교재와 관련된 학습 자료(보충 학습지, 활동지 등) 제공

· 출간 교재와 관련된 평가 시험 및 분석 제공

매스티안 공식 카페 … 팩토 (http://cafe.naver.com/factos)

· 창의사고력 수학 팩토 무료 동영상 강의 제공

· 출간 교재에 관한 질문 및 답변

· 영재교육원 대비 자료(기출 문제, 예상 문제) 제공

· 초등 수학 비법 및 Q&A

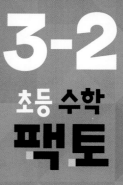

3-2

초등 수학
팩토

단원별 계산력 수학

3 단원

원

매스티안

4. 평면도형의 이동
· 평면도형 밀기, 뒤집기, 돌리기
· 규칙적인 무늬 만들기

4-1

2. 여러 가지 도형
· 원, 삼각형, 사각형, 오각형, 육각형
· 쌓기나무로 입체도형 만들기

2-1

2. 평면도형
· 선분, 반직선, 직선
· 각, 직각
· 직각삼각형, 직사각형, 정사각형

3-1

4-2

1-2

2. 삼각형
· 이등변삼각형, 정삼각형
· 예각삼각형, 둔각삼각형

3. 여러 가지 모양
· ■, ▲, ● 모양
· ■, ▲, ● 모양으로 여러 가지 모양 꾸미기

4-1

3. 원

3-2

· 원 그리기
· 원의 중심, 반지름, 지름, 원의 성질

2. 각도
· 각도 재기, 각도의 합과 차
· 삼각형, 사각형의 내각의 크기의 합

3 원

Teaching Guide

이 단원에서는 원의 중심, 반지름, 지름 등 원을 구성하는 요소로 원의 개념을 안내하고, 컴퍼스를 이용하여 원을 그리도록 하고 있습니다. 그런데 아이가 원이 곡선이라는 것은 파악하기 쉽지만, 한 점에서 일정한 거리에 있는 점들의 집합이 원이라는 것을 발견하기는 어렵습니다. 이를 위해서 긴 줄을 이용하여 운동장에서 큰 원을 그려 보거나 실에 단추를 매달아 돌려 보는 등 원을 그려 보는 직접 체험 활동을 충분히 경험할 수 있도록 해 주세요. 아이가 중심에서 같은 거리에 있는 점의 연결로 이루어진 것이 원이라는 것을 이해한 후에 컴퍼스를 이용하여 원을 그리는 방법을 지도하도록 합니다.

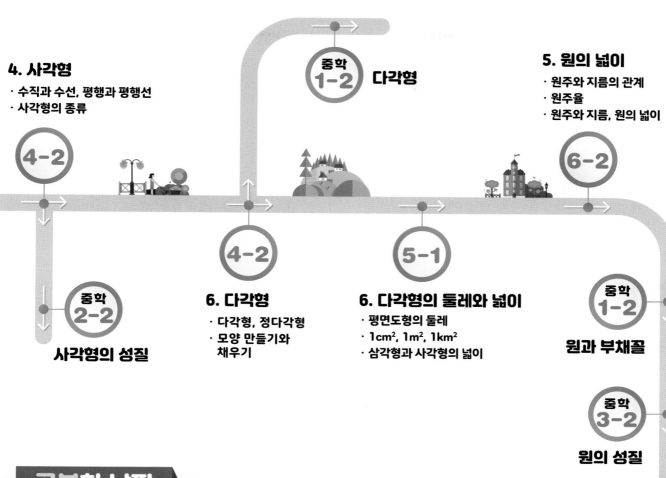

4. 사각형
· 수직과 수선, 평행과 평행선
· 사각형의 종류

4-2

중학 **2-2**

사각형의 성질

중학 **1-2** 다각형

4-2

6. 다각형
· 다각형, 정다각형
· 모양 만들기와
  채우기

5-1

6. 다각형의 둘레와 넓이
· 평면도형의 둘레
· 1cm², 1m², 1km²
· 삼각형과 사각형의 넓이

5. 원의 넓이
· 원주와 지름의 관계
· 원주율
· 원주와 지름, 원의 넓이

6-2

중학 **1-2**

원과 부채꼴

중학 **3-2**

원의 성질

공부한 날짜

❶ 일차	원의 중심, 반지름, 지름
	월 일

❷ 일차	원의 성질
	월 일

❸ 일차	원을 이용하여 여러 가지 모양 그려 보기
	월 일

❹ 일차	응용 문제
	월 일

❺ 일차	형성 평가
	월 일

❻ 일차	단원 평가
	월 일

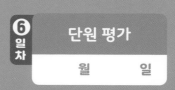

01 원의 중심, 반지름, 지름

정답 22쪽

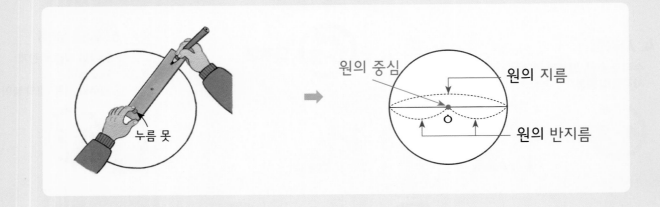

 1 원의 중심을 찾아 쓰세요.

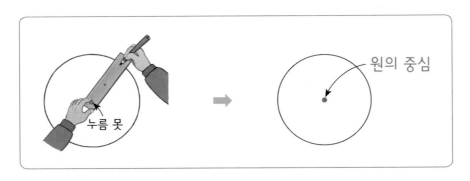

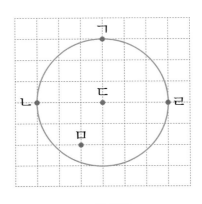

점 ▢

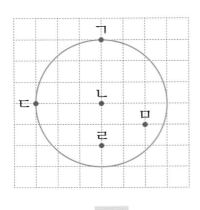

점 ▢

점 ▢

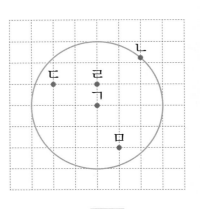

점 ▢

2 원의 반지름을 모두 찾아 쓰세요.

보기

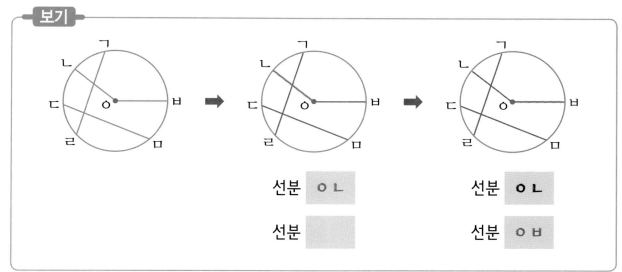

선분 ㅇㄴ

선분

선분 ㅇㄴ

선분 ㅇㅂ

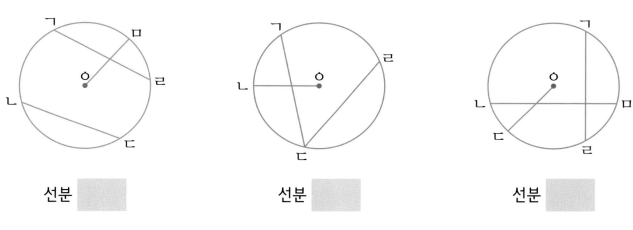

선분

선분

선분

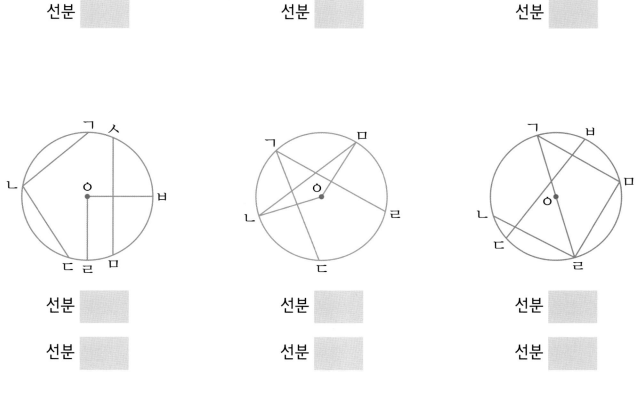

선분

선분

선분

선분

선분

선분

원의 지름을 모두 찾아 쓰세요.

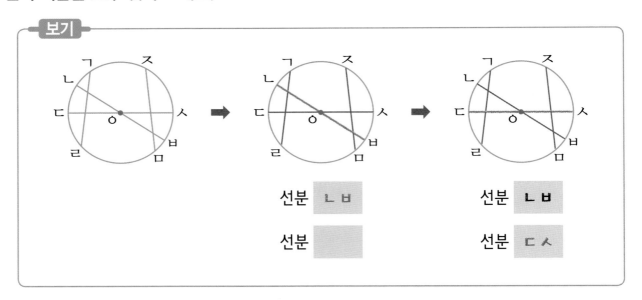

보기

선분 ㄴㅂ

선분

선분 ㄴㅂ

선분 ㄷㅅ

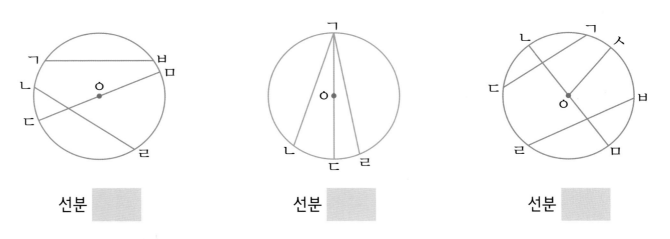

선분 ⬜

선분 ⬜

선분 ⬜

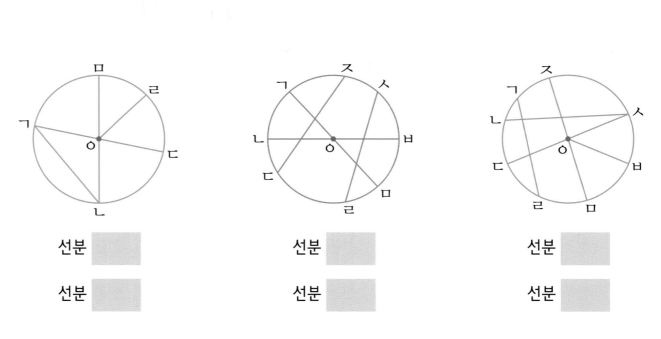

선분 ⬜

선분 ⬜

선분 ⬜

선분 ⬜

선분 ⬜

선분 ⬜

4 　안에 알맞은 수를 써넣고, 알 수 있는 사실에서 알맞은 말을 찾아 ◯표 하세요.

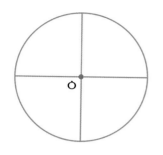

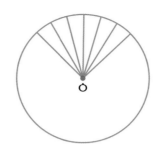

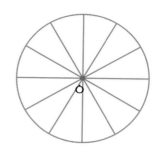

➡ 반지름: ⬜ 개　　➡ 반지름: ⬜ 개　　➡ 반지름: ⬜ 개

알 수 있는 사실

❶ 한 원에서 원의 반지름은 (딱 1개입니다 , 무수히 많습니다).

❷ 한 원에서 원의 반지름의 길이는 모두 (같습니다 , 다릅니다).

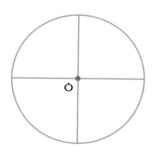

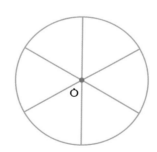

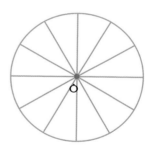

➡ 지름: ⬜ 개　　➡ 지름: ⬜ 개　　➡ 지름: ⬜ 개

알 수 있는 사실

❶ 한 원에서 원의 지름은 (딱 1개입니다 , 무수히 많습니다).

❷ 한 원에서 원의 지름의 길이는 모두 (같습니다 , 다릅니다).

정답 23쪽

02 원의 성질

지름은 원을 똑같이 둘로 나눕니다.

지름은 원 안에 그을 수 있는 선분 중 가장 깁니다.

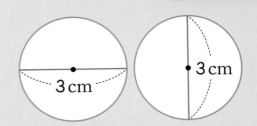

한 원에서 원의 **지름의** 길이는 모두 같습니다.

1 안에 알맞은 기호를 써넣으세요.

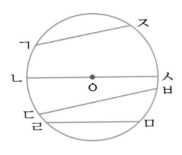

◦ 가장 긴 선분: 선분 ⬚

◦ 원의 지름: 선분 ⬚

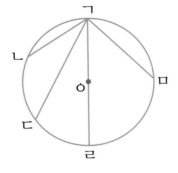

◦ 가장 긴 선분: 선분 ⬚

◦ 원의 지름: 선분 ⬚

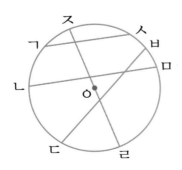

◦ 가장 긴 선분: 선분 ⬚

◦ 원의 지름: 선분 ⬚

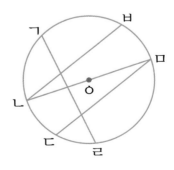

◦ 가장 긴 선분: 선분 ⬚

◦ 원의 지름: 선분 ⬚

원의 지름과 반지름의 관계

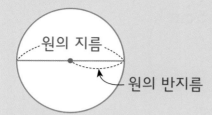

원의 지름
원의 반지름

$$(지름) = (반지름) \times 2$$
$$(반지름) = (지름) \div 2$$

 2 선분의 길이를 자로 재어 보고, ▨ 안에 알맞은 수를 써넣으세요. 준비물 자

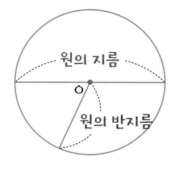

원의 지름
원의 반지름

┌ 원의 지름: 4 cm
└ 원의 반지름: ▨ cm

➡ (원의 지름)=(원의 반지름)× ▨

┌ 원의 지름: ▨ cm
└ 원의 반지름: ▨ cm

➡ (원의 지름)=(원의 반지름)× ▨

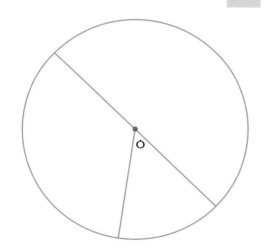

┌ 원의 지름: ▨ cm
└ 원의 반지름: ▨ cm

➡ (원의 지름)=(원의 반지름)× ▨

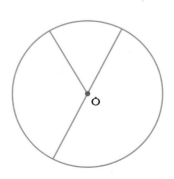

┌ 원의 지름: ▨ cm
└ 원의 반지름: ▨ cm

➡ (원의 지름)=(원의 반지름)× ▨

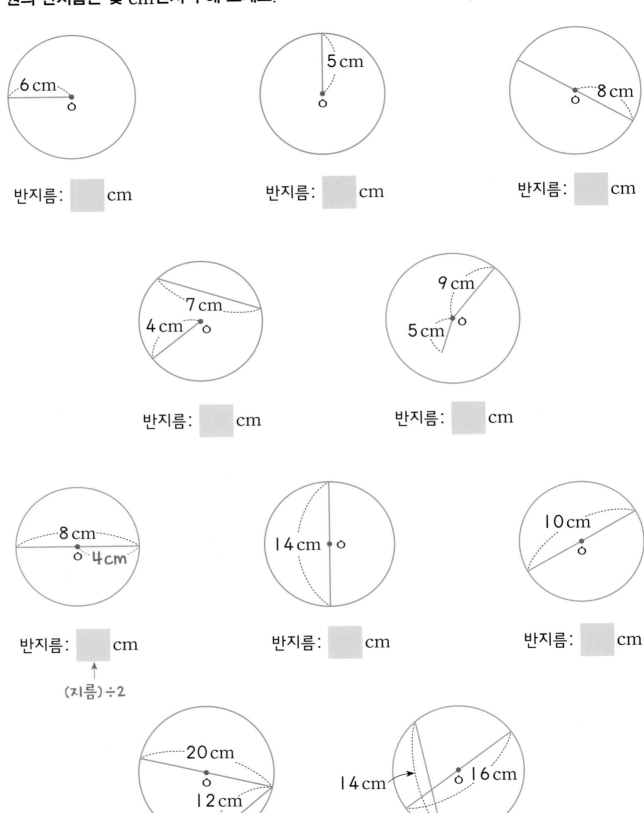

6 cm

반지름: ◻ cm

5 cm

반지름: ◻ cm

8 cm

반지름: ◻ cm

7 cm
4 cm

반지름: ◻ cm

9 cm
5 cm

반지름: ◻ cm

8 cm
4cm

반지름: ◻ cm

↑
(지름)÷2

14 cm

반지름: ◻ cm

10 cm

반지름: ◻ cm

20 cm
12 cm

반지름: ◻ cm

14 cm   16 cm

반지름: ◻ cm

④ 원의 지름은 몇 cm인지 구해 보세요.

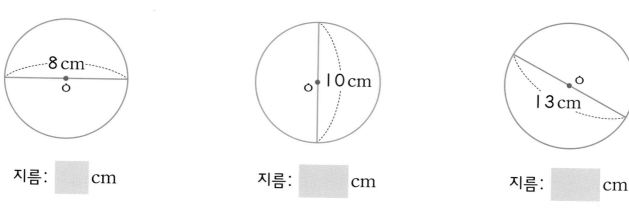

지름: ▢ cm

지름: ▢ cm

지름: ▢ cm

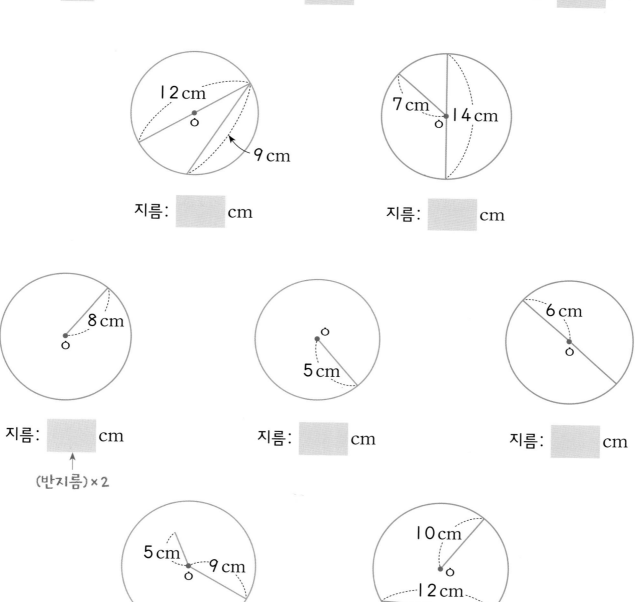

지름: ▢ cm

지름: ▢ cm

지름: ▢ cm
↑
(반지름)×2

지름: ▢ cm

지름: ▢ cm

지름: ▢ cm

지름: ▢ cm

🌿 **반지름이 3cm인 원 그리기**

원의 중심이 되는 점 ㅇ를 정합니다.	 컴퍼스를 원의 반지름인 3cm만큼 벌립니다.	 컴퍼스의 침을 점 ㅇ에 꽂고 원을 그립니다.

1 점 ㅇ을 원의 중심으로 한 원을 그리고, 지름이 몇 cm인지 구해 보세요. 준비물 자, 컴퍼스

반지름이 3cm인 원

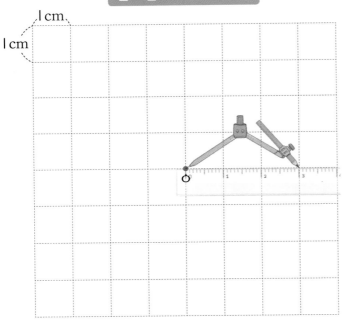

반지름이 4cm인 원

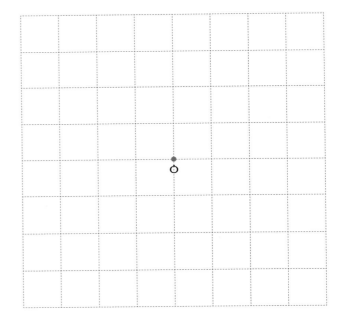

➡ 원의 지름: ⬜ cm

➡ 원의 지름: ⬜ cm

2 주어진 선분과 반지름의 길이가 같은 원을 그려 보세요.

컴퍼스를 주어진 선분만큼 벌리기

컴퍼스로 원 그리기

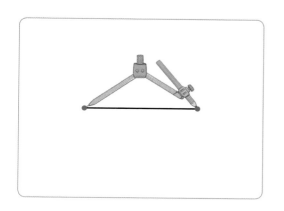

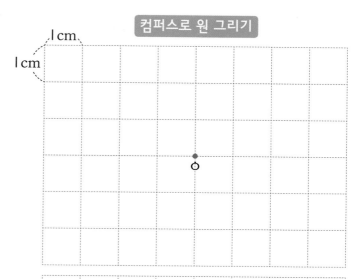

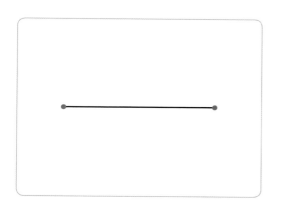

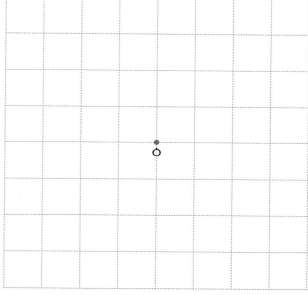

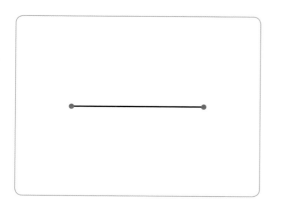

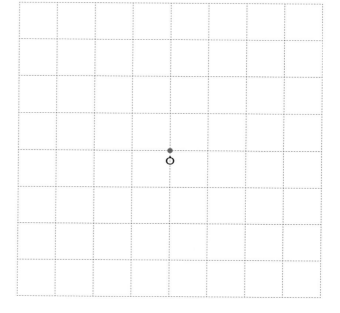

3 보기 와 같이 주어진 모양과 똑같이 그려 보세요. 준비물 컴퍼스

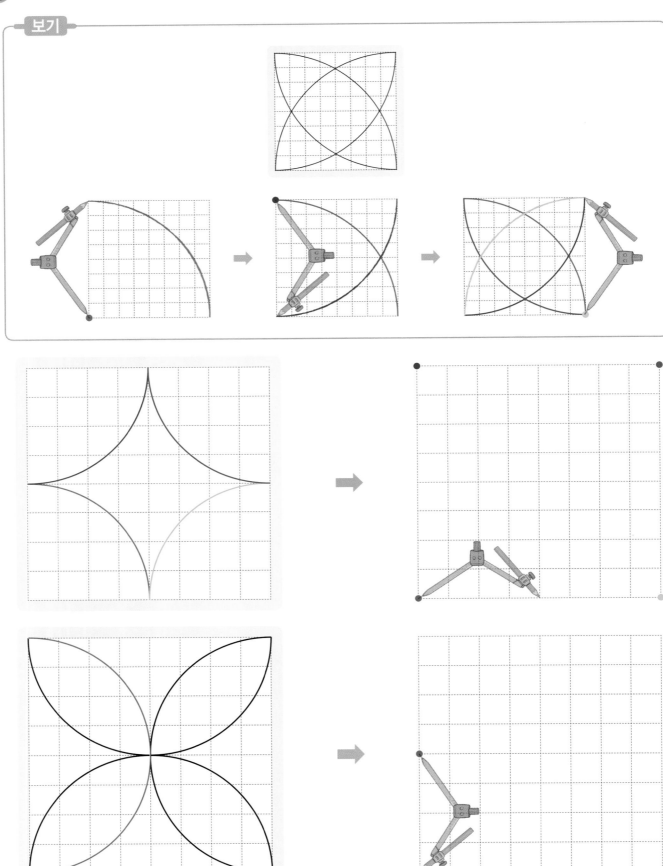

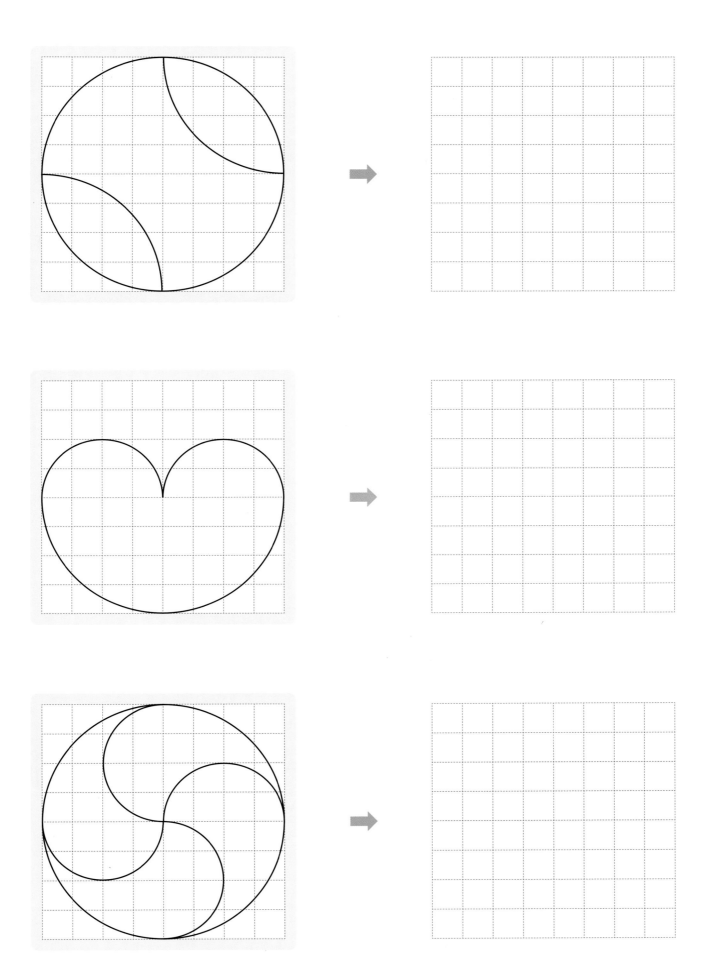

🍂 큰 원의 지름 구하기

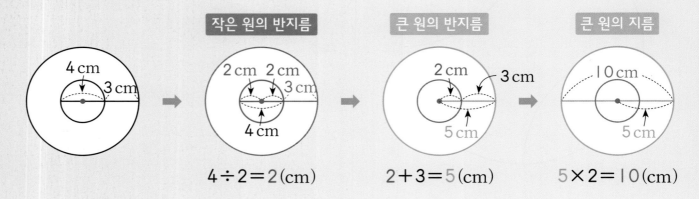

| 작은 원의 반지름 | 큰 원의 반지름 | 큰 원의 지름 |

$$4 \div 2 = 2 \, (cm) \qquad 2 + 3 = 5 \, (cm) \qquad 5 \times 2 = 10 \, (cm)$$

응용 ① 큰 원의 지름은 몇 cm인지 구해 보세요.

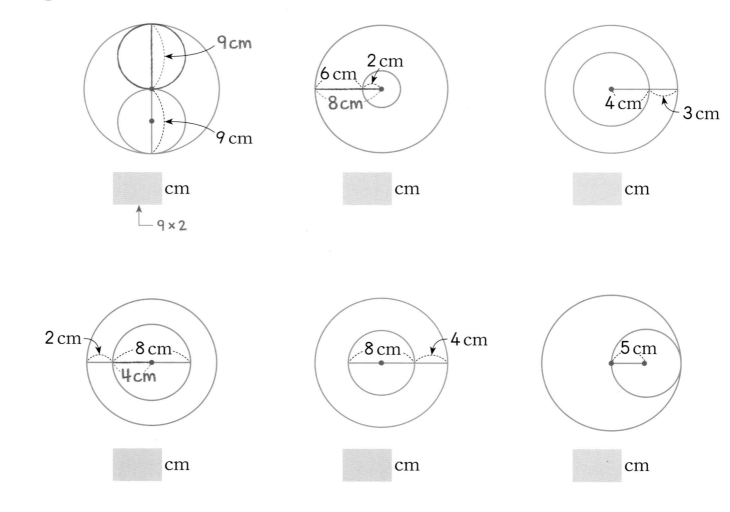

⬜ cm

9×2

⬜ cm

⬜ cm

⬜ cm

⬜ cm

⬜ cm

보기

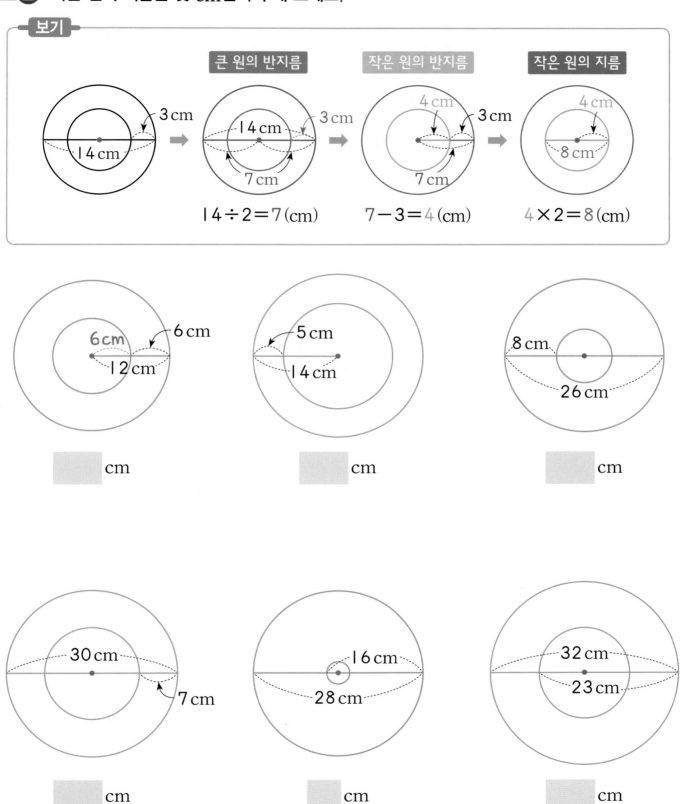

	큰 원의 반지름	작은 원의 반지름	작은 원의 지름

14 ÷ 2 = 7 (cm)   7 − 3 = 4 (cm)   4 × 2 = 8 (cm)

6 cm / 12 cm / 6 cm

⬜ cm

5 cm / 14 cm

⬜ cm

8 cm / 26 cm

⬜ cm

30 cm / 7 cm

⬜ cm

16 cm / 28 cm

⬜ cm

32 cm / 23 cm

⬜ cm

❀ 선분 ㄱㄹ의 길이 구하기

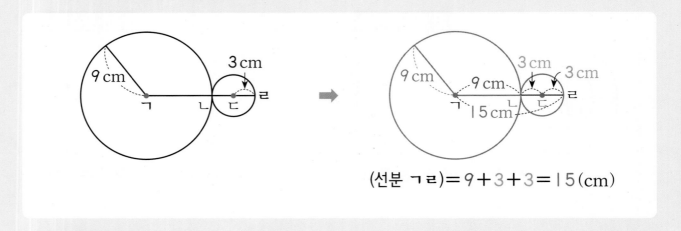

(선분 ㄱㄹ)=9+3+3=15(cm)

응용 3 선분 ㄱㄷ의 길이는 몇 cm인지 구해 보세요.

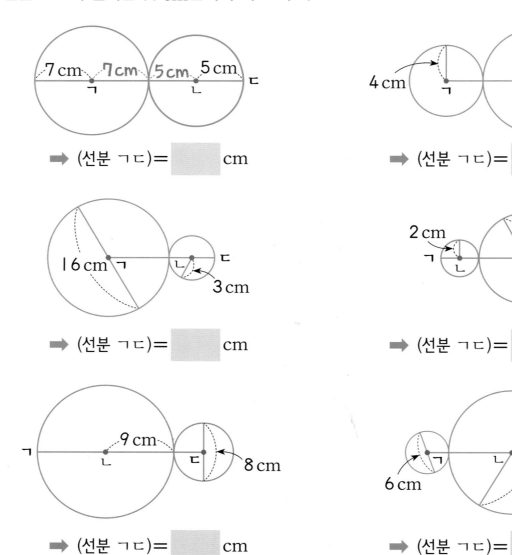

➡ (선분 ㄱㄷ)= [   ] cm

➡ (선분 ㄱㄷ)= [   ] cm

➡ (선분 ㄱㄷ)= [   ] cm

➡ (선분 ㄱㄷ)= [   ] cm

➡ (선분 ㄱㄷ)= [   ] cm

➡ (선분 ㄱㄷ)= [   ] cm

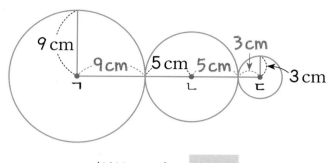
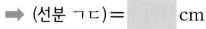

➡ (선분 ㄱㄷ) = ▢ cm

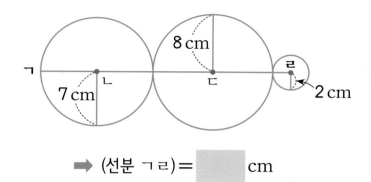

➡ (선분 ㄱㄹ) = ▢ cm

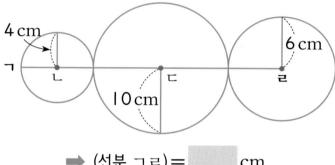
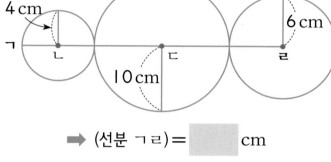

➡ (선분 ㄱㄹ) = ▢ cm

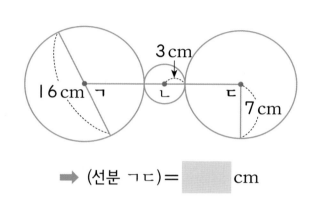

➡ (선분 ㄱㄷ) = ▢ cm

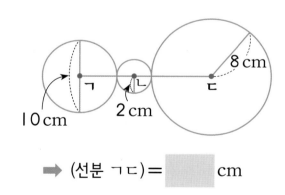

➡ (선분 ㄱㄷ) = ▢ cm

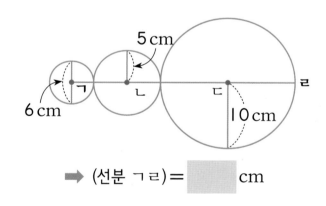

➡ (선분 ㄱㄹ) = ▢ cm

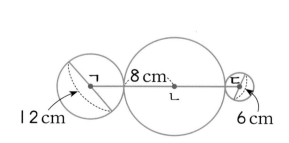

➡ (선분 ㄱㄷ) = ▢ cm

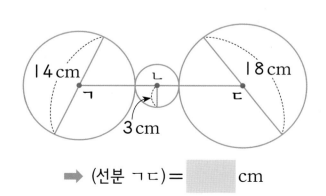

➡ (선분 ㄱㄷ) = ▢ cm

초등 3-2
③ 원

01 ☐ 안에 알맞은 말을 써넣으세요.

원의 ☐

원의 ☐

원의 ☐

02 원의 중심을 찾아 쓰세요.

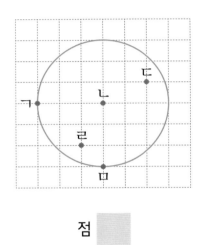

점 ☐

03 원의 반지름을 모두 찾아 쓰세요.

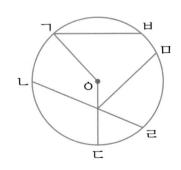

선분 ☐ , 선분 ☐

04 원의 지름을 모두 찾아 쓰세요.

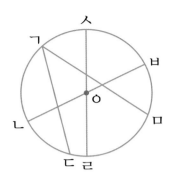

선분 ☐ , 선분 ☐

05 주어진 선분의 길이를 재어 ☐ 안에 알맞은 수를 쓰고, 알맞은 말을 찾아 ○표 하세요.

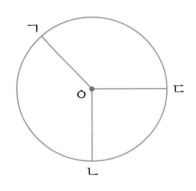

선분 ㅇㄱ: ☐ cm

선분 ㅇㄴ: ☐ cm

선분 ㅇㄷ: ☐ cm

한 원에서 원의 반지름의 길이는 모두 (같습니다 , 다릅니다).

06 주어진 선분의 길이를 재어 ⬜ 안에 알맞은 수를 쓰고, 알맞은 말을 찾아 ◯표 하세요.

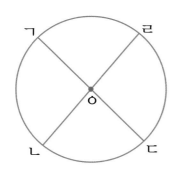

┌ 선분 ㄱㄷ: ⬜ cm

└ 선분 ㄴㄹ: ⬜ cm

> 한 원에서 원의 지름의 길이는 모두 (같습니다 , 다릅니다).

07 ⬜ 안에 알맞은 기호를 써넣으세요.

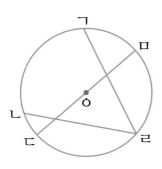

● 가장 긴 선분: 선분 ⬜

● 원의 지름: 선분 ⬜

08 선분의 길이를 자로 재어 보고, ⬜ 안에 알맞은 수를 써넣으세요.

┌ 원의 지름: ⬜ cm

└ 원의 반지름: ⬜ cm

➡ (원의 지름)=(원의 반지름)× ⬜

09 원에 대한 설명으로 틀린 것을 찾아 기호를 쓰세요.

> ㉠ 한 원에서 원의 중심은 1개입니다.
>
> ㉡ 한 원에서 지름은 반지름의 2배입니다.
>
> ㉢ 원 안에 그을 수 있는 선분 중 가장 긴 선분은 반지름입니다.

(   )

10 컴퍼스를 이용하여 원을 그리는 순서대로 번호를 쓰세요.

(   ) (   ) (   )

[11~13] ■ 안에 알맞은 수를 써넣으세요.

11

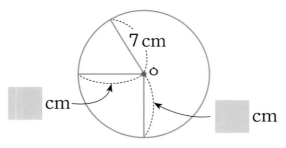

12

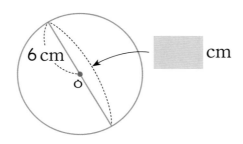

13

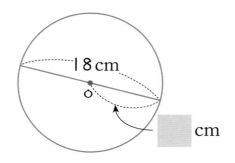

14 크기가 <u>다른</u> 원을 찾아 기호를 쓰세요.

> ㉠ 반지름이 5 cm인 원
>
> ㉡
>
> ㉢ 지름이 10 cm인 원
>
> ㉣ 컴퍼스를 5 cm만큼 벌려서 그린 원

(   )

15 원의 반지름과 지름은 각각 몇 cm일까요?

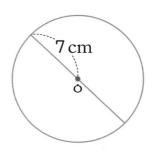

┌ 반지름: ■ cm

└ 지름: ■ cm

16 점 ㅇ을 원의 중심으로 한 원을 그리고, 지름이 몇 cm인지 구해 보세요.

반지름이 3 cm인 원

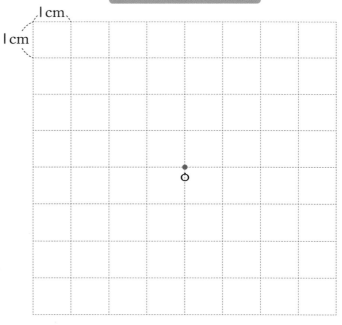

➡ 원의 지름: ■ cm

17 주어진 선분과 반지름의 길이가 같은 원을 그려 보세요.

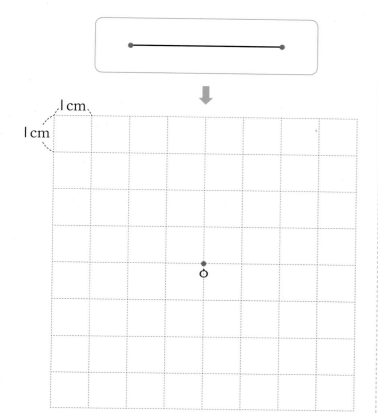

18 지름이 6 cm인 원을 그려 보세요.

19 가장 작은 원부터 차례대로 번호를 쓰세요.

① 지름이 3 cm인 원

② 반지름이 5 cm인 원

③ 반지름이 2 cm인 원

④ 지름이 6 cm인 원

(   )

20 주어진 모양과 똑같이 그려 보세요.

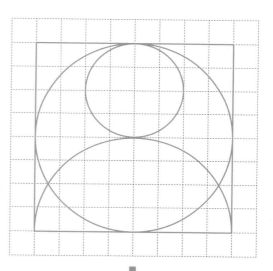

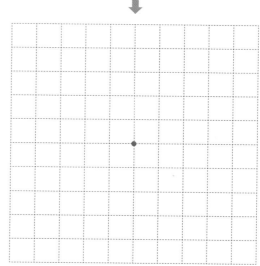

1 원의 중심을 찾아 쓰세요.

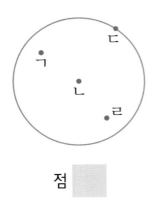

점 ☐

2 누름 못을 원의 중심으로 하고 반지름이 가장 짧은 원을 그리려고 합니다. 연필을 어느 곳에 꽂아야 할까요?

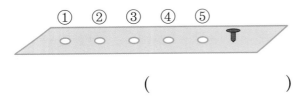

(   )

3 원의 반지름과 지름을 찾아 기호를 쓰세요.

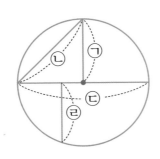

반지름 (   )

지름 (   )

4 ☐ 안에 알맞은 수를 써넣으세요.

(1)

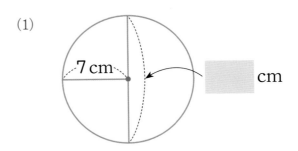

☐ cm

(2)

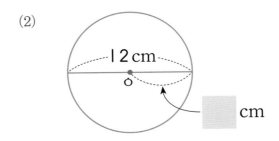

☐ cm

5 원의 지름에 대하여 바르게 설명한 것은 어느 것일까요? (   )

① 원 위의 두 점을 이은 선분입니다.

② 한 원에는 지름이 1개 있습니다.

③ 지름은 반지름의 3배입니다.

④ 원의 중심에서 원 위의 한 점까지의 거리입니다.

⑤ 원 위의 두 점을 이은 선분 중 길이가 가장 깁니다.

6 컴퍼스를 이용하여 반지름이 7 cm인 원을 그리려고 합니다. 그리는 순서대로 기호를 쓰세요.

ㄱ 컴퍼스를 원의 반지름인 7 cm만큼 벌립니다.

ㄴ 원의 중심이 되는 점 ㅇ을 정합니다.

ㄷ 컴퍼스의 침을 점 ㅇ에 꽂고 원을 그립니다.

(   )

7 컴퍼스를 그림과 같이 벌려서 원을 그렸습니다. 그린 원의 반지름은 몇 cm일까요?

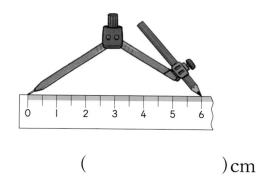

(   )cm

8 컴퍼스를 이용하여 지름이 18 cm인 원을 그리려고 합니다. 컴퍼스의 침과 연필 사이의 길이를 몇 cm가 되도록 벌려야 할까요?

(   )cm

9 원의 중심을 옮기지 않고 반지름을 다르게 하여 그린 것은 어느 것일까요?

(   )

① 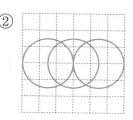   ②

③ 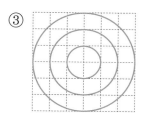   ④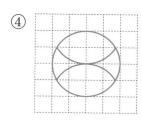

10 주어진 모양과 똑같이 그려 보세요.

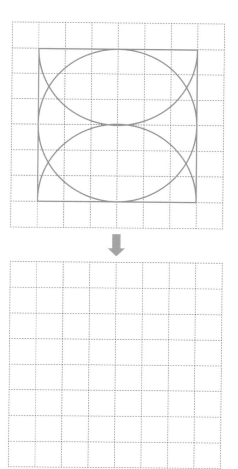

11 가장 큰 원을 찾아 기호를 쓰세요.

⊙ 반지름이 8 cm인 원
ⓛ 반지름이 9 cm인 원
ⓒ 지름이 14 cm인 원
ⓔ 지름이 17 cm인 원

(   )

12 한 변의 길이가 16 cm인 정사각형 안에 가장 큰 원을 그렸습니다. 이 원의 반지름은 몇 cm일까요?

(   )cm

13 크기가 같은 원 2개를 겹치지 않게 이어 붙였습니다. 선분 ㄱㄴ의 길이는 몇 cm일까요?

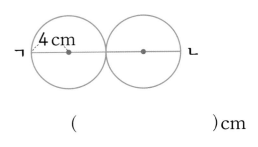

(   )cm

14 점 ㅇ을 중심으로 하는 큰 원의 지름은 몇 cm일까요?

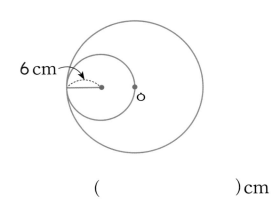

(   )cm

15 그림과 같은 모양을 그리기 위하여 컴퍼스의 침을 꽂아야 할 곳은 모두 몇 군데일까요?

(1)

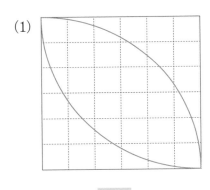

☐ 군데

(2)

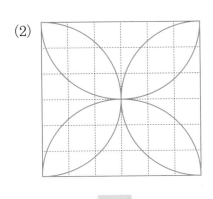

☐ 군데

16 선분 ㄱㄴ의 길이는 몇 cm일까요?

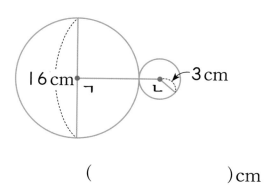

(   )cm

17 반지름이 27cm인 원 안에 그림과 같이 크기가 같은 **3**개의 작은 원을 그렸습니다. 작은 원의 반지름은 몇 cm일까요?

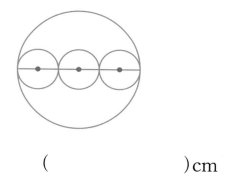

(   )cm

18 삼각형 ㄱㄴㅇ의 세 변의 길이의 합이 36cm일 때, 원의 반지름은 몇 cm일까요?

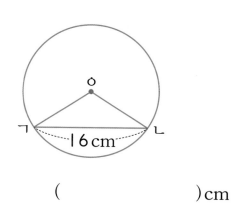

(   )cm

19 선분 ㄱㅁ의 길이는 몇 cm인지 풀이 과정을 쓰고 답을 구하세요.

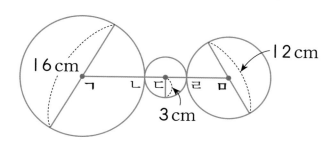

풀이

_____

_____

_____

_____

답 _____

20 한 원의 반지름이 **7**cm인 원을 그림과 같이 겹치지 않게 이어 붙여 놓고, 네 원의 중심을 이어 사각형을 만들었습니다. 만든 사각형의 네 변의 길이의 합은 몇 cm일까요?

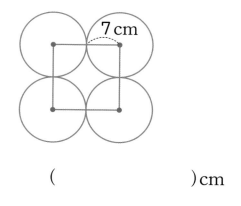

(   )cm

memo

논리적 사고력과 창의적 문제해결력을 키워 주는
매스티안 교재 활용법!

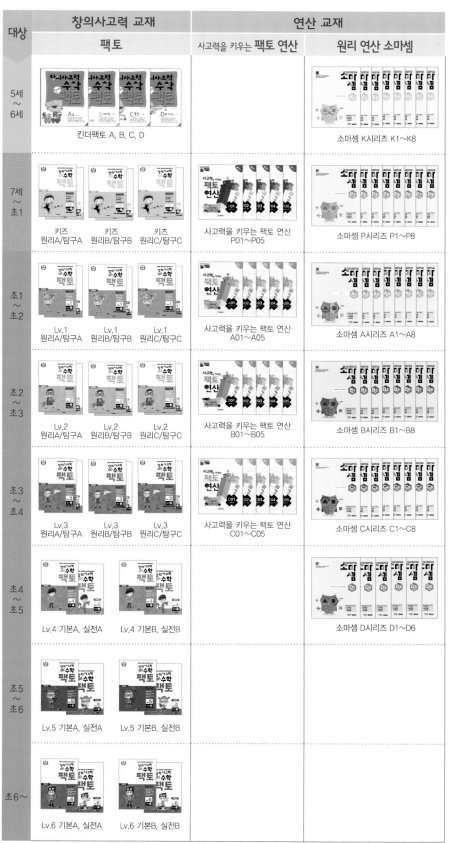

대상	창의사고력 교재			연산 교재	
	팩토			사고력을 키우는 **팩토 연산**	원리 연산 소마셈
5세~6세	킨더팩토 A, B, C, D				소마셈 K시리즈 K1~K8
7세~초1	키즈 원리A/탐구A	키즈 원리B/탐구B	키즈 원리C/탐구C	사고력을 키우는 팩토 연산 P01~P05	소마셈 P시리즈 P1~P8
초1~초2	Lv.1 원리A/탐구A	Lv.1 원리B/탐구B	Lv.1 원리C/탐구C	사고력을 키우는 팩토 연산 A01~A05	소마셈 A시리즈 A1~A8
초2~초3	Lv.2 원리A/탐구A	Lv.2 원리B/탐구B	Lv.2 원리C/탐구C	사고력을 키우는 팩토 연산 B01~B05	소마셈 B시리즈 B1~B8
초3~초4	Lv.3 원리A/탐구A	Lv.3 원리B/탐구B	Lv.3 원리C/탐구C	사고력을 키우는 팩토 연산 C01~C05	소마셈 C시리즈 C1~C8
초4~초5	Lv.4 기본A, 실전A	Lv.4 기본B, 실전B			소마셈 D시리즈 D1~D6
초5~초6	Lv.5 기본A, 실전A	Lv.5 기본B, 실전B			
초6~	Lv.6 기본A, 실전A	Lv.6 기본B, 실전B			

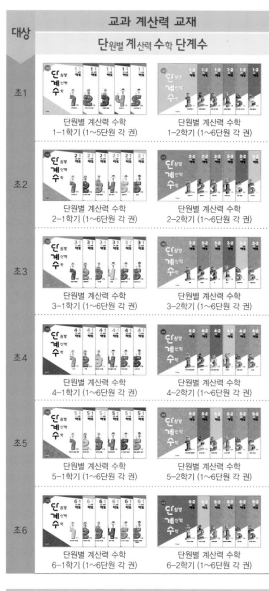

대상	교과 계산력 교재	
	단원별 계산력 수학 단계수	
초1	단원별 계산력 수학 1-1학기 (1~5단원 각 권)	단원별 계산력 수학 1-2학기 (1~6단원 각 권)
초2	단원별 계산력 수학 2-1학기 (1~6단원 각 권)	단원별 계산력 수학 2-2학기 (1~6단원 각 권)
초3	단원별 계산력 수학 3-1학기 (1~6단원 각 권)	단원별 계산력 수학 3-2학기 (1~6단원 각 권)
초4	단원별 계산력 수학 4-1학기 (1~6단원 각 권)	단원별 계산력 수학 4-2학기 (1~6단원 각 권)
초5	단원별 계산력 수학 5-1학기 (1~6단원 각 권)	단원별 계산력 수학 5-2학기 (1~6단원 각 권)
초6	단원별 계산력 수학 6-1학기 (1~6단원 각 권)	단원별 계산력 수학 6-2학기 (1~6단원 각 권)

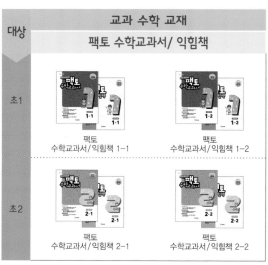

대상	교과 수학 교재	
	팩토 수학교과서/ 익힘책	
초1	팩토 수학교과서/익힘책 1-1	팩토 수학교과서/익힘책 1-2
초2	팩토 수학교과서/익힘책 2-1	팩토 수학교과서/익힘책 2-2

단계수 학습 순서

매일 학습

단원별로 꼭 알아야 할 개념만 쏙쏙 학습하고, 다양한 연산 문제를 통해 필수 개념을 숙달하여 계산력을 쑥쑥 키울 수 있습니다.

도전! 응용문제

필수 개념을 활용한 **응용** 문제 또는 **서술형** 문제를 통해 사고력과 문제해결력을 기를 수 있습니다.

형성 평가

단원의 **복습 단계**로 문제를 풀면서 학습한 내용을 잘 알고 있는지 다시 한 번 확인할 수 있습니다.

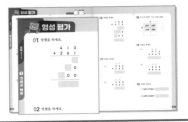

단원 평가

단원의 **마무리 학습**으로 학교 시험에 자주 나오는 문제 유형을 통해서 수시 평가 등 학교 시험에 대비할 수 있습니다.

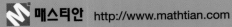 **매스티안** http://www.mathtian.com

자율안전확인신고필증번호 : B361H200-4001
1. 주소 : 06153 서울특별시 강남구 봉은사로 442 (삼성동)
2. 문의전화 : 1588-6066
3. 제조국 : 대한민국
4. 사용연령 : 10세 이상
※ KC마크는 이 제품이 공통안전기준에 적합하였음을 의미합니다.

⚠ 주의

종이, 모서리에 다칠 수 있으니 주의하세요!

	초등학교	반	번
이름			

단원별

3-2

초등 수학
팩토

계산력 산력

수학

4

단원

분수

매스티안

팩토는 자유롭게 자신감있게 창의적으로 생각하는 주니어수학자입니다.

단원별 **계**산력 **수**학

펴낸곳 (주)타임교육C&P **펴낸이** 이길호 **지은이** 매스티안R&D센터

주소 06153 서울특별시 강남구 봉은사로 442 (삼성동) **문의전화** 1588.6066

팩토카페 http://cafe.naver.com/factos **홈페이지** http://www.mathtian.com

※ 이 책의 모든 내용과 삽화에 대한 저작권은 (주)타임교육C&P에 있으므로 무단 복제와 전송을 금합니다.

※ 정답과 풀이는 온라인 팩토카페(http://cafe.naver.com/factos)를 통해서도 확인할 수 있습니다.

JW2204

생각이 자유로운 사람들! 매스티안R&D센터

매스티안R&D센터의 논리적 사고력과 창의적 문제해결력을 키우는 수학 콘텐츠는 국내외 수많은 교육 현장에서 그 우수성을 높이 평가받고 있습니다.

매스티안R&D센터는 여기에 안주하지 않고 앞으로도 학생, 교사, 학부모 모두가 행복한 수학 시간을 만들 수 있도록 노력하겠습니다.

매스티안 공식 홈페이지 … (http://www.mathtian.com)

· 매스티안의 다양한 출간 교재 소개

· 출간 교재와 관련된 학습 자료(보충 학습지, 활동지 등) 제공

· 출간 교재와 관련된 평가 시험 및 분석 제공

매스티안 공식 카페 … 팩토 (http://cafe.naver.com/factos)

· 창의사고력 수학 팩토 무료 동영상 강의 제공

· 출간 교재에 관한 질문 및 답변

· 영재교육원 대비 자료(기출 문제, 예상 문제) 제공

· 초등 수학 비법 및 Q&A

FACTO school

단원별 계산력 수학

3-2

초등 수학
팩토

4 단원

분수

4 분수

Teaching Guide

· 많은 아이들이 1학기보다는 2학기에 다루는 분수를 어려워합니다. 그 이유는 1학기 때 배운 분수는 연속되어 있는 것을 전체로 보고 똑같이 몇 부분으로 나눈 것인지를, 2학기 때 배우는 분수는 물건의 총 개수가 전체가 되고, 물건 하나하나가 부분이 되는 것이기 때문입니다.

[1학기] 연속량을 똑같이 나눈 것

 → $\dfrac{5}{8}$

[2학기] 이산량을 똑같이 나눈 것

 2는 7의 몇 분의 몇입니까? → $\dfrac{2}{7}$

· 6은 12의 $\dfrac{6}{12}$ 이라고 할 수도 있고, 6은 12의 $\dfrac{1}{2}$ 이라고 할 수도 있습니다. 그러나 '12를 6씩 묶으면'이라는 묶음의 개념이 있으면 6은 12의 $\dfrac{1}{2}$ 이라고 해야 합니다.

2. 약수와 배수

5-1
- 약수와 배수
- 공약수와 최대공약수
- 공배수와 최소공배수

소인수분해

중학 1-1

최대공약수와 최소공배수

중학 1-1

1. 분수의 나눗셈

6-1
- (자연수)÷(자연수)
- (분수)÷(자연수)

1. 분수의 나눗셈

6-2
- (자연수)÷(분수)
- (분수)÷(분수)

5. 분수의 덧셈과 뺄셈

5-1
- 분모가 다른 진분수, 대분수의 덧셈과 뺄셈

2. 분수의 곱셈

5-2
- (분수)×(자연수)
- (분수)×(분수)

3. 소수의 나눗셈

6-1
- (소수)÷(자연수)
- (자연수)÷(자연수)

2. 소수의 나눗셈

6-2
- (소수)÷(소수)
- (자연수)÷(소수)

중학 1-1

유리수의 계산

중학 3-1

제곱근과 실수

중학 2-1

유리수와 순환소수

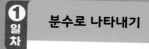
공부한 날짜

❶ 일차 분수로 나타내기
월   일

❷ 일차 분수만큼은 얼마인지 알아보기
월   일

❸ 일차 진분수, 가분수, 대분수
월   일

❹ 일차 대분수를 가분수로, 가분수를 대분수로 나타내기
월   일

❺ 일차 응용 문제
월   일

❻ 일차 형성 평가
월   일

❼ 일차 단원 평가
월   일

01 분수로 나타내기

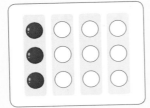

3은 4묶음 중 1묶음

➡ 3은 12의 $\frac{1}{4}$

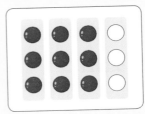

9는 4묶음 중 3묶음

➡ 9는 12의 $\frac{3}{4}$

1 색칠한 구슬을 분수로 나타내어 보세요.

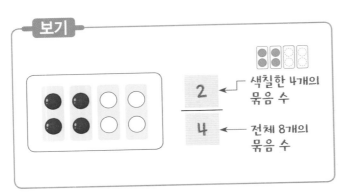

보기

2 ← 색칠한 4개의 묶음 수

4 ← 전체 8개의 묶음 수

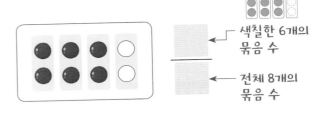

← 색칠한 6개의 묶음 수

← 전체 8개의 묶음 수

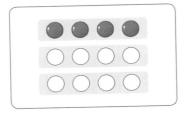

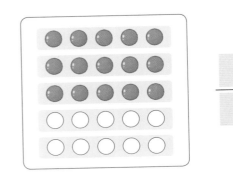

2 구슬이 몇 묶음인지 알아보고 분수로 나타내어 보세요.

보기

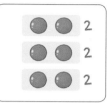

❶ 6(전체) ➡ 2씩 **3** 묶음

❷ 4(부분) ➡ 2씩 **2** 묶음

❸ 4는 6의 ──(부분)**2** / (전체)**3**── 입니다.
  (부분) (전체)

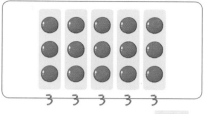

❶ 15(전체) ➡ 3씩 **5** 묶음

❷ 9(부분) ➡ 3씩 ◯ 묶음

❸ 9는 15의 ──(부분) / (전체)── 입니다.
  (부분) (전체)

❶ 25(전체) ➡ 5씩 ▢ 묶음

❷ 20(부분) ➡ 5씩 ◯ 묶음

❸ 20은 25의 ──(부분) / (전체)── 입니다.
  (부분) (전체)

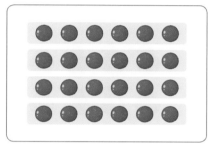

❶ 24(전체) ➡ 6씩 ▢ 묶음

❷ 18(부분) ➡ 6씩 ◯ 묶음

❸ 18은 24의 ──◯ / ▢── 입니다.

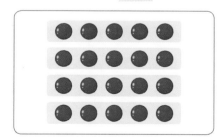

❶ 20(전체) ➡ 5씩 ▢ 묶음

❷ 10(부분) ➡ 5씩 ◯ 묶음

❸ 10은 20의 ──◯ / ▢── 입니다.

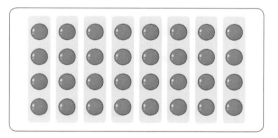

❶ 32(전체) ➡ 4씩 ▢ 묶음

❷ 28(부분) ➡ 4씩 ◯ 묶음

❸ 28은 32의 ──◯ / ▢── 입니다.

3 과일을 주어진 수만큼 묶어 똑같이 나누고 　 안에 알맞은 수를 써넣으세요.

2개씩 묶기

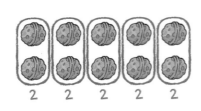

→ $10 = 2 \times \boxed{5}$

10은 2씩 　 묶음

3개씩 묶기

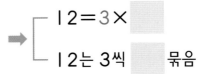

→ $12 = 3 \times \boxed{}$

12는 3씩 　 묶음

5개씩 묶기

→ $15 = 5 \times \boxed{}$

15는 5씩 　 묶음

4개씩 묶기

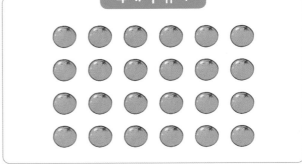

→ $24 = 4 \times \boxed{}$

24는 4씩 　 묶음

8개씩 묶기

→ $40 = 8 \times \boxed{}$

40은 8씩 　 묶음

7개씩 묶기

→ $28 = 7 \times \boxed{}$

28은 7씩 　 묶음

4 안에 알맞은 수를 써넣으세요.

보기

10을 2씩 묶으면 6은 10의 $\dfrac{(부분)\,3}{(전체)\,5}$ 입니다.

2 × **3** ← 2 × **5**
2씩 **3** 묶음   2씩 **5** 묶음

15를 5씩 묶으면 10은 15의 $\dfrac{(부분)\,2}{(전체)\,3}$ 입니다.

5 × **2** ← 5 × **3**
5씩 **2** 묶음   5씩 **3** 묶음

18을 3씩 묶으면 9는 18의 $\dfrac{(부분)}{(전체)}$ 입니다.

3 × **3** ← 3 × **6**
3씩 **3** 묶음   3씩 **6** 묶음

16을 4씩 묶으면 12는 16의 $\dfrac{(부분)}{(전체)}$ 입니다.

10을 2씩 묶으면 8은 10의 ─── 입니다.

9를 3씩 묶으면 6은 9의 ─── 입니다.

12를 3씩 묶으면 9는 12의 ─── 입니다.

35를 7씩 묶으면 14는 35의 ─── 입니다.

35를 5씩 묶으면 25는 35의 ─── 입니다.

24를 4씩 묶으면 16은 24의 ─── 입니다.

🍂 12의 $\frac{1}{4}$ 알아보기

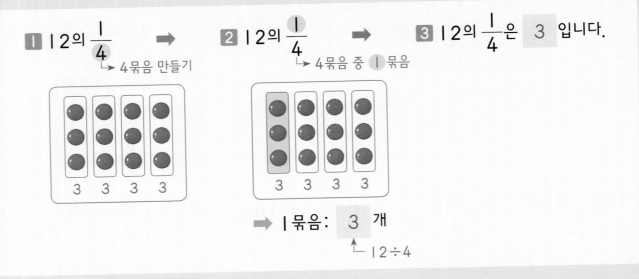

1 12의 $\frac{1}{4}$ ➡ 2 12의 $\frac{1}{4}$ ➡ 3 12의 $\frac{1}{4}$ 은 3 입니다.
↳ 4묶음 만들기   ↳ 4묶음 중 1묶음

3   3   3   3   3   3   3   3

➡ 1묶음: 3 개
↳ 12÷4

🐭 ① 구슬을 주어진 묶음 수만큼 만들고 ▨ 안에 알맞은 수를 써넣으세요.

15의 $\frac{1}{3}$

1 15의 $\frac{1}{3}$ ➡ 2 15의 $\frac{1}{3}$ ➡ 3 15의 $\frac{1}{3}$ 은 ▨ 입니다.
↳ 3묶음 만들기   ↳ 3묶음 중 1묶음

5
5
5

➡ 1묶음: ▨ 개
↳ 15÷3

20의 $\frac{1}{5}$

1 20의 $\frac{1}{5}$ ➡ 2 20의 $\frac{1}{5}$ ➡ 3 20의 $\frac{1}{5}$ 은 ▨ 입니다.
↳ 5묶음 만들기   ↳ 5묶음 중 1묶음

➡ 1묶음: ▨ 개

2 안에 알맞은 수를 써넣으세요.

보기

$10의 \frac{1}{2}$ ➡ $\underline{10을\ 2묶음으로\ 나눈\ 것}$ 중 $\underline{1묶음}$

$10 \div 2 \times 1$ ➡ $10의 \frac{1}{2} = 5$

$(10 \div 2) \times 1$

$18의 \frac{1}{6}$ ➡ $\underline{18을\ 6묶음으로\ 나눈\ 것}$ 중 $\underline{1묶음}$

$18 \div \boxed{} \times \boxed{}$ ➡ $18의 \frac{1}{6} = \boxed{}$

$12의 \frac{1}{3}$ ➡ $\underline{12를\ 3묶음으로\ 나눈\ 것}$ 중 $\underline{1묶음}$

$\boxed{} \div \boxed{} \times \boxed{}$ ➡ $12의 \frac{1}{3} = \boxed{}$

$20의 \frac{1}{5}$ ➡ $\underline{20을\ 5묶음으로\ 나눈\ 것}$ 중 $\underline{1묶음}$

$\boxed{} \div \boxed{} \times \boxed{}$ ➡ $20의 \frac{1}{5} = \boxed{}$

$24의 \frac{1}{4}$ ➡ $\underline{24를\ 4묶음으로\ 나눈\ 것}$ 중 $\underline{1묶음}$

$\boxed{} \div \boxed{} \times \boxed{}$ ➡ $24의 \frac{1}{4} = \boxed{}$

$36의 \frac{1}{9}$ ➡ $\underline{36을\ 9묶음으로\ 나눈\ 것}$ 중 $\underline{1묶음}$

$\boxed{} \div \boxed{} \times \boxed{}$ ➡ $36의 \frac{1}{9} = \boxed{}$

$21의 \frac{1}{7}$ ➡ $\underline{21을\ 7묶음으로\ 나눈\ 것}$ 중 $\underline{1묶음}$

$\boxed{} \div \boxed{} \times \boxed{}$ ➡ $21의 \frac{1}{7} = \boxed{}$

$72의 \frac{1}{8}$ ➡ $\underline{72를\ 8묶음으로\ 나눈\ 것}$ 중 $\underline{1묶음}$

$\boxed{} \div \boxed{} \times \boxed{}$ ➡ $72의 \frac{1}{8} = \boxed{}$

보기

15의 $\frac{2}{3}$ ➡ $\dfrac{\text{15를 3묶음으로 나눈 것 중 2묶음}}{\boxed{15} \div \boxed{3} \times \boxed{2}}$ ➡ 15의 $\frac{2}{3}$ = $\boxed{10}$

↑
$(15 \div 3) \times 2$

12의 $\frac{3}{4}$ ➡ $\dfrac{\text{12를 4묶음으로 나눈 것 중 3묶음}}{\boxed{12} \div \boxed{} \times \bigcirc}$ ➡ 12의 $\frac{3}{4}$ = $\boxed{}$

20의 $\frac{2}{5}$ ➡ $\dfrac{\text{20을 5묶음으로 나눈 것 중 2묶음}}{\boxed{} \div \boxed{} \times \bigcirc}$ ➡ 20의 $\frac{2}{5}$ = $\boxed{}$

21의 $\frac{4}{7}$ ➡ $\dfrac{\text{21을 7묶음으로 나눈 것 중 4묶음}}{\boxed{} \div \boxed{} \times \bigcirc}$ ➡ 21의 $\frac{4}{7}$ = $\boxed{}$

40의 $\frac{6}{8}$ ➡ $\dfrac{\text{40을 8묶음으로 나눈 것 중 6묶음}}{\boxed{} \div \boxed{} \times \bigcirc}$ ➡ 40의 $\frac{6}{8}$ = $\boxed{}$

42의 $\frac{5}{6}$ ➡ $\dfrac{\text{42를 6묶음으로 나눈 것 중 5묶음}}{\boxed{} \div \boxed{} \times \bigcirc}$ ➡ 42의 $\frac{5}{6}$ = $\boxed{}$

36의 $\frac{7}{9}$ ➡ $\dfrac{\text{36을 9묶음으로 나눈 것 중 7묶음}}{\boxed{} \div \boxed{} \times \bigcirc}$ ➡ 36의 $\frac{7}{9}$ = $\boxed{}$

56의 $\frac{3}{7}$ ➡ $\dfrac{\text{56을 7묶음으로 나눈 것 중 3묶음}}{\boxed{} \div \boxed{} \times \bigcirc}$ ➡ 56의 $\frac{3}{7}$ = $\boxed{}$

4 ☐ 안에 알맞은 수를 써넣으세요.

보기

14의 $\dfrac{3}{7}=$ ☐ 6

$(14\div7)\times3$
$=2\times3$
$=6$

16의 $\dfrac{2}{4}=$ ☐

$(16\div4)\times2$

18의 $\dfrac{3}{6}=$ ☐

$(18\div6)\times3$

20의 $\dfrac{2}{4}=$ ☐

$(20\div4)\times2$

45의 $\dfrac{3}{9}=$ ☐

$(45\div9)\times3$

15의 $\dfrac{4}{5}=$ ☐

$(15\div5)\times4$

27의 $\dfrac{6}{9}=$ ☐

40의 $\dfrac{3}{5}=$ ☐

21의 $\dfrac{2}{3}=$ ☐

24의 $\dfrac{5}{8}=$ ☐

35의 $\dfrac{4}{7}=$ ☐

28의 $\dfrac{3}{4}=$ ☐

40의 $\dfrac{2}{5}=$ ☐

27의 $\dfrac{2}{3}=$ ☐

36의 $\dfrac{7}{9}=$ ☐

36의 $\dfrac{4}{6}=$ ☐

40의 $\dfrac{5}{8}=$ ☐

49의 $\dfrac{5}{7}=$ ☐

56의 $\dfrac{6}{8}=$ ☐

48의 $\dfrac{4}{6}=$ ☐

45의 $\dfrac{8}{9}=$ ☐

03 진분수, 가분수, 대분수

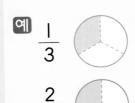

진분수	가분수	대분수
(분자) < (분모)	(분자) = (분모) (분자) > (분모)	(자연수) + (진분수)

예 $\dfrac{1}{3}$ $\dfrac{2}{4}$

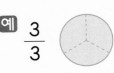

예 $\dfrac{3}{3}$ $\dfrac{6}{4}$

예 $1\dfrac{2}{3}$ $2\dfrac{3}{4}$

 1 그림을 보고 ▩ 안에 알맞은 수를 써넣으세요.

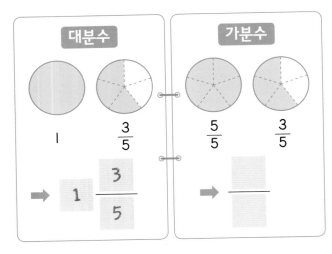

대분수

1 $\dfrac{3}{5}$

→ $1\dfrac{3}{5}$

가분수

$\dfrac{5}{5}$ $\dfrac{3}{5}$

→ —

대분수

1 $\dfrac{1}{4}$

→ —

가분수

$\dfrac{4}{4}$ $\dfrac{1}{4}$

→ —

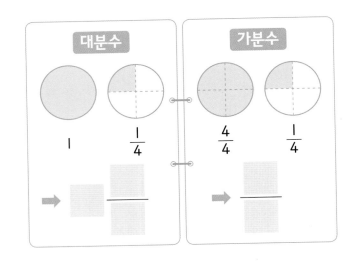

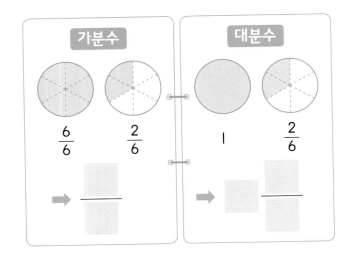

가분수

$\dfrac{6}{6}$ $\dfrac{2}{6}$

→ —

대분수

1 $\dfrac{2}{6}$

→ —

가분수

$\dfrac{8}{8}$ $\dfrac{5}{8}$

→ —

대분수

1 $\dfrac{5}{8}$

→ —

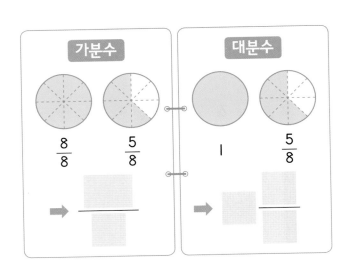

2 주어진 분수에 진분수는 '진', 가분수는 '가', 대분수는 '대'를 써넣으세요.

보기

$\dfrac{4}{5}$

진

4 < 5
(분자) (분모)

$2\dfrac{1}{4}$

대

$2 + \dfrac{1}{4}$
(자연수) (진분수)

$\dfrac{3}{2}$

가

3 > 2
(분자) (분모)

$\dfrac{6}{6}$

가

6 = 6
(분자) (분모)

$1\dfrac{2}{3}$

$1 + \dfrac{2}{3}$
(자연수) (진분수)

$\dfrac{2}{2}$

2 = 2
(분자) (분모)

$\dfrac{8}{6}$

8 > 6
(분자) (분모)

$\dfrac{3}{5}$

$\dfrac{5}{9}$

$\dfrac{3}{8}$

$4\dfrac{1}{3}$

$\dfrac{7}{7}$

$6\dfrac{1}{7}$

$\dfrac{9}{12}$

$\dfrac{4}{4}$

$5\dfrac{8}{10}$

3 　□ 안에 알맞은 수를 써넣으세요.

보기

$2 = \dfrac{\Box}{3}$ 　➡　 $\dfrac{3}{3}$ 이 **2** 개 　➡　 $\dfrac{1}{3}$ 이 **6** 개 　➡　 $2 = \dfrac{6}{3}$

$\left(\dfrac{3}{3} + \dfrac{3}{3}\right)$ 　　　　(1이 **2** 개) 　　　　(3 × 2)

$3 = \dfrac{\Box}{4}$ 　➡　 $\dfrac{4}{4}$ 가 **3** 개 　➡　 $\dfrac{1}{4}$ 이 □ 개 　➡　 $3 = \dfrac{\Box}{4}$

$\left(\dfrac{4}{4} + \dfrac{4}{4} + \dfrac{4}{4}\right)$ 　　　(1이 **3** 개) 　　　(4 × 3)

$5 = \dfrac{\Box}{2}$ 　➡　 $\dfrac{2}{2}$ 가 **5** 개 　➡　 $\dfrac{1}{2}$ 이 □ 개 　➡　 $5 = \dfrac{\Box}{2}$

　　　　　　　　(1이 **5** 개) 　　　　(2 × 5)

$4 = \dfrac{\Box}{5}$ 　➡　 $\dfrac{5}{5}$ 가 **4** 개 　➡　 $\dfrac{1}{5}$ 이 □ 개 　➡　 $4 = \dfrac{\Box}{5}$

　　　　　　　　(1이 **4** 개)

$3 = \dfrac{\Box}{7}$ 　　　　$8 = \dfrac{\Box}{6}$ 　　　　$7 = \dfrac{\Box}{8}$

$3 \Rightarrow \dfrac{7}{7}$ 이 3개 　　　$8 \Rightarrow \dfrac{6}{6}$ 이 8개

$9 = \dfrac{\Box}{3}$ 　　　　$7 = \dfrac{\Box}{5}$ 　　　　$5 = \dfrac{\Box}{9}$

$8 = \dfrac{\Box}{4}$ 　　　　$4 = \dfrac{\Box}{6}$ 　　　　$6 = \dfrac{\Box}{7}$

4 　 안에 알맞은 수를 써넣으세요.

보기

$\dfrac{8}{4}$

$(\dfrac{4}{4}+\dfrac{4}{4})$

➡ （8÷4）　$\dfrac{4}{4}$가 **2** 개 　（ 1이 **2** 개 ）

➡ $\dfrac{8}{4}$ = **2**

$\dfrac{15}{5}$

$(\dfrac{5}{5}+\dfrac{5}{5}+\dfrac{5}{5})$

➡ （15÷5）　$\dfrac{5}{5}$가 **3** 개 　（ 1이 **3** 개 ）

➡ $\dfrac{15}{5}$ = 　

$\dfrac{42}{7}$

➡ （42÷7）　$\dfrac{7}{7}$이 　 개 　（ 1이 　 개 ）

➡ $\dfrac{42}{7}$ = 　

$\dfrac{24}{6}$

➡ $\dfrac{6}{6}$이 　 개 　（ 1이 　 개 ）

➡ $\dfrac{24}{6}$ = 　

$\dfrac{10}{2}$ = 　　（10÷2）

$\dfrac{12}{4}$ = 　

$\dfrac{21}{3}$ = 　

$\dfrac{16}{8}$ = 　

$\dfrac{35}{7}$ = 　

$\dfrac{40}{5}$ = 　

$\dfrac{63}{9}$ = 　

$\dfrac{36}{4}$ = 　

$\dfrac{48}{8}$ =

04 대분수를 가분수로, 가분수를 대분수로 나타내기

정답 31쪽

1 ☐ 안에 알맞은 수를 써넣어 대분수를 가분수로 나타내어 보세요.

대분수

$1\dfrac{2}{3}$ ➡ 1

$\dfrac{1}{3}$이 **3** 개

$+$ $\dfrac{2}{3}$

$\dfrac{1}{3}$이 **2** 개

가분수

$\dfrac{}{3}$

$2\dfrac{1}{4}$ ➡ 2

$\dfrac{1}{4}$이 ☐ 개

$+$ $\dfrac{1}{4}$

$\dfrac{1}{4}$이 ☐ 개

$\dfrac{}{4}$

$2\dfrac{3}{5}$ ➡ 2

$\dfrac{1}{5}$이 ☐ 개

$+$ $\dfrac{3}{5}$

$\dfrac{1}{5}$이 ☐ 개

$\dfrac{}{5}$

2 대분수를 가분수로 나타내어 보세요.

보기

대분수

$2\frac{3}{4}$ → $2\frac{3}{4}$ → $2\frac{3}{4}$ → 가분수 $\frac{11}{4}$ ← 8+3

2   $\frac{3}{4}$ 2 $\frac{3}{4}$

➡ $\frac{4}{4}$가 2개   ➡ $\frac{8}{4}$

$1\frac{1}{3} = \frac{\boxed{}}{3}$

1   $\frac{1}{3}$

➡ $\frac{3}{3}$이 1개

$3\frac{1}{2} = \frac{\boxed{}}{2}$

3   $\frac{1}{2}$

➡ $\frac{2}{2}$가 3개

$2\frac{4}{5} = \frac{\boxed{}}{5}$

2   $\frac{4}{5}$

$1\frac{3}{6} = \frac{\boxed{}}{6}$

$2\frac{5}{9} = \frac{\boxed{}}{9}$

$1\frac{3}{8} = \frac{\boxed{}}{8}$

$1\frac{5}{9} = \frac{\boxed{}}{9}$

$2\frac{3}{7} = \frac{\boxed{}}{7}$

$1\frac{2}{6} = \frac{\boxed{}}{6}$

$1\frac{6}{7} = \frac{\boxed{}}{\boxed{}}$

$2\frac{4}{8} = \frac{\boxed{}}{\boxed{}}$

$2\frac{4}{5} = \frac{\boxed{}}{\boxed{}}$

$3\frac{3}{4} = \frac{\boxed{}}{\boxed{}}$

$2\frac{4}{9} = \frac{\boxed{}}{\boxed{}}$

$4\frac{1}{7} = \frac{\boxed{}}{\boxed{}}$

3 ☐ 안에 알맞은 수를 써넣어 가분수를 대분수로 나타내어 보세요.

보기

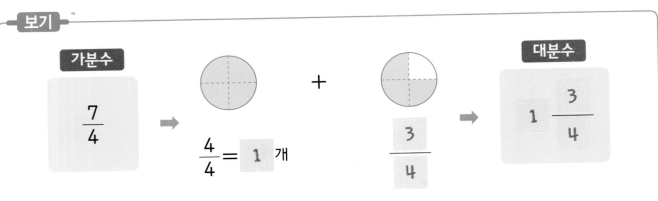

가분수

$\dfrac{7}{4}$ → $\dfrac{4}{4} = \boxed{1}$ 개 + $\dfrac{3}{4}$ → 대분수 $1\dfrac{3}{4}$

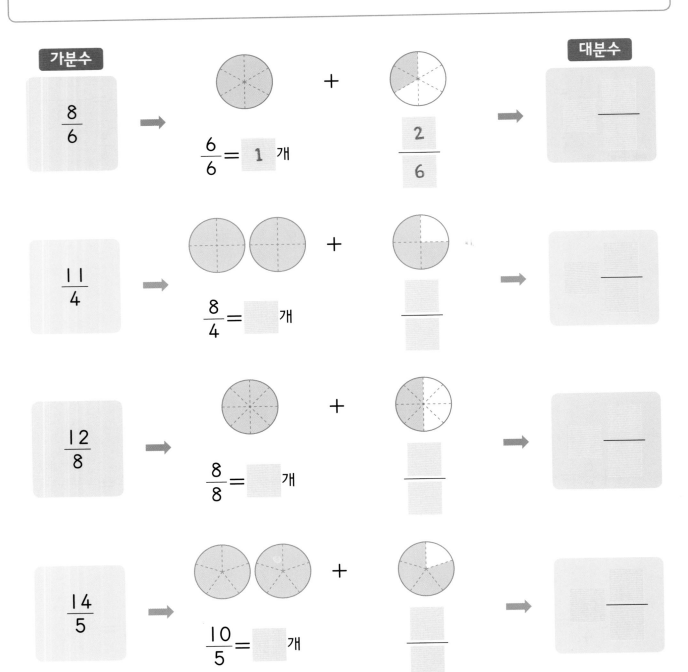

가분수 · · · 대분수

$\dfrac{8}{6}$ → $\dfrac{6}{6} = \boxed{1}$ 개 + $\dfrac{2}{6}$ → ☐——

$\dfrac{11}{4}$ → $\dfrac{8}{4} = \boxed{}$ 개 + ☐—— → ☐——

$\dfrac{12}{8}$ → $\dfrac{8}{8} = \boxed{}$ 개 + ☐—— → ☐——

$\dfrac{14}{5}$ → $\dfrac{10}{5} = \boxed{}$ 개 + ☐—— → ☐——

4 가분수를 대분수로 나타내어 보세요.

보기

가분수		대분수

$$\frac{17}{5} \Rightarrow \frac{17}{5} \Rightarrow \frac{17}{5} \Rightarrow 3\frac{2}{5}$$

$\frac{15}{5} \quad \frac{2}{5}$

$(\frac{5}{5} 가 3개)$

$\frac{15}{5} \quad \frac{2}{5}$

$\Rightarrow 3$

$\frac{14}{4} = \square\frac{\square}{4}$

$\frac{12}{4} \quad \frac{\square}{4}$

$\frac{16}{3} = \square\frac{\square}{3}$

$\frac{15}{3} \quad \frac{\square}{3}$

$\frac{20}{8} = \square\frac{\square}{8}$

$\frac{16}{8} \quad \frac{\square}{8}$

$\frac{9}{6} = \square\frac{\square}{6}$

$\frac{14}{9} = \square\frac{\square}{9}$

$\frac{6}{4} = \square\frac{\square}{4}$

$\frac{24}{5} = \square\frac{\square}{5}$

$\frac{19}{7} = \square\frac{\square}{7}$

$\frac{11}{2} = \square\frac{\square}{2}$

$\frac{26}{9} = \square\frac{\square}{\square}$

$\frac{29}{6} = \square\frac{\square}{\square}$

$\frac{47}{8} = \square\frac{\square}{\square}$

$\frac{21}{6} = \square\frac{\square}{\square}$

$\frac{27}{7} = \square\frac{\square}{\square}$

$\frac{33}{5} = \square\frac{\square}{\square}$

🌰 분수의 크기 비교하기

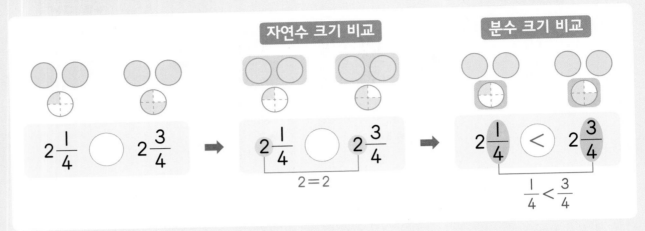

응용 ① 두 분수의 크기를 비교하여 ◯ 안에 >, <를 알맞게 써넣으세요.

$\dfrac{6}{4}$ ◯ $\dfrac{9}{4}$ 6 < 9

$\dfrac{14}{5}$ ◯ $\dfrac{11}{5}$

$\dfrac{16}{9}$ ◯ $\dfrac{15}{9}$

$\dfrac{24}{7}$ ◯ $\dfrac{20}{7}$

$\dfrac{18}{4}$ ◯ $\dfrac{23}{4}$

$\dfrac{38}{8}$ ◯ $\dfrac{40}{8}$

$2\dfrac{1}{6}$ ◯ $3\dfrac{1}{6}$ 2 < 3

$4\dfrac{4}{5}$ ◯ $4\dfrac{2}{5}$

$1\dfrac{6}{7}$ ◯ $3\dfrac{2}{7}$

$3\dfrac{7}{9}$ ◯ $3\dfrac{3}{9}$

$5\dfrac{2}{3}$ ◯ $2\dfrac{1}{3}$

$2\dfrac{2}{4}$ ◯ $2\dfrac{3}{4}$

$1\dfrac{4}{8}$ ◯ $1\dfrac{6}{8}$

$4\dfrac{2}{6}$ ◯ $4\dfrac{5}{6}$

$5\dfrac{6}{9}$ ◯ $5\dfrac{4}{9}$

🍂 $3\frac{2}{5}$ 와 $\frac{14}{5}$ 의 크기 비교하기

방법1 $3\frac{2}{5}$ 를 가분수로 나타내어 크기 비교

대분수 ➡ 가분수

$3\frac{2}{5}$ ○ $\frac{14}{5}$ ➡ $\frac{17}{5}$ ○ $\frac{14}{5}$

$\frac{17}{5} > \frac{14}{5}$

$3\frac{2}{5}$ ○ $\frac{14}{5}$

크기 비교

$3\frac{2}{5}$ ＞ $\frac{14}{5}$

방법2 $\frac{14}{5}$ 를 대분수로 나타내어 크기 비교

가분수 ➡ 대분수

$3\frac{2}{5}$ ○ $\frac{14}{5}$ ➡ $3\frac{2}{5}$ ○ $2\frac{4}{5}$

$3\frac{2}{5} > 2\frac{4}{5}$

응용 2 두 분수의 크기를 비교하여 ○ 안에 ＞, ＜를 알맞게 써넣으세요.

$2\frac{4}{7}$ ○ $\frac{20}{7}$
$=\frac{18}{7}$

$\frac{13}{3}$ ○ $3\frac{2}{3}$

$\frac{9}{6}$ ○ $1\frac{4}{6}$

$\frac{31}{5}$ ○ $5\frac{3}{5}$

$\frac{34}{9}$ ○ $3\frac{5}{9}$

$5\frac{1}{4}$ ○ $\frac{22}{4}$

$2\frac{4}{8}$ ○ $\frac{22}{8}$

$5\frac{2}{7}$ ○ $\frac{33}{7}$

$\frac{14}{3}$ ○ $4\frac{1}{3}$

$\frac{30}{4}$ ○ $5\frac{3}{4}$

$3\frac{3}{6}$ ○ $\frac{22}{6}$

$4\frac{2}{5}$ ○ $\frac{19}{5}$

🍂 수 카드를 한 번씩만 사용하여 분수 만들기

분모가 3인 분수	분모가 4인 분수	분모가 5인 분수

3 4 5 →

$\dfrac{4}{3}$, $\dfrac{5}{3}$ $\dfrac{3}{4}$, $\dfrac{5}{4}$ $\dfrac{3}{5}$, $\dfrac{4}{5}$

응용 3 주어진 수 카드를 한 번씩만 사용하여 분수를 모두 만들고, 진분수는 '진', 가분수는 '가'를 써 넣으세요.

2 4 6 →

$\dfrac{4}{2}$, $\dfrac{6}{2}$ $\dfrac{2}{4}$, $\dfrac{\square}{4}$ $\dfrac{\square}{6}$, $\dfrac{\square}{6}$

가   가   진

3 6 7 →

$\dfrac{\square}{3}$, $\dfrac{\square}{3}$ $\dfrac{\square}{6}$, $\dfrac{\square}{6}$ $\dfrac{\square}{7}$, $\dfrac{\square}{7}$

5 6 8 →

$\dfrac{\square}{\square}$, $\dfrac{\square}{\square}$ $\dfrac{\square}{\square}$, $\dfrac{\square}{\square}$ $\dfrac{\square}{\square}$, $\dfrac{\square}{\square}$

응용 4 주어진 수 카드를 한 번씩만 사용하여 조건 에 맞는 분수를 만들어 보세요.

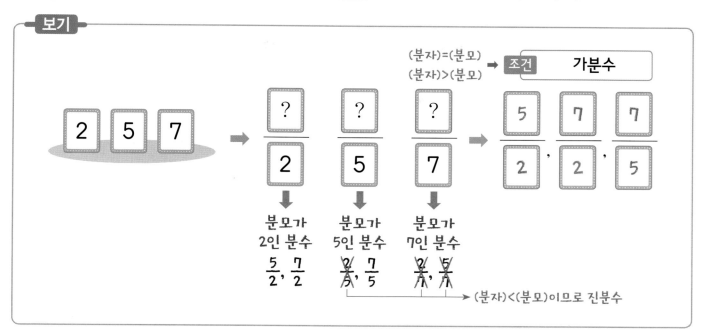

보기

(분자)=(분모)
(분자)>(분모) → 조건 **가분수**

2 5 7 → $\dfrac{?}{2}$ $\dfrac{?}{5}$ $\dfrac{?}{7}$ → $\dfrac{5}{2}$, $\dfrac{7}{2}$, $\dfrac{7}{5}$

분모가 2인 분수 $\dfrac{5}{2}$, $\dfrac{7}{2}$

분모가 5인 분수 $\dfrac{2}{5}$, $\dfrac{7}{5}$

분모가 7인 분수 $\dfrac{2}{7}$, $\dfrac{5}{7}$

(분자)<(분모)이므로 진분수

조건 **진분수**

4 5 8 → $\dfrac{}{5}$, $\dfrac{}{8}$, $\dfrac{}{8}$

조건 **가분수**

2 3 5 → $\dfrac{}{}$, $\dfrac{}{}$, $\dfrac{}{}$

조건 **가분수**

5 7 9 → $\dfrac{}{}$, $\dfrac{}{}$, $\dfrac{}{}$

조건 **진분수**

3 6 8 → $\dfrac{}{}$, $\dfrac{}{}$, $\dfrac{}{}$

조건 **진분수**

6 7 8 → $\dfrac{}{}$, $\dfrac{}{}$, $\dfrac{}{}$

조건 **가분수**

4 6 9 → $\dfrac{}{}$, $\dfrac{}{}$, $\dfrac{}{}$

[01~02] 색칠한 구슬을 분수로 나타내어 보세요.

01

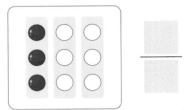

——

02

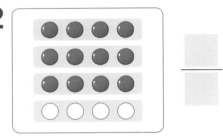

——

03 구슬이 몇 묶음인지 알아보고 분수로 나타내어 보세요.

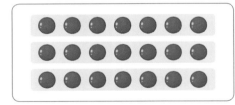

❶ 21 (전체) ➡ 7씩 ☐ 묶음

❷ 14 (부분) ➡ 7씩 ⬭ 묶음

❸ 14는 21의 ——입니다.

04 사과를 주어진 수만큼 묶어 똑같이 나누고 ☐ 안에 알맞은 수를 써넣으세요.

6개씩 묶기

➡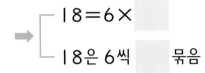

18 = 6 × ☐

18은 6씩 ☐ 묶음

05 ☐ 안에 알맞은 수를 써넣으세요.

⑴ 30을 5씩 묶으면 15는 30의

——입니다.

⑵ 42를 6씩 묶으면 24는 42의

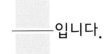
——입니다.

06 구슬을 주어진 묶음 수만큼 만들고 ⬜ 안에 알맞은 수를 써넣으세요.

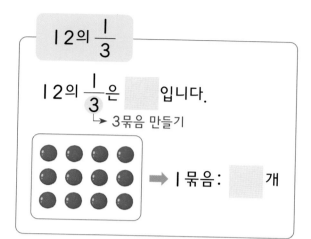

12의 $\frac{1}{3}$

12의 $\frac{1}{3}$ 은 ⬜ 입니다.
↳ 3묶음 만들기

➡ 1묶음 : ⬜ 개

07 ⬜ 안에 알맞은 수를 써넣으세요.

15의 $\frac{1}{5}$ ➡ $\dfrac{15를\ 5묶음으로\ 나눈\ 것}{⬜ \div ⬜}$ 중 1묶음 $× ⬜$

➡ 15의 $\frac{1}{5}$ = ⬜

08 ⬜ 안에 알맞은 수를 써넣으세요.

36의 $\frac{4}{9}$ ➡ $\dfrac{36을\ 9묶음으로\ 나눈\ 것}{⬜ \div ⬜}$ 중 4묶음 $× ⬜$

➡ 36의 $\frac{4}{9}$ = ⬜

09 ⬜ 안에 알맞은 수를 써넣으세요.

(1) 20의 $\frac{2}{5}$ = ⬜

(2) 48의 $\frac{5}{6}$ = ⬜

[10~11] 그림을 보고 ⬜ 안에 알맞은 수를 써넣으세요.

10

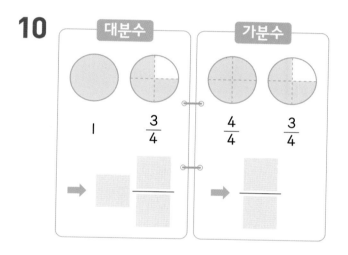

대분수		가분수	
1	$\frac{3}{4}$	$\frac{4}{4}$	$\frac{3}{4}$

11

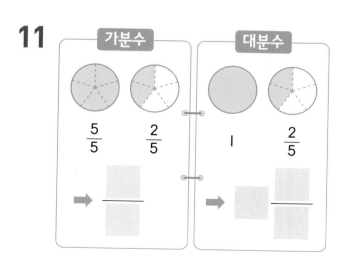

가분수		대분수	
$\frac{5}{5}$	$\frac{2}{5}$	1	$\frac{2}{5}$

12 주어진 분수에 진분수는 '진', 가분수는 '가', 대분수는 '대'를 써넣으세요.

(1) $1\dfrac{3}{4}$

(2) $\dfrac{7}{5}$

(3) $\dfrac{7}{9}$

(4) $\dfrac{11}{12}$

(5) $\dfrac{10}{10}$

13 　 안에 알맞은 수를 써넣으세요.

$5 = \dfrac{\boxed{}}{3}$ ➡ $\dfrac{3}{3}$ 이 5개

➡ $\dfrac{1}{3}$ 이 　 개

➡ $5 = \dfrac{\boxed{}}{3}$

14 　 안에 알맞은 수를 써넣으세요.

(1) $6 = \dfrac{\boxed{}}{7}$

(2) $8 = \dfrac{\boxed{}}{6}$

15 　 안에 알맞은 수를 써넣으세요.

$\dfrac{32}{8}$ ➡ $\dfrac{8}{8}$ 이 　 개

(1이 　 개)

➡ $\dfrac{32}{8} = \boxed{}$

16 　 안에 알맞은 수를 써넣으세요.

(1) $\dfrac{24}{3} = \boxed{}$

(2) $\dfrac{36}{4} = \boxed{}$

17 ⬜ 안에 알맞은 수를 써넣어 대분수를 가분수로 나타내어 보세요.

(1)

$1\dfrac{2}{4}$ ➡ 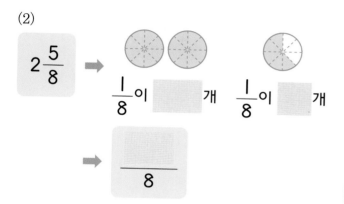 $\dfrac{1}{4}$이 ⬜ 개 $\dfrac{1}{4}$이 ⬜ 개

➡ $\dfrac{⬜}{4}$

(2)

$2\dfrac{5}{8}$ ➡ $\dfrac{1}{8}$이 ⬜ 개 $\dfrac{1}{8}$이 ⬜ 개

➡ $\dfrac{⬜}{8}$

18 대분수를 가분수로 나타내어 보세요.

(1) $2\dfrac{6}{7} = \dfrac{⬜}{7}$

(2) $3\dfrac{5}{9} = \dfrac{⬜}{9}$

19 ⬜ 안에 알맞은 수를 써넣어 가분수를 대분수로 나타내어 보세요.

(1)

$\dfrac{5}{3}$ ➡ 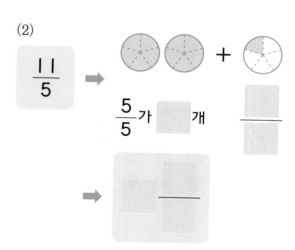 $+$

$\dfrac{3}{3}$이 ⬜ 개 $\dfrac{⬜}{⬜}$

➡ ⬜$\dfrac{⬜}{⬜}$

(2)

$\dfrac{11}{5}$ ➡ $+$

$\dfrac{5}{5}$가 ⬜ 개 $\dfrac{⬜}{⬜}$

➡ ⬜$\dfrac{⬜}{⬜}$

20 가분수를 대분수로 나타내어 보세요.

(1) $\dfrac{23}{6} = ⬜\dfrac{⬜}{⬜}$

(2) $\dfrac{35}{8} = ⬜\dfrac{⬜}{⬜}$

[1~2] 그림을 보고 █ 안에 알맞은 수를 써넣으세요.

1

15를 3씩 묶으면

9는 15의 ──█── 입니다.

2

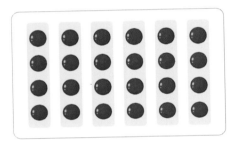

24의 $\frac{4}{6}$ 는 █ 입니다.

3 █ 안에 알맞은 수를 써넣으세요.

(1) 35를 7씩 묶으면 7은 35의

──█── 입니다.
5

(2) 30을 6씩 묶으면 12는 30의

──█── 입니다.

4 █ 안에 알맞은 수를 써넣으세요.

(1) 18의 $\frac{1}{3}$ 은 █ 입니다.

(2) 36의 $\frac{4}{9}$ 는 █ 입니다.

(3) 24 cm의 $\frac{3}{8}$ 은 █ cm입니다.

(4) 1시간의 $\frac{3}{4}$ 은 █ 분입니다.

(5) $\frac{3}{5}$ m는 █ cm입니다.

5 나타내는 수가 더 큰 것을 찾아 기호를 쓰세요.

• 28의 $\frac{3}{4}$ 은 ㉠입니다.

• 40의 $\frac{3}{8}$ 은 ㉡입니다.

( )

6 ㉠과 ㉡에 알맞은 수의 합을 구하세요.

> • 32를 8씩 묶으면 8은 32의
> $\dfrac{1}{㉠}$입니다.
>
> • 54를 6씩 묶으면 30은 54의
> $\dfrac{㉡}{9}$입니다.

(   )

7 ■가 나타내는 수가 <u>다른</u> 것을 찾아 기호를 쓰세요.

> ㉠ 15를 3씩 묶으면 3은 15의
> $\dfrac{■}{5}$입니다.
>
> ㉡ 24를 4씩 묶으면 8은 24의
> $\dfrac{■}{6}$입니다.
>
> ㉢ 45를 9씩 묶으면 9는 45의
> $\dfrac{■}{5}$입니다.

(   )

8 ■ 안에 알맞은 수를 써넣으세요.

(1) ■의 $\dfrac{1}{3}$은 6입니다.

(2) ■의 $\dfrac{3}{5}$은 15입니다.

9 관계있는 것끼리 선으로 이어 보세요.

$10의 \dfrac{1}{5}$ •   •   6

$40의 \dfrac{1}{8}$ •   •   5

$18의 \dfrac{2}{9}$ •   •   4

$14의 \dfrac{3}{7}$ •   •   2

10 분수 중에서 진분수, 가분수, 대분수를 각각 찾아 쓰시오.

> $4\dfrac{5}{6}$ $\dfrac{3}{7}$ $\dfrac{9}{5}$
>
> $\dfrac{2}{5}$ $2\dfrac{1}{3}$ $\dfrac{8}{4}$

진분수 (   )

가분수 (   )

대분수 (   )

11 분모가 5인 진분수를 모두 쓰세요.

(   )

12 대분수는 가분수로, 가분수는 대분수로 나타내어 보세요.

(1) $2\dfrac{4}{8} = \dfrac{}{}$

(2) $\dfrac{41}{7} = \dfrac{}{}$

13 3장의 수 카드 중에서 2장을 뽑아 분수를 만들려고 합니다. 만들 수 있는 가분수를 모두 구하세요.

| 3 | 5 | 7 |

(   )

14 관계있는 것끼리 선으로 이어 보세요.

$2\dfrac{5}{6}$ •   • $\dfrac{9}{6}$

$1\dfrac{3}{6}$ •   • $\dfrac{13}{6}$

$2\dfrac{1}{6}$ •   • $\dfrac{17}{6}$

15 두 분수의 크기를 비교하여 ◯ 안에 >, <를 알맞게 써넣으세요.

(1) $4\dfrac{2}{6}$ ◯ $\dfrac{25}{6}$

(2) $\dfrac{43}{9}$ ◯ $5\dfrac{2}{9}$

16 크기가 다른 분수를 찾아 ○표 하세요.

$$\frac{20}{9} \qquad 2\frac{4}{9} \qquad \frac{22}{9}$$

17 크기가 가장 큰 분수부터 차례로 기호를 쓰세요.

㉠ $1\frac{5}{7}$ ㉡ $2\frac{1}{7}$

㉢ $\frac{9}{7}$ ㉣ $\frac{13}{7}$

(   )

18 3보다 크고 4보다 작은 분수는 어느 것일까요? (   )

① $\frac{10}{4}$ ② $\frac{28}{5}$ ③ $\frac{26}{7}$

④ $\frac{35}{8}$ ⑤ $\frac{47}{9}$

19 주어진 조건을 모두 만족하는 분수를 구하세요.

- 분모가 9인 가분수입니다.
- 분모와 분자의 차는 2입니다.

(   )

20 은호는 구슬을 60개 가지고 있습니다. 그중 $\frac{2}{6}$ 만큼 민수에게 준다면 은호에게 남는 구슬은 몇 개인지 풀이 과정을 쓰고 답을 구하세요.

풀이

답

memo

논리적 사고력과 창의적 문제해결력을 키워 주는
매스티안 교재 활용법!

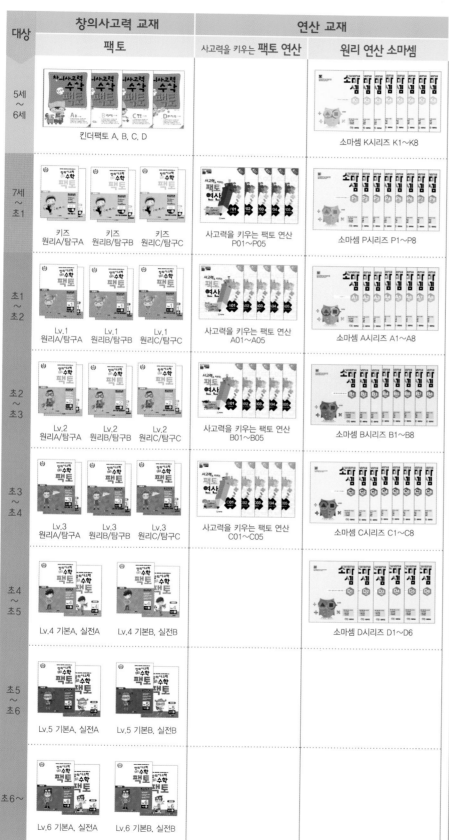

창의사고력 교재

팩토

대상	팩토
5세 ~ 6세	킨더팩토 A, B, C, D
7세 ~ 초1	키즈 원리A/탐구A, 키즈 원리B/탐구B, 키즈 원리C/탐구C
초1 ~ 초2	Lv.1 원리A/탐구A, Lv.1 원리B/탐구B, Lv.1 원리C/탐구C
초2 ~ 초3	Lv.2 원리A/탐구A, Lv.2 원리B/탐구B, Lv.2 원리C/탐구C
초3 ~ 초4	Lv.3 원리A/탐구A, Lv.3 원리B/탐구B, Lv.3 원리C/탐구C
초4 ~ 초5	Lv.4 기본A, 실전A / Lv.4 기본B, 실전B
초5 ~ 초6	Lv.5 기본A, 실전A / Lv.5 기본B, 실전B
초6 ~	Lv.6 기본A, 실전A / Lv.6 기본B, 실전B

연산 교재

사고력을 키우는 팩토 연산

- 사고력을 키우는 팩토 연산 P01~P05
- 사고력을 키우는 팩토 연산 A01~A05
- 사고력을 키우는 팩토 연산 B01~B05
- 사고력을 키우는 팩토 연산 C01~C05

원리 연산 소마셈

- 소마셈 K시리즈 K1~K8
- 소마셈 P시리즈 P1~P8
- 소마셈 A시리즈 A1~A8
- 소마셈 B시리즈 B1~B8
- 소마셈 C시리즈 C1~C8
- 소마셈 D시리즈 D1~D6

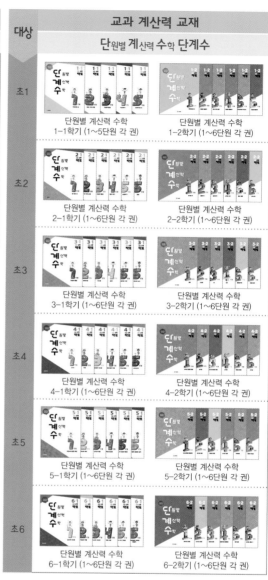

교과 계산력 교재

단원별 계산력 수학 단계수

대상		
초1	단원별 계산력 수학 1-1학기 (1~5단원 각 권)	단원별 계산력 수학 1-2학기 (1~6단원 각 권)
초2	단원별 계산력 수학 2-1학기 (1~6단원 각 권)	단원별 계산력 수학 2-2학기 (1~6단원 각 권)
초3	단원별 계산력 수학 3-1학기 (1~6단원 각 권)	단원별 계산력 수학 3-2학기 (1~6단원 각 권)
초4	단원별 계산력 수학 4-1학기 (1~6단원 각 권)	단원별 계산력 수학 4-2학기 (1~6단원 각 권)
초5	단원별 계산력 수학 5-1학기 (1~6단원 각 권)	단원별 계산력 수학 5-2학기 (1~6단원 각 권)
초6	단원별 계산력 수학 6-1학기 (1~6단원 각 권)	단원별 계산력 수학 6-2학기 (1~6단원 각 권)

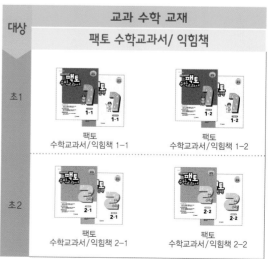

교과 수학 교재

팩토 수학교과서/ 익힘책

대상		
초1	팩토 수학교과서/익힘책 1-1	팩토 수학교과서/익힘책 1-2
초2	팩토 수학교과서/익힘책 2-1	팩토 수학교과서/익힘책 2-2

단계수 학습 순서

매일 학습

단원별로 꼭 알아야 할 개념만 쏙쏙 학습하고, 다양한 연산 문제를 통해 필수 개념을 숙달하여 계산력을 쏙쏙 키울 수 있습니다.

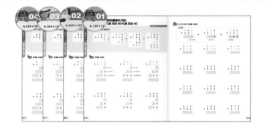

도전! 응용문제

필수 개념을 활용한 **응용** 문제 또는 **서술형** 문제를 통해 사고력과 문제해결력을 기를 수 있습니다.

형성 평가

단원의 **복습 단계**로 문제를 풀면서 학습한 내용을 잘 알고 있는지 다시 한 번 확인할 수 있습니다.

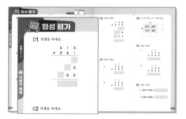

단원 평가

단원의 **마무리 학습**으로 학교 시험에 자주 나오는 문제 유형을 통해서 수시 평가 등 학교 시험에 대비할 수 있습니다.

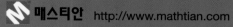 매스티안　http://www.mathtian.com

 자율안전확인신고필증번호 : B361H200-4001
1. 주소 : 06153 서울특별시 강남구 봉은사로 442 (삼성동)
2. 문의전화 : 1588-6066
3. 제조국 : 대한민국
4. 사용연령 : 10세 이상
※ KC마크는 이 제품이 공통안전기준에 적합하였음을 의미합니다.

 ⚠ 주의
종이 모서리에 다칠 수 있으니 주의하세요!

초등학교		반	번
이름			

FACTO school

단원별 계산력 수학

3-2
초등 수학
팩토

5 단원

들이와 무게

매스티안

팩토는 자유롭게 자신감있게 창의적으로 생각하는 주니어수학자입니다.

단계별 산력수학

펴낸 곳 (주)타임교육C&P   **펴낸이** 이길호   **지은이** 매스티안R&D센터

주소 06153 서울특별시 강남구 봉은사로 442 (삼성동)   **문의전화** 1588.6066

팩토카페 http://cafe.naver.com/factos   **홈페이지** http://www.mathtian.com

생각이 자유로운 사람들! 매스티안R&D센터

매스티안R&D센터의 논리적 사고력과 창의적 문제해결력을 키우는 수학 콘텐츠는 국내외 수많은 교육 현장에서 그 우수성을 높이 평가받고 있습니다.

매스티안R&D센터는 여기에 안주하지 않고 앞으로도 학생, 교사, 학부모 모두가 행복한 수학 시간을 만들 수 있도록 노력하겠습니다.

매스티안 공식 홈페이지 ··· (http://www.mathtian.com)

· 매스티안의 다양한 출간 교재 소개

· 출간 교재와 관련된 학습 자료(보충 학습지, 활동지 등) 제공

· 출간 교재와 관련된 평가 시험 및 분석 제공

매스티안 공식 카페 ··· 팩토 (http://cafe.naver.com/factos)

· 창의사고력 수학 팩토 무료 동영상 강의 제공

· 출간 교재에 관한 질문 및 답변

· 영재교육원 대비 자료(기출 문제, 예상 문제) 제공

· 초등 수학 비법 및 Q&A

3-2

초등 수학
팩토

단원별 계산력 수학

5 단원

들이와 무게

매스타안

4. 비교하기

· 길이, 무게, 넓이,
  들이 비교하기

1-1

4. 길이 재기

· 길이 비교하기
· 1cm와 '자' 활용하기
· 길이 어림하기, 길이 재기

2-1

1-2

5. 시계 보기와 규칙 찾기

· '몇 시', '몇 시 30분'
· 물체, 무늬, 수 배열에서 규칙 찾기

5 들이와 무게

Teaching Guide

· 아이들이 들이라는 말을 어려워한다면, "들어 있는"이라고 낱말을 풀어주세요. 들어 있는 양이 바로 들이입니다. 컵에 들어 있는 물의 양, 우유 상자에 들어 있는 우유의 양이 들이입니다. 즉, 들이는 어떠한 그릇(용기)의 안쪽 공간에 담을 수 있는 양을 의미합니다. 반면 부피는 입체가 차지하는 공간의 크기를 의미합니다.

· 무게를 비교할 때 가장 많이 하는 실수 중 하나가 '크기가 큰 것이 무겁다.'라는 오개념입니다. 이럴 때는 아이에게 풍선과 휴대전화를 양손에 각각 올려주고 무게를 직접 경험하게 해 주세요. 눈으로 볼 때는 풍선이 매우 크지만, 손으로 측정해 볼 때 크기가 작은 휴대전화가 더 무겁다는 것을 알 수 있습니다.

5. 들이와 무게

· 들이와 무게 비교하기
· 들이와 무게의 덧셈과 뺄셈

3-2

3. 길이 재기

· 1m=100cm
· 길이의 합과 차
· 길이 어림하기

2-2

5. 길이와 시간

· 1cm=10mm, 1km=1000m
· 길이 어림하고 재어 보기
· 시간의 덧셈과 뺄셈

3-1

4. 시각과 시간

· 시각을 분 단위로 읽기
· 1일=24시간, 1주일=7일,
  1년=12개월

2-2

공부한 날짜

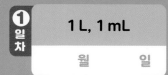

❶ 일 차 | 1 L, 1 mL
월   일

❷ 일 차 | 1 kg, 1 g
월   일

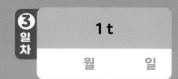

❸ 일 차 | 1 t
월   일

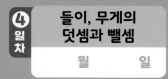

❹ 일 차 | 들이, 무게의 덧셈과 뺄셈
월   일

❺ 일 차 | 응용 문제
월   일

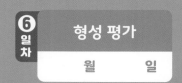

❻ 일 차 | 형성 평가
월   일

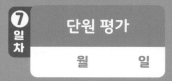

❼ 일 차 | 단원 평가
월   일

01 1L, 1mL

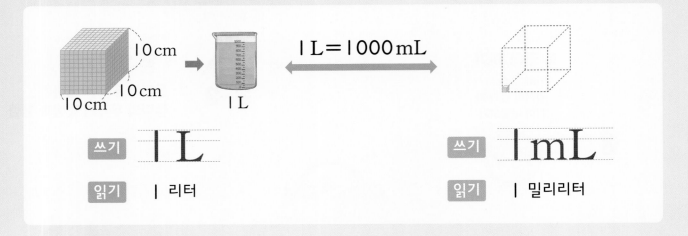

1 L = 1000 mL

쓰기 1L

읽기 1 리터

쓰기 1mL

읽기 1 밀리리터

1 주어진 들이를 쓰고 읽어 보세요.

7 L

쓰기 7L

읽기 (7 리터)

4 L

쓰기 4L

읽기 (4 리터)

500 mL

쓰기 500 mL

읽기 (500 밀리리터)

800 mL

쓰기 800 mL

읽기 (800 밀리리터)

3 L 200 mL

쓰기 3L 200 mL

읽기 (3 리터 200 밀리리터)

9 L 600 mL

쓰기 9L 600 mL

읽기 (9 리터 600 밀리리터)

2 안에 알맞은 수를 써넣으세요.

| 1 L |

1 L

➡ 1 L = [ ] mL

1000 mL

| 1 L 700 mL |

1 L   700 mL

700 mL

➡ 1 L 700 mL = [ ] mL

[ ] mL

| 2 L 400 mL |

1 L   1 L   400 mL

[ ] mL   [ ] mL   400 mL

➡ 2 L 400 mL = [ ] mL

| 3 L | = [ ] mL | 5 L | = [ ] mL

| 9 L | = [ ] mL | 7 L | = [ ] mL

| 3 L 800 mL | = 3 L + 800 mL

= [ ] mL + 800 mL

= [ ] mL

| 4 L 100 mL | = 4 L + 100 mL

= [ ] mL + 100 mL

= [ ] mL

| 8 L 450 mL | = 8 L + 450 mL

= [ ] mL + 450 mL

= [ ] mL

| 7 L 920 mL | = 7 L + 920 mL

= [ ] mL + 920 mL

= [ ] mL

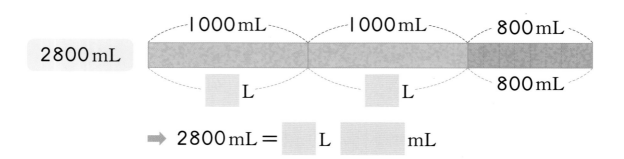

1000 mL   ⬛ 1000 mL   1 L   ➡   1000 mL = ⬜ L

1300 mL   1000 mL   300 mL   ⬜ L   300 mL   ➡   1300 mL = ⬜ L ⬜ mL

2800 mL   1000 mL   1000 mL   800 mL   ⬜ L   ⬜ L   800 mL

➡ 2800 mL = ⬜ L ⬜ mL

4000 mL = ⬜ L   7000 mL = ⬜ L

9000 mL = ⬜ L   5000 mL = ⬜ L

5400 mL = 5000 mL + 400 mL
= ⬜ L + 400 mL
= ⬜ L ⬜ mL

4200 mL = 4000 mL + 200 mL
= ⬜ L + 200 mL
= ⬜ L ⬜ mL

6850 mL = 6000 mL + 850 mL
= ⬜ L + 850 mL
= ⬜ L ⬜ mL

8070 mL = 8000 mL + 70 mL
= ⬜ L + 70 mL
= ⬜ L ⬜ mL

 물병의 들이는
약 2 ▨ 입니다.

 우유갑의 들이는
약 500 ▨ 입니다.

 음료수 캔의 들이는
약 340 ▨ 입니다.

 간장병의 들이는
약 1 ▨ 입니다.

 종이컵의 들이는
약 200 ▨ 입니다.

 욕조의 들이는
약 330 ▨ 입니다.

 세제 통의 들이는
약 1500 ▨ 입니다.

 요구르트병의 들이는
약 65 ▨ 입니다.

 냄비의 들이는
약 2000 ▨ 입니다.

 냉장고의 들이는
약 900 ▨ 입니다.

02 1kg, 1g

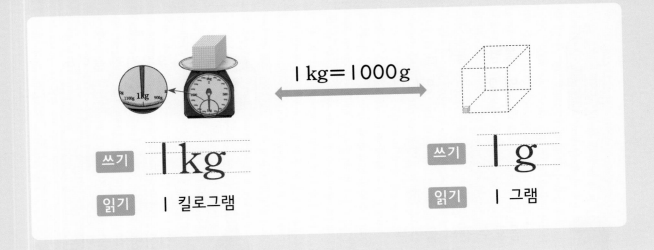

| kg= | 000g

쓰기 **| kg**

읽기 | 킬로그램

쓰기 **| g**

읽기 | 그램

 1 주어진 무게를 쓰고 읽어 보세요.

 5 kg

쓰기 5 kg

읽기 (5 킬로그램)

 | 0 kg

쓰기 | 0 kg

읽기 (| 0 킬로그램)

 200 g

쓰기 200 g

읽기 (200 그램)

 700 g

쓰기 700 g

읽기 (700 그램)

 6 kg 300 g

쓰기 6 kg 300 g

읽기 (6 킬로그램 300 그램)

 | kg 400 g

쓰기 | kg 400 g

읽기 (| 킬로그램 400 그램)

2 안에 알맞은 수를 써넣으세요.

1 kg   1 kg / 1000 g   ➡ 1 kg = ⬚ g

1 kg 500 g   1 kg / 500 g / ⬚ g / 500 g   ➡ 1 kg 500 g = ⬚ g

2 kg 300 g   1 kg / 1 kg / 300 g / ⬚ g / ⬚ g / 300 g

➡ 2 kg 300 g = ⬚ g

4 kg = ⬚ g   7 kg = ⬚ g

6 kg = ⬚ g   2 kg = ⬚ g

4 kg 300 g = 4 kg + 300 g   3 kg 600 g = 3 kg + 600 g

= ⬚ g + 300 g   = ⬚ g + 600 g

= ⬚ g   = ⬚ g

9 kg 790 g = 9 kg + 790 g   6 kg 450 g = 6 kg + 450 g

= ⬚ g + 790 g   = ⬚ g + 450 g

= ⬚ g   = ⬚ g

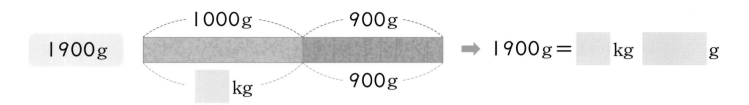

1000g ⟶ 1000g = ▢ kg

1900g ⟶ 1900g = ▢ kg ▢ g

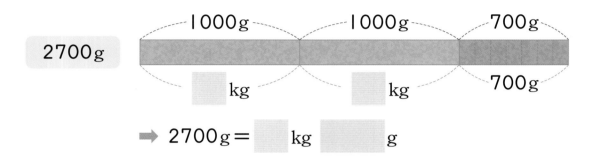

2700g ⟶ 2700g = ▢ kg ▢ g

3000g = ▢ kg   9000g = ▢ kg

7000g = ▢ kg   4000g = ▢ kg

6200g = 6000g + 200g   5800g = 5000g + 800g

= ▢ kg + 200g   = ▢ kg + 800g

= ▢ kg ▢ g   = ▢ kg ▢ g

3690g = 3000g + 690g   2070g = 2000g + 70g

= ▢ kg + 690g   = ▢ kg + 70g

= ▢ kg ▢ g   = ▢ kg ▢ g

사과 | 개의 무게는
약 350 [ ] 입니다.

 자전거의 무게는
약 | 3 [ ] 입니다.

 강아지의 무게는
약 5 [ ] 입니다.

 축구공의 무게는
약 450 [ ] 입니다.

 연필의 무게는
약 5 [ ] 입니다.

 세탁기의 무게는
약 | 5 [ ] 입니다.

 아버지 몸무게는
약 73 [ ] 입니다.

 공책의 무게는
약 | 80 [ ] 입니다.

 의자의 무게는
약 2 [ ] 입니다.

 책가방의 무게는
약 600 [ ] 입니다.

03 1t

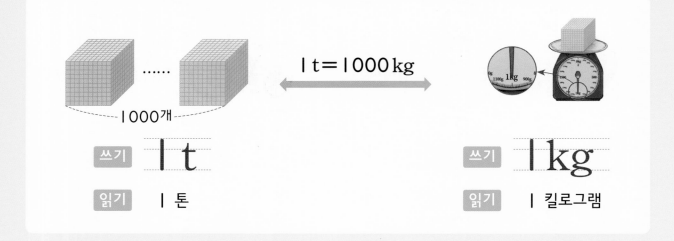

1t = 1000 kg

쓰기	1t	쓰기	1kg
읽기	1 톤	읽기	1 킬로그램

1 주어진 무게를 쓰고 읽어 보세요.

 6t

쓰기 6t

읽기 (6 톤)

 12t

쓰기 12t

읽기 (12 톤)

 29t

쓰기 29t

읽기 (29 톤)

 400t

쓰기 400t

읽기 (400 톤)

 1t 600 kg

쓰기 1t 600 kg

읽기 (1 톤 600 킬로그램)

 3t 500 kg

쓰기 3t 500 kg

읽기 (3 톤 500 킬로그램)

② 　 안에 알맞은 수를 써넣으세요.

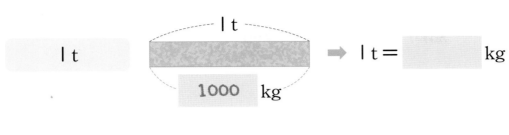

| 1 t | 1 t = ⬜ kg |

1000 kg

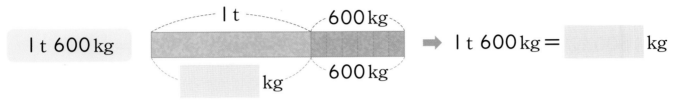

1 t 600 kg ➡ 1 t 600 kg = ⬜ kg

600 kg
600 kg
⬜ kg

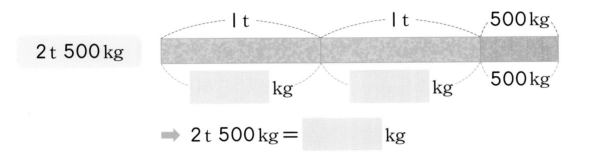

2 t 500 kg

⬜ kg 　 ⬜ kg 　 500 kg
500 kg

➡ 2 t 500 kg = ⬜ kg

3 t = ⬜ kg 　　　 9 t = ⬜ kg

7 t = ⬜ kg 　　　 4 t = ⬜ kg

2 t 900 kg = 2 t + 900 kg
　　　　　 = ⬜ kg + 900 kg
　　　　　 = ⬜ kg

5 t 400 kg = 5 t + 400 kg
　　　　　 = ⬜ kg + 400 kg
　　　　　 = ⬜ kg

6 t 820 kg = 6 t + 820 kg
　　　　　 = ⬜ kg + 820 kg
　　　　　 = ⬜ kg

8 t 730 kg = 8 t + 730 kg
　　　　　 = ⬜ kg + 730 kg
　　　　　 = ⬜ kg

3 안에 알맞은 수를 써넣으세요.

1000 kg
$\overbrace{1000\,kg}$
$\underbrace{\boxed{1}\ t}$
➡ 1000 kg = $\boxed{}$ t

1800 kg
$\overbrace{1000\,kg}$ $\overbrace{800\,kg}$
$\underbrace{\boxed{}\ t}$ $\underbrace{800\,kg}$
➡ 1800 kg = $\boxed{}$ t $\boxed{}$ kg

2600 kg
$\overbrace{1000\,kg}$ $\overbrace{1000\,kg}$ $\overbrace{600\,kg}$
$\underbrace{\boxed{}\ t}$ $\underbrace{\boxed{}\ t}$ $\underbrace{600\,kg}$

➡ 2600 kg = $\boxed{}$ t $\boxed{}$ kg

4000 kg = $\boxed{}$ t

6000 kg = $\boxed{}$ t

2000 kg = $\boxed{}$ t

9000 kg = $\boxed{}$ t

7500 kg = 7000 kg + 500 kg
   = $\boxed{}$ t + 500 kg
   = $\boxed{}$ t $\boxed{}$ kg

8800 kg = 8000 kg + 800 kg
   = $\boxed{}$ t + 800 kg
   = $\boxed{}$ t $\boxed{}$ kg

5310 kg = 5000 kg + 310 kg
   = $\boxed{}$ t + 310 kg
   = $\boxed{}$ t $\boxed{}$ kg

6040 kg = 6000 kg + 40 kg
   = $\boxed{}$ t + 40 kg
   = $\boxed{}$ t $\boxed{}$ kg

14

4 주어진 글을 읽고 ▨ 안에 g, kg, t 중 알맞은 단위를 써넣으세요.

 소방차의 무게는
약 20 ▨ 입니다.

 곰의 무게는
약 150 ▨ 입니다.

 야구공의 무게는
약 145 ▨ 입니다.

 로켓의 무게는
약 200 ▨ 입니다.

 기린의 무게는
약 1500 ▨ 입니다.

 트럭의 무게는
약 1 ▨ 입니다.

 유람선 무게는
약 100 ▨ 입니다.

 카메라의 무게는
약 700 ▨ 입니다.

 고래의 무게는
약 48 ▨ 입니다.

 수박의 무게는
약 7 ▨ 입니다.

04 들이, 무게의 덧셈과 뺄셈

정답 38쪽

초등 3-2

❺ 들이와 무게

🌰 들이의 덧셈 알아보기

$$\begin{array}{r} 2\,\text{L} \quad 300\,\text{mL} \\ +\ 1\,\text{L} \quad 900\,\text{mL} \\ \hline \end{array}$$

→

$$\begin{array}{r} {}^{1}\text{L} \\ 2\,\text{L} \quad 300\,\text{mL} \\ +\ 1\,\text{L} \quad 900\,\text{mL} \\ \hline 200\,\text{mL} \end{array}$$

300 + 900 = 1200 mL = 1 L 200 mL

→

$$\begin{array}{r} {}^{1}\text{L} \\ 2\,\text{L} \quad 300\,\text{mL} \\ +\ 1\,\text{L} \quad 900\,\text{mL} \\ \hline 4\,\text{L} \quad 200\,\text{mL} \end{array}$$

1 + 2 + 1 = 4 L

1 계산해 보세요.

$$\begin{array}{r} 3\,\text{L} \quad 200\,\text{mL} \\ +\ 5\,\text{L} \quad 600\,\text{mL} \\ \hline \boxed{}\,\text{L} \quad 800\,\text{mL} \end{array}$$

$$\begin{array}{r} 2\,\text{L} \quad 300\,\text{mL} \\ +\ 7\,\text{L} \quad 300\,\text{mL} \\ \hline \boxed{}\,\text{L} \quad \boxed{}\,\text{mL} \end{array}$$

$$\begin{array}{r} 5\,\text{L} \quad 500\,\text{mL} \\ +\ 1\,\text{L} \quad 200\,\text{mL} \\ \hline \boxed{}\,\text{L} \quad \boxed{}\,\text{mL} \end{array}$$

$$\begin{array}{r} {}^{1}\text{L} \\ 3\,\text{L} \quad 700\,\text{mL} \\ +\ 5\,\text{L} \quad 400\,\text{mL} \\ \hline \boxed{}\,\text{L} \quad 100\,\text{mL} \end{array}$$

$$\begin{array}{r} 4\,\text{L} \quad 600\,\text{mL} \\ +\ 2\,\text{L} \quad 800\,\text{mL} \\ \hline \boxed{}\,\text{L} \quad \boxed{}\,\text{mL} \end{array}$$

$$\begin{array}{r} 6\,\text{L} \quad 900\,\text{mL} \\ +\ 3\,\text{L} \quad 200\,\text{mL} \\ \hline \boxed{}\,\text{L} \quad \boxed{}\,\text{mL} \end{array}$$

$$\begin{array}{r} 7\,\text{L} \quad 800\,\text{mL} \\ +\ 1\,\text{L} \quad 800\,\text{mL} \\ \hline \boxed{}\,\text{L} \quad \boxed{}\,\text{mL} \end{array}$$

$$\begin{array}{r} 5\,\text{L} \quad 800\,\text{mL} \\ +\ 4\,\text{L} \quad 900\,\text{mL} \\ \hline \boxed{}\,\text{L} \quad \boxed{}\,\text{mL} \end{array}$$

$$\begin{array}{r} 2\,\text{L} \quad 800\,\text{mL} \\ +\ 9\,\text{L} \quad 700\,\text{mL} \\ \hline \boxed{}\,\text{L} \quad \boxed{}\,\text{mL} \end{array}$$

🍂 들이의 뺄셈 알아보기

$$
\begin{array}{r}
8\,\text{L}\quad 200\,\text{mL} \\
-\ 4\,\text{L}\quad 700\,\text{mL} \\
\hline
\end{array}
\;\Rightarrow\;
\begin{array}{r}
{}^{7}\,\text{L}\;\;{}^{1000}\,\text{mL} \\
\cancel{8}\,\text{L}\quad 200\,\text{mL} \\
-\ 4\,\text{L}\quad 700\,\text{mL} \\
\hline
500\,\text{mL} \\
\end{array}
\;\Rightarrow\;
\begin{array}{r}
{}^{7}\,\text{L} \\
\cancel{8}\,\text{L}\quad 200\,\text{mL} \\
-\ 4\,\text{L}\quad 700\,\text{mL} \\
\hline
3\,\text{L}\quad 500\,\text{mL} \\
\end{array}
$$

$1000-700+200=500$ mL

$7-4=3$ L

2 계산해 보세요.

$$
\begin{array}{r}
6\,\text{L}\quad 800\,\text{mL} \\
-\ 3\,\text{L}\quad 600\,\text{mL} \\
\hline
\boxed{}\,\text{L}\quad \boxed{200}\,\text{mL}
\end{array}
\qquad
\begin{array}{r}
9\,\text{L}\quad 900\,\text{mL} \\
-\ 2\,\text{L}\quad 500\,\text{mL} \\
\hline
\boxed{}\,\text{L}\quad \boxed{}\,\text{mL}
\end{array}
\qquad
\begin{array}{r}
2\,\text{L}\quad 200\,\text{mL} \\
-\ 1\,\text{L}\quad 100\,\text{mL} \\
\hline
\boxed{}\,\text{L}\quad \boxed{}\,\text{mL}
\end{array}
$$

$$
\begin{array}{r}
{}^{2}\,\text{L}\;\;{}^{1000}\,\text{mL} \\
\cancel{3}\,\text{L}\quad 100\,\text{mL} \\
-\ 1\,\text{L}\quad 400\,\text{mL} \\
\hline
\boxed{}\,\text{L}\quad \boxed{700}\,\text{mL}
\end{array}
\qquad
\begin{array}{r}
7\,\text{L}\quad 700\,\text{mL} \\
-\ 3\,\text{L}\quad 800\,\text{mL} \\
\hline
\boxed{}\,\text{L}\quad \boxed{}\,\text{mL}
\end{array}
\qquad
\begin{array}{r}
9\,\text{L}\quad 500\,\text{mL} \\
-\ 2\,\text{L}\quad 900\,\text{mL} \\
\hline
\boxed{}\,\text{L}\quad \boxed{}\,\text{mL}
\end{array}
$$

$$
\begin{array}{r}
8\,\text{L}\quad 600\,\text{mL} \\
-\ 3\,\text{L}\quad 900\,\text{mL} \\
\hline
\boxed{}\,\text{L}\quad \boxed{}\,\text{mL}
\end{array}
\qquad
\begin{array}{r}
10\,\text{L}\quad 400\,\text{mL} \\
-\ 1\,\text{L}\quad 600\,\text{mL} \\
\hline
\boxed{}\,\text{L}\quad \boxed{}\,\text{mL}
\end{array}
\qquad
\begin{array}{r}
6\,\text{L}\quad 200\,\text{mL} \\
-\ 4\,\text{L}\quad 700\,\text{mL} \\
\hline
\boxed{}\,\text{L}\quad \boxed{}\,\text{mL}
\end{array}
$$

무게의 덧셈 알아보기

$$3 \text{ kg } 900\text{g} + 4 \text{ kg } 600\text{g}$$

➡

$$\begin{array}{r} 1 \text{ kg} \\ 3 \text{ kg } 900\text{g} \\ + 4 \text{ kg } 600\text{g} \\ \hline 500\text{g} \end{array}$$

$900 + 600 = 1500\text{g} = 1 \text{ kg } 500\text{g}$

➡

$$\begin{array}{r} 1 \text{ kg} \\ 3 \text{ kg } 900\text{g} \\ + 4 \text{ kg } 600\text{g} \\ \hline 8 \text{ kg } 500\text{g} \end{array}$$

$1 + 3 + 4 = 8 \text{ kg}$

3 계산해 보세요.

$$\begin{array}{r} 4 \text{ kg} \quad 500 \text{ g} \\ + \ 3 \text{ kg} \quad 100 \text{ g} \\ \hline \boxed{} \text{ kg} \quad \boxed{600} \text{ g} \end{array}$$

$$\begin{array}{r} 2 \text{ kg} \quad 200 \text{ g} \\ + \ 7 \text{ kg} \quad 600 \text{ g} \\ \hline \boxed{} \text{ kg} \quad \boxed{} \text{ g} \end{array}$$

$$\begin{array}{r} 5 \text{ kg} \quad 300 \text{ g} \\ + \ 1 \text{ kg} \quad 400 \text{ g} \\ \hline \boxed{} \text{ kg} \quad \boxed{} \text{ g} \end{array}$$

$$\begin{array}{r} 1 \text{ kg} \\ 7 \text{ kg} \quad 400 \text{ g} \\ + \ 2 \text{ kg} \quad 800 \text{ g} \\ \hline \boxed{} \text{ kg} \quad \boxed{200} \text{ g} \end{array}$$

$$\begin{array}{r} 2 \text{ kg} \quad 500 \text{ g} \\ + \ 1 \text{ kg} \quad 800 \text{ g} \\ \hline \boxed{} \text{ kg} \quad \boxed{} \text{ g} \end{array}$$

$$\begin{array}{r} 3 \text{ kg} \quad 900 \text{ g} \\ + \ 3 \text{ kg} \quad 300 \text{ g} \\ \hline \boxed{} \text{ kg} \quad \boxed{} \text{ g} \end{array}$$

$$\begin{array}{r} 1 \text{ kg} \quad 800 \text{ g} \\ + \ 6 \text{ kg} \quad 700 \text{ g} \\ \hline \boxed{} \text{ kg} \quad \boxed{} \text{ g} \end{array}$$

$$\begin{array}{r} 4 \text{ kg} \quad 600 \text{ g} \\ + \ 2 \text{ kg} \quad 500 \text{ g} \\ \hline \boxed{} \text{ kg} \quad \boxed{} \text{ g} \end{array}$$

$$\begin{array}{r} 5 \text{ kg} \quad 500 \text{ g} \\ + \ 4 \text{ kg} \quad 900 \text{ g} \\ \hline \boxed{} \text{ kg} \quad \boxed{} \text{ g} \end{array}$$

무게의 뺄셈 알아보기

$$\begin{array}{r} 9 \text{ kg } 300\text{g} \\ - 2 \text{ kg } 700\text{g} \\ \hline \end{array}$$

→

$$\begin{array}{r} \overset{8}{\cancel{9}} \text{ kg } \overset{1000}{}\text{ g} \\ \text{kg } 300\text{g} \\ - 2 \text{ kg } 700\text{g} \\ \hline 600\text{g} \end{array}$$

$1000-700+300=600\text{g}$

→

$$\begin{array}{r} \overset{8}{\cancel{9}} \text{ kg } 300\text{g} \\ - 2 \text{ kg } 700\text{g} \\ \hline 6 \text{ kg } 600\text{g} \end{array}$$

$8-2=6\text{ kg}$

④ 계산해 보세요.

$$\begin{array}{r} 4 \text{ kg } \quad 600 \text{ g} \\ - 2 \text{ kg } \quad 300 \text{ g} \\ \hline \boxed{} \text{ kg } \quad 300 \text{ g} \end{array}$$

$$\begin{array}{r} 7 \text{ kg } \quad 800 \text{ g} \\ - 6 \text{ kg } \quad 100 \text{ g} \\ \hline \boxed{} \text{ kg } \quad \boxed{} \text{ g} \end{array}$$

$$\begin{array}{r} 8 \text{ kg } \quad 400 \text{ g} \\ - 5 \text{ kg } \quad 200 \text{ g} \\ \hline \boxed{} \text{ kg } \quad \boxed{} \text{ g} \end{array}$$

$$\begin{array}{r} \overset{5}{\cancel{6}} \text{ kg } \overset{1000}{100} \text{ g} \\ - 4 \text{ kg } \quad 300 \text{ g} \\ \hline \boxed{} \text{ kg } \quad 800 \text{ g} \end{array}$$

$$\begin{array}{r} 8 \text{ kg } \quad 100 \text{ g} \\ - 2 \text{ kg } \quad 600 \text{ g} \\ \hline \boxed{} \text{ kg } \quad \boxed{} \text{ g} \end{array}$$

$$\begin{array}{r} 9 \text{ kg } \quad 300 \text{ g} \\ - 4 \text{ kg } \quad 900 \text{ g} \\ \hline \boxed{} \text{ kg } \quad \boxed{} \text{ g} \end{array}$$

$$\begin{array}{r} 5 \text{ kg } \quad 200 \text{ g} \\ - 2 \text{ kg } \quad 500 \text{ g} \\ \hline \boxed{} \text{ kg } \quad \boxed{} \text{ g} \end{array}$$

$$\begin{array}{r} 7 \text{ kg } \quad 700 \text{ g} \\ - 5 \text{ kg } \quad 800 \text{ g} \\ \hline \boxed{} \text{ kg } \quad \boxed{} \text{ g} \end{array}$$

$$\begin{array}{r} 10 \text{ kg } \quad 500 \text{ g} \\ - 3 \text{ kg } \quad 700 \text{ g} \\ \hline \boxed{} \text{ kg } \quad \boxed{} \text{ g} \end{array}$$

유형 1

7L 500mL의 물이 들어 있는 물통에 3L 200mL의 물을 더 부었습니다. 물통에 들어 있는 물은 모두 몇 L 몇 mL일까요?

➡ **주어진 수에 ○표 하고, 구하는 것에 밑줄 치기**

처음 들어 있던 물의 양: 7 L 500 mL, 더 부은 물의 양: ⬜ L ⬜ mL

➡ **문제 해결하기**

처음 들어 있던 물의 양과 더 부은 물의 양을 (더합니다 , 뺍니다).

➡ **문제 풀기**

(물통에 들어 있는 전체 물의 양)=(처음 들어 있던 물의 양)+(더 부은 물의 양)

= ⬜ L ⬜ mL + ⬜ L ⬜ mL = ⬜ L ⬜ mL

➡ **답 쓰기**

물통에 들어 있는 물은 모두 ⬜ L ⬜ mL입니다.

유형+ 1

도윤이는 헌 종이를 2kg 400g 모았고, 예지는 4kg 500g 모았습니다. 두 사람이 모은 헌 종이의 무게는 모두 몇 kg 몇 g일까요?

➡ **주어진 수에 ○표 하고, 구하는 것에 밑줄 치기**

도윤이가 모은 헌 종이 무게: ⬜ kg ⬜ g, 예지가 모은 헌 종이 무게: ⬜ kg

➡ **문제 해결하기**

도윤이가 모은 헌 종이 무게와 예지가 모은 헌 종이 무게를 (더합니다 , 뺍니다).

➡ **문제 풀기**

(두 사람이 모은 헌 종이 무게)=(도윤이가 모은 헌 종이 무게)+(예지가 모은 헌 종이 무게)

= ⬜ kg ⬜ g + ⬜ kg ⬜ g = ⬜ kg ⬜ g

➡ **답 쓰기**

두 사람이 모은 헌 종이의 무게는 모두 ⬜ kg ⬜ g입니다.

유형 2

주스가 4L 800mL 있습니다. 그중 2L 500mL를 마셨다면 남은 주스는 몇 L 몇 mL일까요?

➡ **주어진 수에 ○표 하고, 구하는 것에 밑줄 치기**

전체 주스의 양: 4 L 800 mL, 마신 주스의 양: ⬜ L ⬜ mL

➡ **문제 해결하기**

전체 주스의 양에서 마신 주스의 양을 (더합니다 , 뺍니다).

➡ **문제 풀기**

(남은 주스의 양)=(전체 주스의 양)—(마신 주스의 양)

= ⬜ L ⬜ mL — ⬜ L ⬜ mL = ⬜ L ⬜ mL

➡ **답 쓰기**

남은 주스는 ⬜ L ⬜ mL입니다.

유형 ➕ 2

슬기의 가방은 3kg 800g이고 준서의 가방은 2kg 600g입니다. 슬기의 가방은 준서의 가방보다 몇 kg 몇 g 더 무거울까요?

➡ **주어진 수에 ○표 하고, 구하는 것에 밑줄 치기**

슬기의 가방 무게: ⬜ kg ⬜ g, 준서의 가방 무게: ⬜ kg ⬜ g

➡ **문제 해결하기**

슬기의 가방 무게에서 준서의 가방 무게를 (더합니다 , 뺍니다).

➡ **문제 풀기**

(두 가방 무게의 차)=(슬기의 가방 무게)—(준서의 가방 무게)

= ⬜ kg ⬜ g — ⬜ kg ⬜ g = ⬜ kg ⬜ g

➡ **답 쓰기**

슬기의 가방은 준서의 가방보다 ⬜ kg ⬜ g 더 무겁습니다.

● 안에 알맞은 수를 써넣고 답을 구하세요.

1 Drill

이번 주에 지호는 우유를 1 L 600 mL 마셨고, 민아는 1 L 900 mL 마셨습니다.
이번 주에 두 사람이 마신 우유는 모두 몇 L 몇 mL일까요?

주어진 수에 ○표 하고,
구하는 것에 밑줄 쫙!

풀이 (두 사람이 마신 우유의 양)

= (지호가 마신 우유의 양) + (민아가 마신 우유의 양)

= ⬚ L ⬚ mL + ⬚ L ⬚ mL = ⬚ L ⬚ mL

답 ⬚ L ⬚ mL

2 Drill

농장에서 사과를 선우는 3 kg 400 g 땄고, 민재는 선우보다 2 kg 800 g 더 많이 땄습니다. 민재가 딴 사과는 몇 kg 몇 g일까요?

풀이 (민재가 딴 사과의 무게) = (선우가 딴 사과의 무게) + (선우보다 더 딴 사과의 무게)

= ⬚ kg ⬚ g + ⬚ kg ⬚ g

= ⬚ kg ⬚ g   답 ⬚ kg ⬚ g

3 Drill

포도 주스는 6 L 200 mL 있고, 사과 주스는 4 L 700 mL 있습니다. 포도 주스는 사과 주스보다 몇 L 몇 mL 더 많을까요?

풀이 (두 주스의 양의 차) = (포도 주스의 양) - (사과 주스의 양)

= ⬚ L ⬚ mL - ⬚ L ⬚ mL

= ⬚ L ⬚ mL   답 ⬚ L ⬚ mL

4 Drill

가은이가 강아지를 안고 무게를 재었더니 35 kg 500 g이었습니다. 가은이의 몸무게가 33 kg 600 g이라면 강아지의 무게는 몇 kg 몇 g일까요?

풀이 (강아지의 무게) = (가은이와 강아지의 무게) - (가은이의 몸무게)

= ⬚ kg ⬚ g - ⬚ kg ⬚ g

= ⬚ kg ⬚ g   답 ⬚ kg ⬚ g

● 서술형 문제를 읽고 풀이 과정과 답을 쓰세요.

도전 ①

수조에 4 L 800 mL의 물이 들어 있습니다. 이 수조에 5600 mL의 물을 더 부으면 물이 넘치지 않고 가득 찹니다. 수조의 들이는 몇 L 몇 mL일까요?

풀이

답 _____

도전 ②

무게가 700 g인 바구니에 3 kg 500 g의 토마토를 담았습니다. 토마토를 담은 바구니의 무게는 몇 kg 몇 g일까요?

풀이

답 _____

도전 ③

빈 물통에 수빈이는 물을 6 L 부었고, 도현이는 2300 mL 부었습니다. 수빈이는 도현이보다 물을 몇 L 몇 mL 더 많이 부었을까요?

풀이

답 _____

도전 ④

10 kg까지 담을 수 있는 상자가 있습니다. 이 상자에 7 kg 800 g의 물건을 담았다면 몇 kg 몇 g을 더 담을 수 있을까요?

풀이

답 _____

형성 평가

분　점　점수

01 주어진 들이를 쓰고 읽어 보세요.

(1) 35 L

쓰기 35L

읽기 (35 리터)

(2) 700 mL

쓰기 700 mL

읽기 (700 밀리리터)

[02~03] 그림을 보고 　　 안에 알맞은 수를 써 넣으세요.

02 1 L 900 mL

1 L　　　900 mL

　　　mL　　900 mL

➡ 1 L 900 mL = 　　　　 mL

03 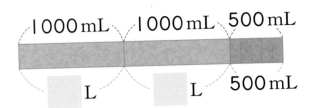 2500 mL

1000 mL　1000 mL　500 mL

　　L　　　　　L　500 mL

➡ 2500 mL = 　　 L 　　 mL

[04~05] 　　 안에 알맞은 수를 써넣으세요.

04 (1) 4 L 200 mL = 　　　　 mL

(2) 9 L 380 mL = 　　　　 mL

05 (1) 7100 mL

= 　　 L 　　 mL

(2) 5060 mL

= 　　 L 　　 mL

06 주어진 글을 읽고 ▨ 안에 L와 mL 중 알맞은 단위를 써넣으세요.

(1)

물통의 들이는
약 20 ▨ 입니다.

(2)

우유갑의 들이는
약 900 ▨ 입니다.

07 주어진 무게를 쓰고 읽어 보세요.

(1)

8 kg 540 g

쓰기 8 kg 540 g

읽기 (8 킬로그램
540 그램)

(2)

3 t 500 kg

쓰기 3 t 500 kg

읽기 (3 톤
500 킬로그램)

[08~09] 그림을 보고 ▨ 안에 알맞은 수를 써 넣으세요.

08

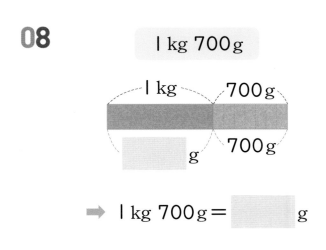

1 kg 700 g

1 kg   700 g

▨ g   700 g

➡ 1 kg 700 g = ▨ g

09

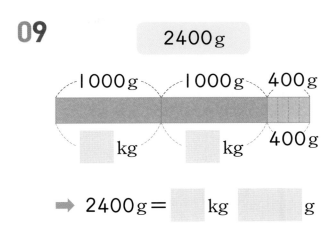

2400 g

1000 g   1000 g   400 g

▨ kg   ▨ kg   400 g

➡ 2400 g = ▨ kg ▨ g

10 ▨ 안에 알맞은 수를 써넣으세요.

(1)

1 kg 600 g = ▨ g

(2)

4 kg 20 g = ▨ g

11 　 안에 알맞은 수를 써넣으세요.

(1)

8400 g

= 　 kg 　 g

(2)

1230 g

= 　 kg 　 g

12 주어진 글을 읽고 　 안에 kg, g 중 알맞은 단위를 써넣으세요.

(1)

농구공의 무게는
약 650 　 입니다.

(2)

고릴라의 무게는
약 150 　 입니다.

[13~14] 그림을 보고 　 안에 알맞은 수를 써넣으세요.

13

2 t 800 kg

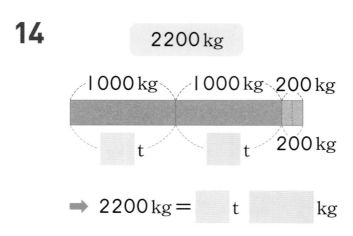

　 kg 　 kg 800 kg

➡ 2 t 800 kg = 　 kg

14

2200 kg

1000 kg 1000 kg 200 kg

　 t 　 t 200 kg

➡ 2200 kg = 　 t 　 kg

[15~16] 　 안에 알맞은 수를 써넣으세요.

15 (1)

7 t 600 kg = 　 kg

(2)

9 t 140 kg = 　 kg

16 (1)

3600 kg

= ☐ t ☐ kg

(2)

4520 kg

= ☐ t ☐ kg

[17~20] 계산해 보세요.

17 (1)

```
    1  L   200  mL
+   1  L   400  mL
─────────────────────
    ☐  L   ☐   mL
```

(2)

```
    7  L   500  mL
+   1  L   600  mL
─────────────────────
    ☐  L   ☐   mL
```

18 (1)

```
    5  L   500  mL
−   4  L   200  mL
─────────────────────
    ☐  L   ☐   mL
```

(2)

```
    8  L   600  mL
−   3  L   900  mL
─────────────────────
    ☐  L   ☐   mL
```

19 (1)

```
    3  kg   500  g
+   2  kg   400  g
─────────────────────
    ☐  kg   ☐   g
```

(2)

```
    1  kg   800  g
+   6  kg   700  g
─────────────────────
    ☐  kg   ☐   g
```

20 (1)

```
    9  kg   900  g
−   3  kg   400  g
─────────────────────
    ☐  kg   ☐   g
```

(2)

```
    5  kg   200  g
−   2  kg   500  g
─────────────────────
    ☐  kg   ☐   g
```

1 들이를 나타낼 때 L와 mL 중에서 사용해야 하는 단위가 <u>다른</u> 것은 어느 것일까요? (　　　　)

① 꽃병　　　　　② 종이컵

③ 욕조　　　　　④ 주사기

⑤ 밥그릇

2 　 안에 알맞은 수를 써넣으세요.

(1)　3 L 650 mL = 　　　　　 mL

(2)　7050 mL

　　= 　 L 　　 mL

3 다음 중 <u>잘못된</u> 것은 어느 것일까요?

(　　　　)

① 4 L 800 mL=4800 mL

② 1 L 750 mL=1750 mL

③ 9 L 80 mL=9080 mL

④ 6470 mL=6 L 470 mL

⑤ 7060 mL=7 L 600 mL

4 들이의 단위를 알맞게 사용한 학생의 이름을 쓰세요.

영지: 나는 어제 우유를 250 L 마셨어요.

은정: 양동이에 물을 가득 담았더니 13 mL네.

재호: 나는 어제 요구르트를 500 mL 샀어.

성민: 주사기에 들어 있는 약은 약 6 L쯤 될꺼야.

(　　　　　　　　　　)

5 들이가 가장 많은 것부터 차례로 기호를 쓰세요.

㉠ 8 L 320 mL　　㉡ 8180 mL

㉢ 8 L 70 mL　　㉣ 8250 mL

(　　　　　　　　　　)

6 1 L들이의 그릇이 있습니다. 이 그릇의 들이를 다음과 같이 어림했을 때, 1 L에 더 가깝게 어림한 사람은 누구일까요?

> 정태: 900 mL   민주: 1050 mL

(   )

7 계산해 보세요.

(1)
$$\begin{array}{r} 4\ \text{L} \quad 900\ \text{mL} \\ +\ 2\ \text{L} \quad 500\ \text{mL} \\ \hline \qquad\text{L}\qquad\quad \text{mL} \end{array}$$

(2)
$$\begin{array}{r} 8\ \text{L} \quad 700\ \text{mL} \\ -\ 3\ \text{L} \quad 800\ \text{mL} \\ \hline \qquad\text{L}\qquad\quad \text{mL} \end{array}$$

8 들이의 합과 차를 구하세요.

> 5 L 750 mL   2150 mL

합: L   mL

차: L   mL

9 들이가 더 많은 것의 기호를 쓰세요.

> ㉠ 1 L 200 mL + 2 L 200 mL
>
> ㉡ 5 L 700 mL − 2 L 250 mL

(   )

10 여러 가지 그릇의 들이를 조사하여 나타낸 표입니다. 그릇 2개를 한 번씩 사용하여 5 L 800 mL의 들이를 얻으려면 어느 그릇과 어느 그릇을 사용해야 하는지 풀이 과정을 쓰고 답을 구하세요.

그릇	들이
㉮	400 mL
㉯	2 L 300 mL
㉰	3 L 500 mL
㉱	1 L 750 mL

풀이 _____

_____

_____

답 _____

11 물건의 무게를 나타내는 단위로 kg보다 g이 더 적당한 것을 모두 고르세요.

(   )

① 야구공   ② 텔레비전

③ 냉장고   ④ 휴대폰

⑤ 책상

12 관계있는 것끼리 선으로 이어 보세요.

2 kg 100 g •		• 4150 g
3 kg 650 g •		• 3650 g
4 kg 150 g •		• 2100 g

13 무게가 가장 가벼운 것부터 차례로 1, 2, 3, 4를 쓰세요.

8 kg 250 g ───◯

8 kg 520 g ───◯

8090 g ───◯

8490 g ───◯

14 다음 중 잘못된 것은 어느 것일까요?

(   )

① 3 t = 3000 kg

② 12 t = 12000 kg

③ 10 t = 1000 kg

④ 6000 kg = 6 t

⑤ 18000 kg = 18 t

15 토마토를 7 kg 300 g 따서 그중 5 kg 800 g을 팔았습니다. 남은 토마토는 몇 kg 몇 g일까요?

(   )

16 무게의 합과 차를 구하세요.

4 kg 300 g   7650 g

합: ☐ kg ☐ g

차: ☐ kg ☐ g

17 마을별 사과 수확량을 조사하여 표로 나타낸 것입니다. 네 마을의 사과 수확량의 합은 몇 t일까요?

마을	수확량(kg)	마을	수확량(kg)
가	450	다	670
나	380	라	500

( )t

18 무게가 가장 무거운 것을 찾아 기호를 쓰세요.

㉠ 1 kg 150 g + 3 kg 300 g
㉡ 2 kg 150 g + 2 kg 600 g
㉢ 8 kg 350 g − 4 kg 200 g
㉣ 9 kg 750 g − 5 kg 50 g

( )

19 가장 무거운 것과 가장 가벼운 것의 무게의 차는 몇 kg 몇 g일까요?

1 kg 600 g   3 kg 700 g

2 kg 500 g   1 kg 250 g

➡ ☐ kg ☐ g

20 무게가 2 t인 트럭이 있습니다. 이 트럭 위에 한 개의 무게가 20 kg인 상자를 150개 실으면 이 트럭의 무게는 몇 t이 되는지 풀이 과정을 쓰고 답을 구하세요.

풀이 _____

_____

_____

답 _____

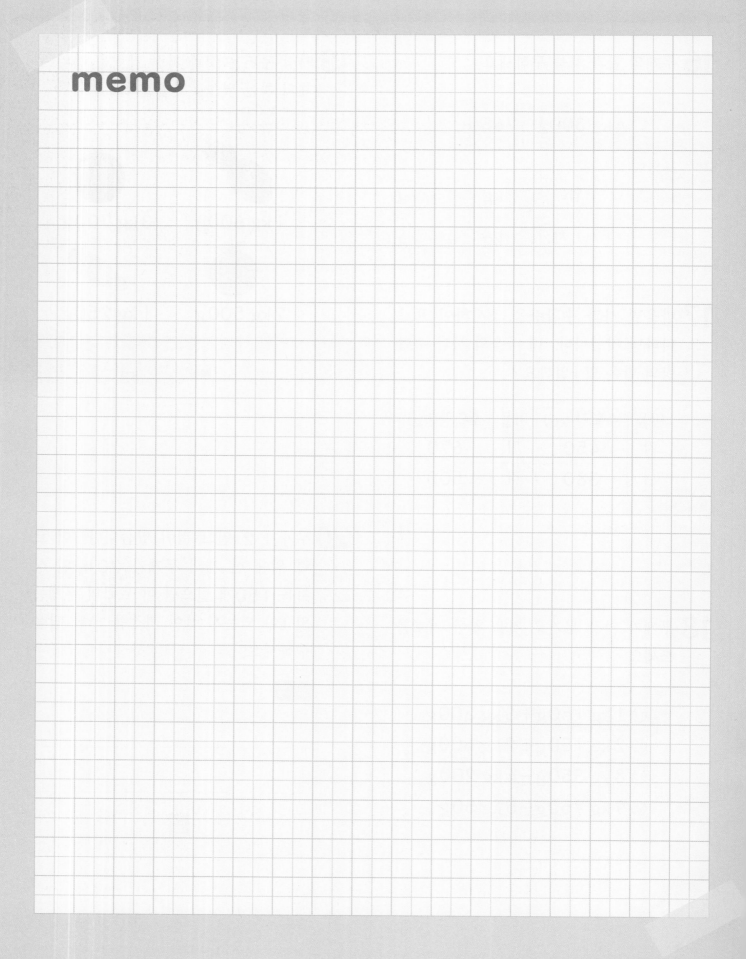

memo

논리적 사고력과 창의적 문제해결력을 키워 주는
매스티안 교재 활용법!

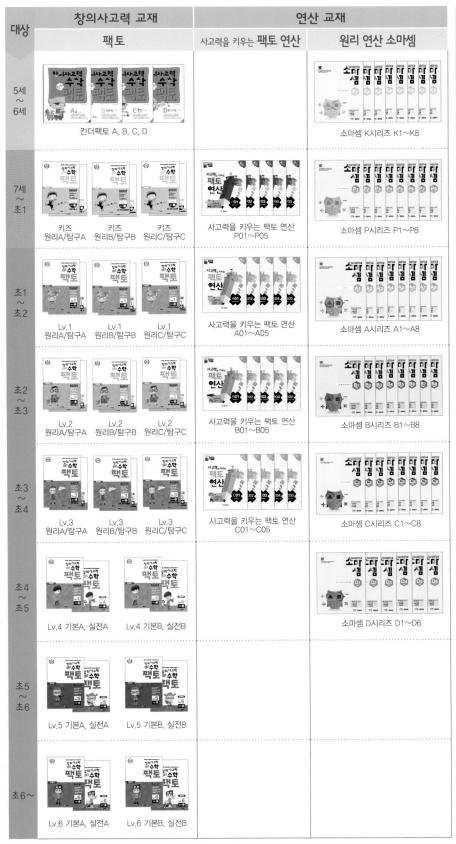

대상	창의사고력 교재 — 팩토			연산 교재 — 사고력을 키우는 팩토 연산	연산 교재 — 원리 연산 소마셈
5세~6세	킨더팩토 A, B, C, D				소마셈 K시리즈 K1~K8
7세~초1	키즈 원리A/탐구A	키즈 원리B/탐구B	키즈 원리C/탐구C	사고력을 키우는 팩토 연산 P01~P05	소마셈 P시리즈 P1~P8
초1~초2	Lv.1 원리A/탐구A	Lv.1 원리B/탐구B	Lv.1 원리C/탐구C	사고력을 키우는 팩토 연산 A01~A05	소마셈 A시리즈 A1~A8
초2~초3	Lv.2 원리A/탐구A	Lv.2 원리B/탐구B	Lv.2 원리C/탐구C	사고력을 키우는 팩토 연산 B01~B05	소마셈 B시리즈 B1~B8
초3~초4	Lv.3 원리A/탐구A	Lv.3 원리B/탐구B	Lv.3 원리C/탐구C	사고력을 키우는 팩토 연산 C01~C05	소마셈 C시리즈 C1~C8
초4~초5	Lv.4 기본A, 실전A	Lv.4 기본B, 실전B			소마셈 D시리즈 D1~D6
초5~초6	Lv.5 기본A, 실전A	Lv.5 기본B, 실전B			
초6~	Lv.6 기본A, 실전A	Lv.6 기본B, 실전B			

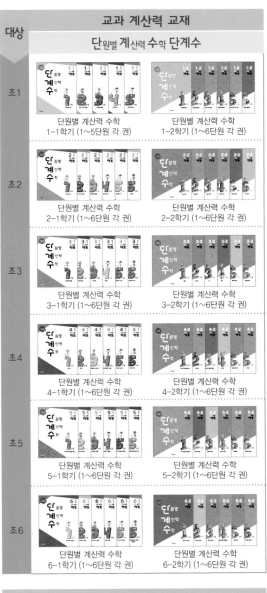

대상	교과 계산력 교재 — 단원별 계산력 수학 단계수	
초1	단원별 계산력 수학 1-1학기 (1~5단원 각 권)	단원별 계산력 수학 1-2학기 (1~6단원 각 권)
초2	단원별 계산력 수학 2-1학기 (1~6단원 각 권)	단원별 계산력 수학 2-2학기 (1~6단원 각 권)
초3	단원별 계산력 수학 3-1학기 (1~6단원 각 권)	단원별 계산력 수학 3-2학기 (1~6단원 각 권)
초4	단원별 계산력 수학 4-1학기 (1~6단원 각 권)	단원별 계산력 수학 4-2학기 (1~6단원 각 권)
초5	단원별 계산력 수학 5-1학기 (1~6단원 각 권)	단원별 계산력 수학 5-2학기 (1~6단원 각 권)
초6	단원별 계산력 수학 6-1학기 (1~6단원 각 권)	단원별 계산력 수학 6-2학기 (1~6단원 각 권)

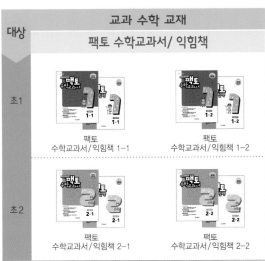

대상	교과 수학 교재 — 팩토 수학교과서/ 익힘책	
초1	팩토 수학교과서/익힘책 1-1	팩토 수학교과서/익힘책 1-2
초2	팩토 수학교과서/익힘책 2-1	팩토 수학교과서/익힘책 2-2

단계수 학습 순서

매일 학습

단원별로 꼭 알아야 할 개념만 쏙쏙 학습하고, 다양한 연산 문제를 통해 필수 개념을 숙달하여 계산력을 쑥쑥 키울 수 있습니다.

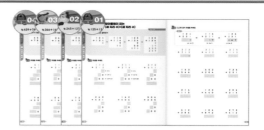

도전! 응용문제

필수 개념을 활용한 **응용** 문제 또는 **서술형** 문제를 통해 사고력과 문제해결력을 기를 수 있습니다.

형성 평가

단원의 **복습 단계**로 문제를 풀면서 학습한 내용을 잘 알고 있는지 다시 한 번 확인할 수 있습니다.

단원 평가

단원의 **마무리 학습**으로 학교 시험에 자주 나오는 문제 유형을 통해서 수시 평가 등 학교 시험에 대비할 수 있습니다.

 **매스티안** http://www.mathtian.com

자율안전확인신고필증번호 : B361H200-4001

1. 주소 : 06153 서울특별시 강남구 봉은사로 442 (삼성동)
2. 문의전화 : 1588-6066
3. 제조국 : 대한민국
4. 사용연령 : 10세 이상

※ KC마크는 이 제품이 공통안전기준에 적합하였음을 의미합니다.

⚠ 주의

종이, 모서리에 다칠 수 있으니 주의하세요!

	초등학교	반	번
이름			

3-2

초등 수학
팩토

단원별
계산력
수학

6단원

자료의 정리

매스티안

팩토는 자유롭게 자신감있게 창의적으로 생각하는 주니어수학자입니다.

단원별 산력수학

펴낸 곳 (주)타임교육C&P **펴낸이** 이길호 **지은이** 매스티안R&D센터

주소 06153 서울특별시 강남구 봉은사로 442 (삼성동) **문의전화** 1588.6066

팩토카페 http://cafe.naver.com/factos **홈페이지** http://www.mathtian.com

JW2204

생각이 자유로운 사람들! 매스티안R&D센터

매스티안R&D센터의 논리적 사고력과 창의적 문제해결력을 키우는 수학 콘텐츠는 국내외 수많은 교육 현장에서 그 우수성을 높이 평가받고 있습니다.

매스티안R&D센터는 여기에 안주하지 않고 앞으로도 학생, 교사, 학부모 모두가 행복한 수학 시간을 만들 수 있도록 노력하겠습니다.

매스티안 공식 홈페이지 … (http://www.mathtian.com)

· 매스티안의 다양한 출간 교재 소개

· 출간 교재와 관련된 학습 자료(보충 학습지, 활동지 등) 제공

· 출간 교재와 관련된 평가 시험 및 분석 제공

매스티안 공식 카페 … 팩토 (http://cafe.naver.com/factos)

· 창의사고력 수학 팩토 무료 동영상 강의 제공

· 출간 교재에 관한 질문 및 답변

· 영재교육원 대비 자료(기출 문제, 예상 문제) 제공

· 초등 수학 비법 및 Q&A

3-2

초등 수학
팩토

단원별 계산력 수학

단원

자료의 정리

매스티안

6 자료의 정리

Teaching Guide

이 단원에서 배우는 표와 그림그래프 모두 자료를 표현하는 도구로 사용되지만, 표와 그래프는 여러 가지 면에서 다릅니다. 표(table)는 어떤 내용을 일정한 형식과 순서에 따라 보기 쉽게 나타내어 조사한 자료의 전체 수, 조사한 자료별 학생 수·점수 등을 쉽게 알 수 있습니다. 그림그래프는 구체적인 실물을 본뜬 그림의 크기로 수량을 나타내므로 한눈에 알아보기 쉽고 자세한 설명이 없어도 무엇을 나타내려고 하는지 의미를 알 수 있습니다. 특히 그림그래프는 숫자의 취급에 익숙하지 않은 사람도 쉽게 이용할 수 있기 때문에 초등학교 저학년 학생들에게 통계를 설명하는 데 적합합니다.

5. 여러 가지 그래프

· 그림그래프, 띠그래프, 원그래프
  나타내기와 해석하기

6-1

**자료의
정리와 해석**

**중학
1-2**

**대표값과
산포도**

**중학
3-2**

상관관계

**중학
3-2**

6. 평균과 가능성

· 평균
· 일이 일어날 가능성

5-2

경우의 수

**중학
2-2**

확률

**중학
2-2**

공부한 날짜

❶ 일차 표를 보고
알 수 있는 내용
월   일

❷ 일차 자료를 표로
나타내기
월   일

❸ 일차 그림그래프
월   일

❹ 일차 응용 문제
월   일

❺ 일차 형성 평가
월   일

❻ 일차 단원 평가
월   일

01 표를 보고 알 수 있는 내용

정답 42쪽

좋아하는 꽃별 학생 수

꽃	장미	튤립	무궁화	진달래	합계
학생 수(명)	8	4	9	7	28

↑ —— (8+4+9+7)

① 조사한 학생의 수는 28명입니다.

② 가장 많은 학생들이 좋아하는 꽃은 무궁화(9명)입니다.

③ 가장 적은 학생들이 좋아하는 꽃은 튤립(4명)입니다.

④ 장미를 좋아하는 학생(8명)은 진달래를 좋아하는 학생(7명)보다 1명 더 많습니다.

1 표의 빈칸에 알맞은 수를 써넣으세요.

가고 싶어 하는 산별 학생 수

산	한라산	설악산	지리산	백두산	합계
학생 수(명)	5	8	6	10	

5+8+6+10 ——↑

좋아하는 악기별 학생 수

악기	피아노	기타	드럼	첼로	합계
학생 수(명)	6	5	9	7	

좋아하는 TV 프로그램별 학생 수

프로그램	드라마	만화	퀴즈쇼	코미디	합계
학생 수(명)	7	11	4	8	

종류별 책 수

종류	역사책	동시집	위인전	동화책	합계
책 수(권)	9	6	10	8	

좋아하는 동물별 학생 수

동물	강아지	고양이	토끼	원숭이	합계
학생 수(명)	8	13	9	5	

학생별 일주일 동안 읽은 책 수

이름	선미	동준	시훈	윤주	합계
책 수(권)	9	12	15	10	

2 표를 보고 안에 알맞은 수를 써넣으세요.

혈액형별 학생 수

혈액형	A형	B형	O형	AB형	합계
학생 수(명)	8	5	6	3	22

❶ 혈액형이 B형인 학생 수: 5 명

❷ 조사에 참여한 학생 수: 명

❸ 혈액형이 AB형인 학생 수: 명

받고 싶은 선물별 학생 수

선물	자전거	옷	책	게임기	합계
학생 수(명)	6	7	5	9	27

❶ 조사에 참여한 학생 수: 명

❷ 선물로 게임기를 받고 싶은 학생 수: 명

❸ 선물로 자전거를 받고 싶은 학생 수: 명

좋아하는 채소별 학생 수

채소	양파	당근	오이	감자	합계
학생 수(명)	9	5	6	10	30

❶ 오이를 좋아하는 학생 수: 명

❷ 당근을 좋아하는 학생 수: 명

❸ 조사에 참여한 학생 수: 명

좋아하는 색깔별 학생 수

색깔	노란색	파란색	초록색	빨간색	합계
학생 수(명)	11	9	4	8	32

❶ 조사에 참여한 학생 수: 명

❷ 초록색을 좋아하는 학생 수: 명

❸ 노란색을 좋아하는 학생 수: 명

표의 빈칸에 알맞은 수를 써넣으세요.

좋아하는 분식별 학생 수

분식	튀김	떡볶이	김밥	순대	합계
학생 수(명)	7		10	9	32

└ 32 − 7 − 10 − 9
(합계) (튀김) (김밥) (순대)

어린이날 가고 싶은 장소별 학생 수

장소	놀이동산	박물관	영화관	동물원	합계
학생 수(명)	12	3	8		30

여행하고 싶은 나라별 학생 수

나라	미국	호주	캐나다	프랑스	합계
학생 수(명)	10	6		11	40

체육대회에 참가한 종목별 학생 수

종목	축구	피구	농구	계주	합계
학생 수(명)		8	11	14	46

기르고 싶은 반려동물별 남녀 학생 수

반려동물	개	고양이	햄스터	도마뱀	합계
남학생 수(명)	8	5	16		38
여학생 수(명)	12	10		8	37

좋아하는 과목별 남녀 학생 수

과목	국어	수학	영어	과학	합계
남학생 수(명)	7		9	14	41
여학생 수(명)	12	6	15		43

학예회에 참가한 종목별 남녀 학생 수

종목	합창	무용	연극	마술	합계
남학생 수(명)	15	7		12	48
여학생 수(명)		13	16	10	48

좋아하는 곤충별 남녀 학생 수

곤충	매미	나비	풍뎅이	개미	합계
남학생 수(명)		11	8	15	51
여학생 수(명)	6	14		16	54

4 표를 보고   안에 알맞은 수나 말을 써넣으세요.

좋아하는 놀이 기구별 학생 수

놀이 기구	바이킹	범퍼카	롤러코스터	회전목마	합계
학생 수(명)	9	13	6	8	36

① 가장 많은 학생들이 좋아하는 놀이 기구는   입니다.

② 가장 적은 학생들이 좋아하는 놀이 기구는   입니다.

좋아하는 계절별 학생 수

계절	봄	여름	가을	겨울	합계
학생 수(명)	10	14	7	11	42

① 두 번째로 많은 학생들이 좋아하는 계절은   입니다.

② 봄을 좋아하는 학생은 가을을 좋아하는 학생보다   명 더 많습니다.

좋아하는 운동별 남녀 학생 수

운동	태권도	축구	달리기	수영	합계
남학생 수(명)	11	15	7	6	39
여학생 수(명)	13	9	8	12	42

① 가장 적은 남학생이 좋아하는 운동은   입니다.

② 가장 많은 여학생이 좋아하는 운동은   입니다.

③ 남학생과 여학생 수의 차가 가장 적은 운동은   입니다.

④ 달리기를 좋아하는 학생은 모두   명입니다.

02 자료를 표로 나타내기

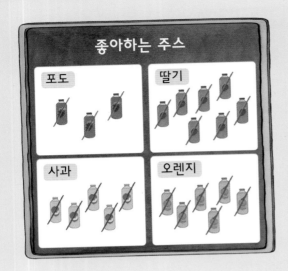

좋아하는 주스

주스	포도	딸기	사과	오렌지	합계
학생 수(명)	3	7	5	6	21

좋아하는 주스별 학생 수

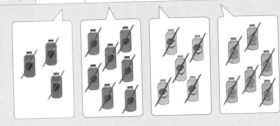

1 자료를 보고 ▢ 안에 알맞은 수나 말을 써넣으세요.

배우고 싶은 악기

🎻 바이올린 → 4명

🎹 피아노 → 6명

🥁 드럼 → 7명

🎵 오카리나 → 8명

❶ 가장 많은 학생들이 배우고 싶은 악기:

❷ 두 번째로 적은 학생들이 배우고 싶은 악기:

❸ 드럼을 배우고 싶은 학생은 피아노를 배우고

싶은 학생보다 ▢ 명 더 많습니다.

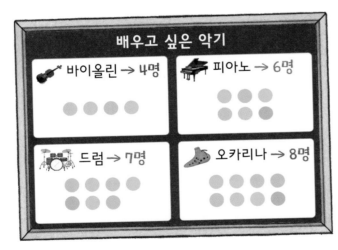

좋아하는 곤충

| 나비 | 벌 | 매미 | 장수풍뎅이 |

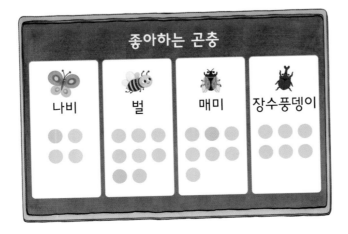

❶ 가장 적은 학생들이 좋아하는 곤충:

❷ 두 번째로 많은 학생들이 좋아하는 곤충:

❸ 조사에 참여한 학생은 모두 ▢ 명입니다.

2 주어진 자료를 보고 표로 나타내고, ☐ 안에 알맞은 수나 말을 써넣으세요.

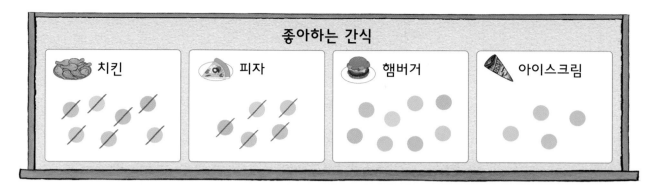

좋아하는 간식별 학생 수

간식	치킨	피자	햄버거	아이스크림	합계
학생 수(명)	7	5			24

❶ 가장 많은 학생들이 좋아하는 간식은 　　　　입니다.

❷ 조사에 참여한 학생은 모두 　　　명입니다.

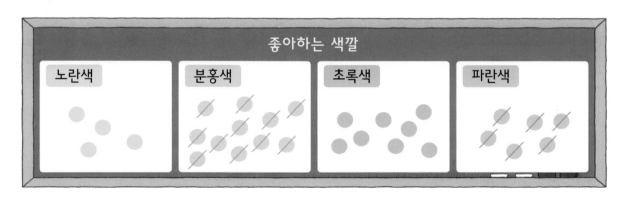

좋아하는 색깔별 학생 수

색깔	노란색	분홍색	초록색	파란색	합계
학생 수(명)		11		6	29

❶ 가장 적은 학생들이 좋아하는 색깔은 　　　　입니다.

❷ 두 번째로 많은 학생들이 좋아하는 색깔은 　　　　입니다.

❸ 초록색을 좋아하는 학생은 파란색을 좋아하는 학생보다 　　명 더 많습니다.

3 주어진 자료를 보고 표로 나타내고, 　 안에 알맞은 수나 말을 써넣으세요.

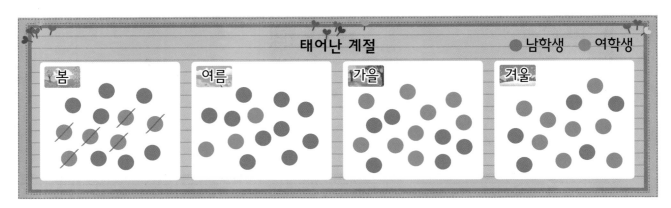

태어난 계절별 남녀 학생 수

계절	봄	여름	가을	겨울	합계
남학생 수(명)	7			5	28
여학생 수(명)	6	3	9		26

❶ 가장 많은 남학생이 태어난 계절은 　 입니다.

❷ 가을에 태어난 학생은 모두 　 명입니다.

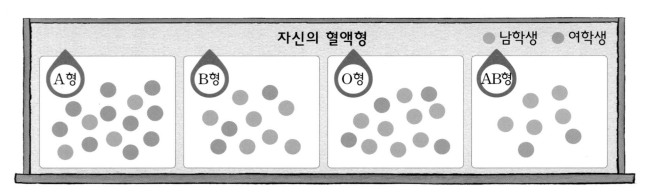

혈액형별 남녀 학생 수

혈액형	A형	B형	O형	AB형	합계
남학생 수(명)		7	8		24
여학생 수(명)	10		4		19

❶ A형인 여학생은 AB형인 남학생보다 　 명 더 많습니다.

❷ 남학생과 여학생 수의 차이가 가장 적은 혈액형은 　 형입니다.

4 주어진 자료를 보고 표를 완성하고, 　 안에 알맞은 수나 말을 써넣으세요.

배우고 싶은 운동별 학생 수

운동	수영	스키			합계
1반 학생 수(명)					
2반 학생 수(명)					

❶ 가장 적은 1반 학생이 배우고 싶은 운동은 　 입니다.

❷ 1반과 2반 학생 수의 차이가 가장 많은 운동은 　 입니다.

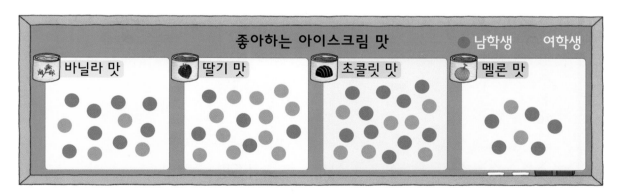

좋아하는 아이스크림 맛별 남녀 학생 수

아이스크림 맛					합계
남학생 수(명)					
여학생 수(명)					

❶ 가장 많은 여학생이 좋아하는 아이스크림 맛은 　 맛입니다.

❷ 초콜릿 맛 아이스크림을 좋아하는 학생은 모두 　 명입니다.

03 그림그래프

정답 44쪽

종류별 책의 수	
종류	책의 수
동화책	➡ 15권
위인전	➡ 20권
만화책	➡ 32권
소설책	➡ 17권

📕 10권 📗 1권

전체 책의 수: 84권
(15+20+32+17)

 주어진 그림 단위를 보고 그림이 나타내는 수를 쓰고, 주어진 수에 알맞게 그려 보세요.

◇ 10명   ○ 1명

◇ ○○ ➡ ⬜ 명
10   2   10+2

◇◇◇◇ ○ ➡ ⬜ 명
40   1

◇◇◇ ○○○ ➡ ⬜ 명
30   3

◇ ○○○○○○ ➡ ⬜ 명

◇◇ ○○○○ ➡ ⬜ 명

◎ 10명   △ 1명

23명 ➡ ◎
      10 10 3

15명 ➡
      10   5

30명 ➡
      10 10 10

42명 ➡

26명 ➡

② 그림그래프를 보고 그림이 나타내는 수가 얼마인지 빈 곳에 알맞은 수를 써넣으세요.

보기

반별 학생 수   👤10명 👤1명

반	학생 수	
1반		13
2반		22
3반		16
4반		30

➡ 전체 학생 수: **81** 명
13+22+16+30

가고 싶은 장소별 학생 수   🏢10명 🏢1명

장소	학생 수	
박물관		24
동물원		20
미술관		
과학관		

➡ 전체 학생 수: ⬜ 명

학생별 캔 감자 수   🥔10개 🥔1개

이름	감자 수	
시우		7
예은		
정훈		
동규		14

➡ 전체 감자 수: ⬜ 개

좋아하는 꽃별 학생 수   🌼10명 🌼1명

꽃	학생 수	
무궁화		
진달래		
튤립		
장미		

➡ 전체 학생 수: ⬜ 명

학생별 제기차기 한 횟수   🪶10번 🪶1번

이름	제기차기 한 횟수	
종현		
하윤		
지호		
민준		

➡ 전체 제기차기 한 횟수: ⬜ 번

학생별 가져간 사탕 수   🍬10개 🍬1개

이름	사탕 수	
현우		
은지		
나경		
도겸		

➡ 전체 사탕 수: ⬜ 개

3 그림그래프를 보고 █ 안에 알맞은 수나 말을 써넣으세요.

기르고 싶은 반려동물별 학생 수

☺ 10명　☺ 1명

반려동물	학생 수
금붕어	☺ ☺ ☺ ☺ ☺ ☺ ☺ ☺ ☺ ➡ 18명
고양이	☺ ☺
개	☺ ☺ ☺ ☺ ☺
도마뱀	☺ ☺ ☺ ☺ ☺

❶ 금붕어를 기르고 싶은 학생은 █ 명입니다.

❷ 두 번째로 많은 학생들이 기르고 싶은 반려동물은 █ 입니다.

❸ 가장 많은 학생들이 기르고 싶은 반려동물은 █ 입니다.

❹ 고양이를 기르고 싶은 학생은 금붕어를 기르고 싶은 학생보다 █ 명 적습니다.

농장별 닭 수

🐔 10마리　🐤 1마리

농장	닭 수
행복	🐔 🐔 🐔 🐔 🐤 🐤 🐤
미소	🐔 🐔 🐔 🐤
소망	🐔 🐔 🐔 🐔 🐔 🐤 🐤 🐤 🐤
사랑	🐔 🐔 🐔 🐔 🐤 🐤

❶ 사랑 농장에 있는 닭은 █ 마리입니다.

❷ 가장 적은 닭이 있는 농장은 █ 농장이고, █ 마리입니다.

❸ 행복 농장에 있는 닭은 █ 마리입니다.

❹ 미소 농장에 있는 닭은 사랑 농장에 있는 닭보다 █ 마리 더 많습니다.

4 표를 보고 그림그래프로 나타내어 보세요.

학생별 줄넘기 횟수

이름	수호	윤우	민준	주안	합계
줄넘기 횟수(회)	41	29	35	50	155

학생별 줄넘기 횟수

◇ 10회   ○ 1회

이름	줄넘기 횟수
수호	◇ ◇ ◇ ◇ . ○
윤우	
민준	
주안	

취미별 학생 수

취미	운동	게임	독서	악기 연주	합계
학생 수(명)	25	36	27	22	110

취미별 학생 수

◎ 10명   △ 1명

취미	학생 수
운동	
게임	
독서	
악기 연주	

도전! 응용 문제

정답 45쪽

🍃 **표를 그림그래프로 나타내기**

저금통 안의 종류별 동전 수

종류	10원	50원	100원	500원	합계
동전 수(개)	23	32	40	26	121

개수만큼 각 단위
그림 그리기

개수를 보고 그림과
그림의 단위 정하기

◎ 10개 ○ 1개

종류	동전 수
10원	◎◎○○○
50원	◎◎◎◎
100원	◎◎◎◎
500원	◎○○○○○○

응용 ❶ 표와 그림그래프를 보고 그림이 나타내는 수를 ▨ 안에 써넣으세요.

학생별 딴 딸기 수

이름	지민	수아
딸기 수(개)	11	32

이름	딸기 수
지민	◎○
수아	◎◎◎○○

➡ ◎ ▨ 개 ○ ▨ 개

농장별 고구마 생산량

농장	싱싱	아삭
생산량(kg)	103	201

농장	생산량
싱싱	△□□□
아삭	△△□

➡ △ ▨ kg □ ▨ kg

마을별 자전거 수

마을	사랑	행복
자전거 수(대)	54	57

마을	자전거 수
사랑	☆◇◇◇◇
행복	☆◇◇◇◇◇◇◇

➡ ☆ ▨ 대 ◇ ▨ 대

가게별 귤 판매량

가게	새콤	달콤
판매량(상자)	160	230

가게	판매량
새콤	□○○○○○○
달콤	□□○○○

➡ □ ▨ 상자 ○ ▨ 상자

응용 2 채아네 반 학생들이 좋아하는 과일을 조사한 자료입니다. 빈칸에 알맞게 써넣고, 그림그래 프를 완성하세요.

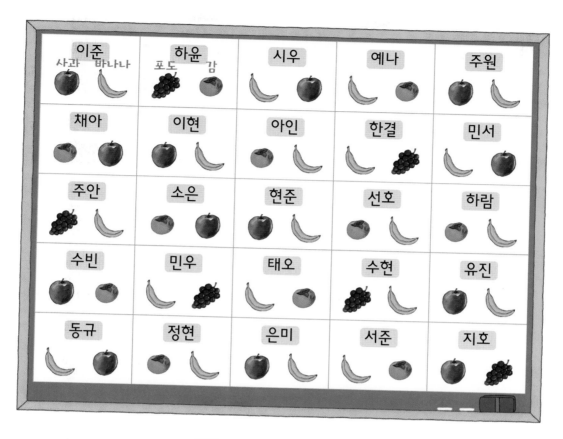

좋아하는 과일별 학생 수

과일					합계
학생 수(명)					

좋아하는 과일별 학생 수   ◎ ⬜ 명 ○ ⬜ 명

과일	학생 수

표와 그림그래프 완성하기

좋아하는 간식별 학생 수

간식	핫도그	떡볶이	김밥	샌드위치	합계
학생 수(명)	23	14	17	20	74

① 그림그래프를 보고
핫도그의 수 구하기

② (핫도그)+(떡볶이)+(김밥)+(샌드위치)=74,
➡ (샌드위치)=20

좋아하는 간식별 학생 수

☆10명 ○1명

간식	학생 수
핫도그	☆ ☆ ○ ○ ○
떡볶이	☆ ○ ○ ○ ○
김밥	☆ ○ ○ ○ ○ ○ ○ ○
샌드위치	☆ ☆

③ 표를 보고
그림그래프
그리기

응용 ③ 표와 그림그래프를 완성하세요.

방과후 수업 과목별 학생 수

과목	요리 탐구	생명 과학	방송 댄스	코딩 교실	합계
학생 수(명)	52	45	16		147

방과후 수업 과목별 학생 수

◎10명 △1명

과목	학생 수
요리 탐구	◎ ◎ ◎ ◎ ◎ △ △
생명 과학	◎ ◎ ◎ ◎ △ △ △ △ △
방송 댄스	
코딩 교실	◎ ◎ ◎ △ △ △ △

색깔별 색종이 수

색깔	노란색	빨간색	초록색	파란색	합계
색종이 수(장)		210	180		770

색깔별 색종이 수

△100장 □10장

색깔	색종이 수
노란색	△ □ □ □ □ □
빨간색	
초록색	
파란색	△ △ □ □ □

태어난 계절별 학생 수

계절	봄	여름	가을	겨울	합계
학생 수(명)	27	40			120

과목별 좋아하는 학생 수

과목	국어	수학	과학	영어	합계
학생 수(명)	24			15	87

태어난 계절별 학생 수   □10명 ○1명

계절	학생 수
봄	□ □ ○ ○ ○ ○ ○ ○ ○
여름	□
가을	□ □ □ ○ ○
겨울	

과목별 좋아하는 학생 수   ◇10명 ○1명

과목	학생 수
국어	
수학	◇ ○ ○ ○ ○ ○ ○ ○ ○
과학	
영어	◇ ○ ○ ○ ○ ○

마을별 자동차 수

마을	가온	다솜	마루	한별	합계
자동차 수(대)		140	250		760

가게별 판매한 사과 수

가게	소망	하늘	샛별	햇살	합계
사과 수(개)			180	420	1180

마을별 자동차 수   ○100대 △10대

마을	자동차 수
가온	○ ○
다솜	○ △ △ △ △
마루	
한별	

가게별 판매한 사과 수   △100개 □10개

가게	사과 수
소망	
하늘	△ △ □ □ □
샛별	△ □ □ □ □ □ □ □
햇살	

형성 평가

정답 46쪽

분 | 점수 점

[01~02] 표의 빈칸에 알맞은 수를 써넣으세요.

01

좋아하는 과목별 학생 수

과목	국어	수학	사회	과학	합계
학생 수 (명)	4	8	6	5	

02

좋아하는 색깔별 학생 수

색깔	빨간색	파란색	노란색	초록색	합계
학생 수 (명)	6	3	5	7	

03 표를 보고 ▨ 안에 알맞은 수를 써넣으세요.

좋아하는 꽃별 학생 수

꽃	장미	백합	튤립	국화	합계
학생 수 (명)	9	7	8	4	28

(1) 장미를 좋아하는 학생 수: ▨ 명

(2) 국화를 좋아하는 학생 수: ▨ 명

04 표의 빈칸에 알맞은 수를 써넣으세요.

(1)

혈액형별 학생 수

혈액형	A형	B형	O형	AB형	합계
학생 수 (명)	7	4		6	22

(2)

좋아하는 과일별 학생 수

과일	사과	배	귤	포도	합계
학생 수 (명)	10		9	5	31

05 표의 빈칸에 알맞은 수를 써넣으세요.

좋아하는 동물별 남녀 학생 수

동물	원숭이	호랑이	사슴	사자	합계
남학생 수(명)	7	11	4		30
여학생 수(명)	6		12	5	32

06 표를 보고 ☐ 안에 알맞은 수나 말을 써넣으세요.

좋아하는 계절별 남녀 학생 수

계절	봄	여름	가을	겨울	합계
남학생 수(명)	12	8	10	7	37
여학생 수(명)	10	9	13	11	43

(1) 남학생과 여학생 수의 차가 가장 적은 계절은 ☐ 입니다.

(2) 가을을 좋아하는 학생은 모두 ☐ 명입니다.

07 자료를 보고 ☐ 안에 알맞은 수나 말을 써넣으세요.

좋아하는 음식

(1) 가장 많은 학생들이 좋아하는 음식은 ☐ 입니다.

(2) 조사에 참여한 학생은 모두 ☐ 명입니다.

[08~10] 주어진 자료를 보고 물음에 답하세요.

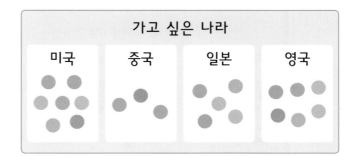

가고 싶은 나라

08 주어진 자료를 보고 표로 나타내어 보세요.

가고 싶은 나라별 학생 수

나라	미국	중국	일본	영국	합계
학생 수(명)		3		6	21

09 가장 많은 학생들이 가고 싶은 나라는 어디일까요?

(   )

10 영국에 가고 싶은 학생은 중국에 가고 싶은 학생보다 몇 명 더 많을까요?

(   )명

[11~13] 주어진 자료를 보고 물음에 답하세요.

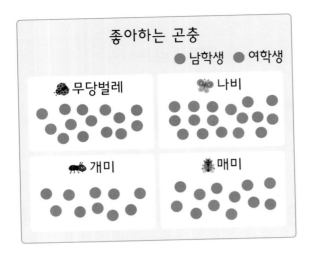

11 주어진 자료를 보고 표로 나타내어 보세요.

좋아하는 곤충별 남녀 학생 수

곤충	무당벌레	나비	개미	매미	합계
남학생 수(명)	8		6		28
여학생 수(명)		8		7	

12 가장 많은 남학생이 좋아하는 곤충은 무엇일까요?

(   )

13 매미를 좋아하는 학생은 모두 몇 명일까요?

(   )명

14 주어진 그림 단위를 보고 그림이 나타내는 수를   안에 써넣으세요.

☆ 10명   ○ 1명

(1) ☆ ☆ ○ ○ ○ ➡   명

(2) ☆ ○ ○ ○ ○ ○ ➡   명

15 주어진 수를 그림 단위에 알맞게 그려 보세요.

△ 10명   ◎ 1명

(1) 14명 ➡

(2) 32명 ➡

16 그림그래프를 보고 그림이 나타내는 수가 얼마인지 빈 곳에 알맞은 수를 써넣으세요.

반별 학생 수   ☺ 10명   ☺ 1명

반	학생 수	
1반	☺ ☺ ☺ ☺	22
2반	☺ ☺	20
3반	☺ ☺ ☺ ☺ ☺	
4반	☺ ☺ ☺ ☺ ☺ ☺	

➡ 전체 학생 수: 명

17 그림그래프를 보고 그림이 나타내는 수가 얼마인지 빈 곳에 알맞은 수를 써넣으세요.

주차장별 자동차 수	🚗 10대 🚗 1대

주차장	자동차 수	
가	🚗🚗🚗🚗	
나	🚗🚗🚗🚗	
다	🚗🚗	
라	🚗🚗🚗🚗🚗🚗	

➡ 전체 자동차 수: ⬜ 대

18 그림그래프를 보고 ⬜ 안에 알맞은 수나 말을 써넣으세요.

취미별 학생 수	😊 10명 😊 1명

취미	학생 수
운동	😊 😊 😊 😊 😊
게임	😊 😊 😊 😊
독서	😊 😊 😊 😊 😊 😊
악기 연주	😊 😊 😊

(1) 가장 많은 학생들의 취미는 ⬜ 입니다.

(2) 운동이 취미인 학생은 독서가 취미인 학생보다 ⬜ 명 더 많습니다.

[19~20] 표를 보고 그림그래프로 나타내어 보세요.

19

농장별 소의 수					
농장	백두	한라	금강	태백	합계
소의 수 (마리)	25	13	16	21	75

농장별 소의 수	△ 10마리 ☐ 1마리

농장	소의 수
백두	
한라	
금강	
태백	

20

음료수별 판매량					
음료수	주스	우유	커피	요구르트	합계
판매량 (개)	35	23	15	32	105

음료수별 판매량	◎ 10개 ○ 1개

음료수	판매량
주스	
우유	
커피	
요구르트	

정답 47쪽

[1~3] 지수네 반 학생들이 가장 좋아하는 계절을 조사하여 나타낸 것입니다. 물음에 답하세요.

좋아하는 계절

이름	계절	이름	계절	이름	계절
지수	가을	영지	겨울	재호	봄
성미	봄	호철	가을	주희	가을
영철	가을	성국	봄	승호	여름
동진	여름	호원	가을	동하	겨울
서인	겨울	은영	가을	민국	봄

1 조사한 것을 보고 표로 나타내어 보세요.

좋아하는 계절별 학생 수

계절	봄	여름	가을	겨울	합계
학생 수 (명)					

2 가장 많은 학생들이 좋아하는 계절은 언제일까요?

(   )

3 좋아하는 계절별 학생 수를 한눈에 비교하기에 편리한 것은 조사한 자료와 표 중 어느 것일까요?

(   )

[4~5] 재민이네 반 학생들이 가장 좋아하는 과일을 나타낸 것입니다. 물음에 답하세요.

재민	영수	혁수	찬열
지효	희원	승필	태호
준하	세영	고은	채영
서연	재석	석진	영철

4 좋아하는 과일별 학생 수를 표로 나타내어 보세요.

좋아하는 과일별 학생 수

과일	사과	바나나	포도	귤	합계
학생 수 (명)					

5 위 **4**번 표를 보고 알 수 있는 것으로 옳지 않은 것의 기호를 쓰세요.

㉠ 좋아하는 학생 수가 같은 과일은 사과와 귤입니다.
㉡ 바나나를 좋아하는 학생 수는 포도를 좋아하는 학생 수의 **2**배입니다.

(   )

[6~8] 마을별로 기르고 있는 돼지 수를 조사하여 나타낸 그림그래프입니다. 물음에 답하세요.

마을별 돼지 수	🐷 10마리 🐷 1마리

마을	돼지 수
햇살	🐷 🐷 🐷 🐷 🐷
풍경	🐷 🐷
모담	🐷 🐷 🐷 🐷 🐷 🐷 🐷
전원	🐷 🐷 🐷 🐷

6 돼지를 가장 많이 기르고 있는 마을은 어느 마을일까요?

( )마을

7 돼지를 가장 적게 기르고 있는 마을은 어느 마을일까요?

( )마을

8 네 마을에서 기르고 있는 돼지는 모두 몇 마리일까요?

( )마리

[9~11] 현서가 어느 해 9월부터 12월까지 맑은 날수를 조사하여 나타낸 그림그래프입니다. 물음에 답하세요.

맑은 날 수	☀️ 10일 ☀️ 1일

월	날수
9	☀️ ☀️ ☀️ ☀️
10	☀️ ☀️ ☀️ ☀️
11	☀️ ☀️
12	☀️ ☀️

9 맑은 날이 가장 많은 달과 가장 적은 달의 맑은 날수의 차는 며칠일까요?

( )일

10 11월에는 12월보다 맑은 날수가 며칠 더 많을까요?

( )일

11 그림그래프를 보고 알 수 있는 것을 바르게 말한 사람은 누구일까요?

> 민주: 9월에 맑은 날수는 11월에 맑은 날수보다 많아.
> 영희: 맑은 날수가 두 번째로 많은 달은 10월이야.

( )

[12~13] 3학년 학생들이 가장 좋아하는 음식을 조사하여 나타낸 표입니다. 물음에 답하세요.

좋아하는 음식별 학생 수

음식	피자	짜장면	김밥	떡볶이	합계
학생 수 (명)	12	24	33	21	90

12 표를 보고 그림그래프를 완성하세요.

좋아하는 음식별 학생 수　　◎10명 △1명

음식	학생 수
피자	
짜장면	
김밥	
떡볶이	

13 위 12번 그림그래프에 대한 설명 중 옳지 <u>않은</u> 것을 찾아 기호를 쓰세요.

　㉠ 가장 많은 학생들이 좋아하는 음식은 김밥입니다.
　㉡ 짜장면을 좋아하는 학생은 떡볶이를 좋아하는 학생보다 적습니다.
　㉢ 짜장면을 좋아하는 학생 수는 피자를 좋아하는 학생 수의 2배입니다.

(　　　　　　　)

[14~16] 영수네 학교 학생들이 가장 좋아하는 꽃을 조사하여 나타낸 표입니다. 물음에 답하세요.

좋아하는 꽃별 학생 수

꽃	장미	진달래	백합	개나리	합계
학생 수 (명)		32	23	45	150

14 장미를 좋아하는 학생은 몇 명일까요?

(　　　　　　　)명

15 표를 보고 그림그래프를 완성하세요.

좋아하는 꽃별 학생 수　　◇10명 ○1명

꽃	학생 수
장미	
진달래	
백합	
개나리	

16 가장 많은 학생들이 좋아하는 꽃을 학교 화단에 심으려고 합니다. 어떤 꽃을 심어야 할까요?

(　　　　　　　)

17 마을별 자동차 수를 조사하여 나타낸 그림그래프입니다. 자동차 수가 풍년 마을보다 적은 마을은 어느 마을일까요?

마을별 자동차 수   🚗 IO대   🚗 I대

마을	자동차 수
행복	🚗🚗🚗🚗
수기	🚗🚗🚗🚗🚗🚗
풍년	🚗🚗🚗🚗🚗🚗🚗
샛별	🚗🚗🚗

(   )마을

18 진호네 모둠 학생들이 I년 동안 읽은 과학책 수를 조사하여 나타낸 그림그래프입니다. 진호네 모둠 학생들이 I년 동안 읽은 과학책은 모두 몇 권일까요?

📕 IO권   📗 I권

I년 동안 읽은 과학책 수

이름	과학책 수
진호	📕📕📗📗📗
한수	📕📕📕📕📕📕📕
미주	📕📕📗📗📗📗📗📗
정미	📕📕📗📗📗📗

(   )권

19 마을별로 강아지를 기르는 가구 수를 조사하여 나타낸 그림그래프입니다. 강아지를 기르는 가구 수가 행복 마을에서 기르는 가구 수의 절반인 마을은 어느 마을일까요?

🏠 IO가구   🏠 I가구

강아지를 기르는 가구 수

마을	가구 수
소망	🏠🏠🏠🏠🏠
사랑	🏠🏠🏠
행복	🏠🏠🏠🏠🏠🏠
희망	🏠🏠🏠🏠🏠

(   )마을

20 마을별로 학생 수를 조사하여 나타낸 그림그래프입니다. 강의 동쪽과 서쪽 중 어느 쪽에 사는 학생이 몇 명 더 많을까요?

마을별 학생 수

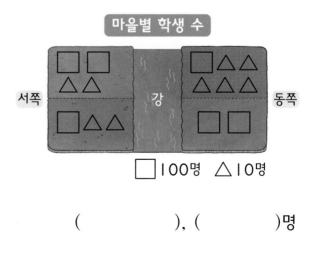

서쪽   강   동쪽

□ IOO명   △ IO명

(   ), (   )명

memo

논리적 사고력과 창의적 문제해결력을 키워 주는
매스티안 교재 활용법!

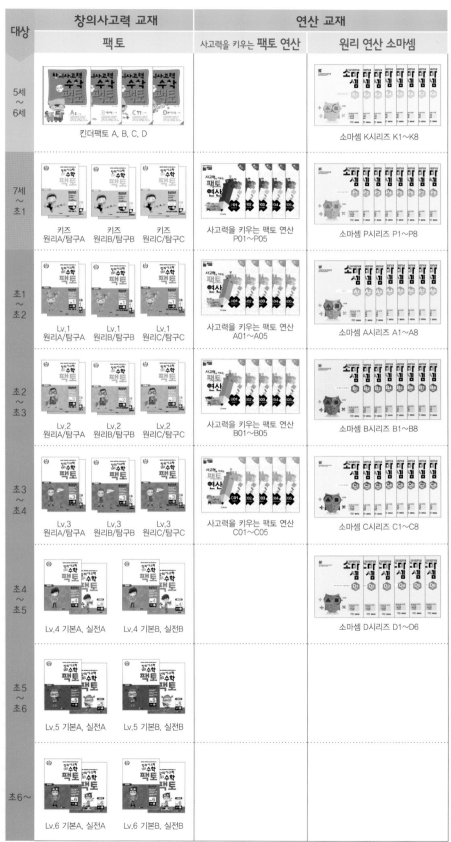

대상	창의사고력 교재 팩토	연산 교재 사고력을 키우는 팩토 연산	연산 교재 원리 연산 소마셈
5세~6세	킨더팩토 A, B, C, D		소마셈 K시리즈 K1~K8
7세~초1	키즈 원리A/탐구A, 키즈 원리B/탐구B, 키즈 원리C/탐구C	사고력을 키우는 팩토 연산 P01~P05	소마셈 P시리즈 P1~P8
초1~초2	Lv.1 원리A/탐구A, Lv.1 원리B/탐구B, Lv.1 원리C/탐구C	사고력을 키우는 팩토 연산 A01~A05	소마셈 A시리즈 A1~A8
초2~초3	Lv.2 원리A/탐구A, Lv.2 원리B/탐구B, Lv.2 원리C/탐구C	사고력을 키우는 팩토 연산 B01~B05	소마셈 B시리즈 B1~B8
초3~초4	Lv.3 원리A/탐구A, Lv.3 원리B/탐구B, Lv.3 원리C/탐구C	사고력을 키우는 팩토 연산 C01~C05	소마셈 C시리즈 C1~C8
초4~초5	Lv.4 기본A, 실전A, Lv.4 기본B, 실전B		소마셈 D시리즈 D1~D6
초5~초6	Lv.5 기본A, 실전A, Lv.5 기본B, 실전B		
초6~	Lv.6 기본A, 실전A, Lv.6 기본B, 실전B		

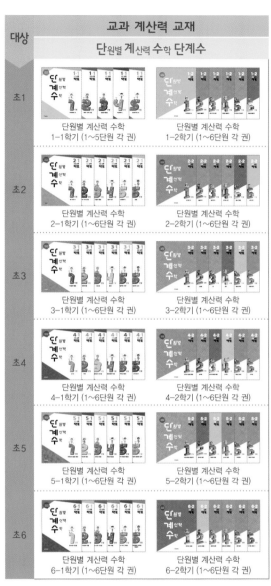

교과 계산력 교재
단원별 계산력 수학 단계수

대상		
초1	단원별 계산력 수학 1-1학기 (1~5단원 각 권)	단원별 계산력 수학 1-2학기 (1~6단원 각 권)
초2	단원별 계산력 수학 2-1학기 (1~6단원 각 권)	단원별 계산력 수학 2-2학기 (1~6단원 각 권)
초3	단원별 계산력 수학 3-1학기 (1~6단원 각 권)	단원별 계산력 수학 3-2학기 (1~6단원 각 권)
초4	단원별 계산력 수학 4-1학기 (1~6단원 각 권)	단원별 계산력 수학 4-2학기 (1~6단원 각 권)
초5	단원별 계산력 수학 5-1학기 (1~6단원 각 권)	단원별 계산력 수학 5-2학기 (1~6단원 각 권)
초6	단원별 계산력 수학 6-1학기 (1~6단원 각 권)	단원별 계산력 수학 6-2학기 (1~6단원 각 권)

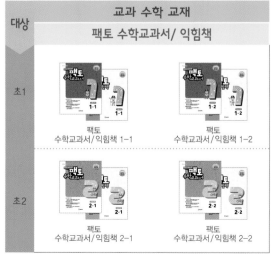

교과 수학 교재
팩토 수학교과서/익힘책

대상		
초1	팩토 수학교과서/익힘책 1-1	팩토 수학교과서/익힘책 1-2
초2	팩토 수학교과서/익힘책 2-1	팩토 수학교과서/익힘책 2-2

단계수 학습 순서

매일 학습

단원별로 꼭 알아야 할 개념만 쏙쏙 학습하고, 다양한 연산 문제를 통해 필수 개념을 숙달하여 계산력을 쑥쑥 키울 수 있습니다.

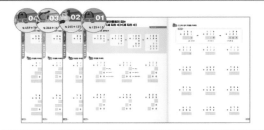

도전! 응용문제

필수 개념을 활용한 **응용** 문제 또는 **서술형** 문제를 통해 사고력과 문제해결력을 기를 수 있습니다.

형성 평가

단원의 **복습 단계**로 문제를 풀면서 학습한 내용을 잘 알고 있는지 다시 한 번 확인할 수 있습니다.

단원 평가

단원의 **마무리 학습**으로 학교 시험에 자주 나오는 문제 유형을 통해서 수시 평가 등 학교 시험에 대비할 수 있습니다.

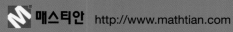 매스티안 http://www.mathtian.com

자율안전확인신고필증번호 : B361H200-4001

1. 주소 : 06153 서울특별시 강남구 봉은사로 442 (삼성동)
2. 문의전화 : 1588-6066
3. 제조국 : 대한민국
4. 사용연령 : 10세 이상

※ KC마크는 이 제품이 공통안전기준에 적합하였음을 의미합니다.

 ⚠ 주의

종이, 모서리에 다칠 수 있으니 주의하세요!

	초등학교	반	번
이름			

단원별 계산력 수학

정답

매스티안

팩토는 자유롭게 자신감있게 창의적으로 생각하는 주니어수학자입니다.

단계별 산력수학

펴낸 곳 (주)타임교육C&P   **펴낸이** 이길호   **지은이** 매스티안R&D센터

주소 06153 서울특별시 강남구 봉은사로 442 (삼성동)   **문의전화** 1588.6066

팩토카페 http://cafe.naver.com/factos   **홈페이지** http://www.mathtian.com

JW2204

생각이 자유로운 사람들! 매스티안R&D센터

매스티안R&D센터의 논리적 사고력과 창의적 문제해결력을 키우는 수학 콘텐츠는 국내외 수많은 교육 현장에서 그 우수성을 높이 평가받고 있습니다.
매스티안R&D센터는 여기에 안주하지 않고 앞으로도 학생, 교사, 학부모 모두가 행복한 수학 시간을 만들 수 있도록 노력하겠습니다.

매스티안 공식 홈페이지 ⋯ (http://www.mathtian.com)

· 매스티안의 다양한 출간 교재 소개

· 출간 교재와 관련된 학습 자료(보충 학습지, 활동지 등) 제공

· 출간 교재와 관련된 평가 시험 및 분석 제공

매스티안 공식 카페 ⋯ 팩토 (http://cafe.naver.com/factos)

· 창의사고력 수학 팩토 무료 동영상 강의 제공

· 출간 교재에 관한 질문 및 답변

· 영재교육원 대비 자료(기출 문제, 예상 문제) 제공

· 초등 수학 비법 및 Q&A

FACTO school

단원별 계산력 수학

3-2

초등 수학
팩토

정답

매스티안

01 올림이 없는 (세 자리 수)×(한 자리 수)

정답 02쪽

◆ 314×2 알아보기

$$
\begin{array}{r} 3\ 1\ 4 \\ \times\quad 2 \\ \hline 8 \end{array}
\ \Rightarrow\
\begin{array}{r} 3\ 1\ 4 \\ \times\quad 2 \\ \hline 8 \\ 2\ 0 \end{array}
\ \Rightarrow\
\begin{array}{r} 3\ 1\ 4 \\ \times\quad 2 \\ \hline 8 \\ 2\ 0 \\ 6\ 0\ 0 \\ \hline 6\ 2\ 8 \end{array}
$$

1 곱셈을 하세요.

```
   2 3 1
 ×     3
 ───────
       3   ← 1×3
     9 0   ← 30×3
   6 0 0   ← 200×3
 ───────
   6 9 3
```

```
   2 1 2
 ×     4
 ───────
       8   ← 2×4
     4 0   ← 10×4
   8 0 0   ← 200×4
 ───────
   8 4 8
```

```
   3 4 1
 ×     2
 ───────
       2   ← 1×2
     8 0   ← 40×2
   6 0 0   ← 300×2
 ───────
   6 8 2
```

```
   1 1 0
 ×     5
 ───────
       0
     5 0
   5 0 0
 ───────
   5 5 0
```

```
   3 1 2
 ×     3
 ───────
       6
     3 0
   9 0 0
 ───────
   9 3 6
```

```
   4 3 4
 ×     2
 ───────
       8
     6 0
   8 0 0
 ───────
   8 6 8
```

2 보기와 같이 곱셈을 하세요.

보기
```
   1 3 2          1 3 2          1 3 2
 ×     3    →   ×     3    →   ×     3
 ───────        ───────        ───────
       6            9 6          3 9 6
  2×3=6          3×3=9          1×3=3
```

```
   2 3 2
 ×     2
 ───────
   4 6 4
```

```
   3 0 2
 ×     3
 ───────
   9 0 6
```

```
   1 4 3
 ×     2
 ───────
   2 8 6
```

```
   1 0 1
 ×     7
 ───────
   7 0 7
```

```
   1 2 2
 ×     4
 ───────
   4 8 8
```

```
   2 1 3
 ×     3
 ───────
   6 3 9
```

```
   3 2 0
 ×     3
 ───────
   9 6 0
```

```
   1 4 4
 ×     2
 ───────
   2 8 8
```

```
   2 1 2
 ×     4
 ───────
   8 4 8
```

```
   1 1 0
 ×     6
 ───────
   6 6 0
```

```
   3 2 3
 ×     3
 ───────
   9 6 9
```

```
   4 3 2
 ×     2
 ───────
   8 6 4
```

```
   3 2 3
 ×     2
 ───────
   6 4 6
```

```
   1 2 1
 ×     4
 ───────
   4 8 4
```

```
   2 0 3
 ×     3
 ───────
   6 0 9
```

3 보기와 같이 곱셈을 하세요.

보기
214×2= ⬚ ⬚ 8 ➡ 214×2= ⬚ 2 8 ➡ 214×2= 4 2 8
4×2=8   1×2=2   2×2=4

221×3= 6 6 3

121×4= 4 8 4

111×5= 5 5 5

102×4= 4 0 8

420×2= 8 4 0

201×4= 8 0 4

100×6= 6 0 0

243×2= 4 8 6

323×2= 6 4 6

220×4= 8 8 0

204×2= 4 0 8

122×3= 3 6 6

233×3= 6 9 9

110×9= 9 9 0

442×2= 8 8 4

232×3= 6 9 6

4 ⬚ 안에 알맞은 수를 써넣으세요.

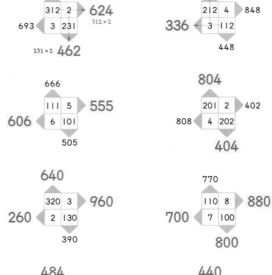

02 일의 자리에서 올림이 있는 (세 자리 수)×(한 자리 수)

● 216×4 알아보기

$$
\begin{array}{r}
2\ 1\ 6 \\
\times\quad 4 \\
\hline
2\ 4
\end{array}
\Rightarrow
\begin{array}{r}
2\ 1\ 6 \\
\times\quad 4 \\
\hline
2\ 4 \\
4\ 0
\end{array}
\Rightarrow
\begin{array}{r}
2\ 1\ 6 \\
\times\quad 4 \\
\hline
2\ 4 \\
4\ 0 \\
8\ 0\ 0 \\
\hline
8\ 6\ 4
\end{array}
$$

1 곱셈을 하세요.

$$
\begin{array}{r}
4\ 3\ 6 \\
\times\quad 2 \\
\hline
1\ 2 \quad\leftarrow 6\times2 \\
6\ 0 \quad\leftarrow 30\times2 \\
8\ 0\ 0 \quad\leftarrow 400\times2 \\
\hline
8\ 7\ 2
\end{array}
$$

$$
\begin{array}{r}
3\ 2\ 7 \\
\times\quad 3 \\
\hline
2\ 1 \quad\leftarrow 7\times3 \\
6\ 0 \quad\leftarrow 20\times3 \\
9\ 0\ 0 \quad\leftarrow 300\times3 \\
\hline
9\ 8\ 1
\end{array}
$$

$$
\begin{array}{r}
1\ 1\ 4 \\
\times\quad 5 \\
\hline
2\ 0 \quad\leftarrow 4\times5 \\
5\ 0 \quad\leftarrow 10\times5 \\
5\ 0\ 0 \quad\leftarrow 100\times5 \\
\hline
5\ 7\ 0
\end{array}
$$

$$
\begin{array}{r}
2\ 1\ 8 \\
\times\quad 4 \\
\hline
3\ 2 \\
4\ 0 \\
8\ 0\ 0 \\
\hline
8\ 7\ 2
\end{array}
$$

$$
\begin{array}{r}
1\ 2\ 5 \\
\times\quad 3 \\
\hline
1\ 5 \\
6\ 0 \\
3\ 0\ 0 \\
\hline
3\ 7\ 5
\end{array}
$$

$$
\begin{array}{r}
3\ 4\ 9 \\
\times\quad 2 \\
\hline
1\ 8 \\
8\ 0 \\
6\ 0\ 0 \\
\hline
6\ 9\ 8
\end{array}
$$

2 보기와 같이 곱셈을 하세요.

보기
$$
\begin{array}{r}
3\ 2\ 6 \\
\times\quad 3 \\
\hline
8
\end{array}
\Rightarrow
\begin{array}{r}
3\ 2\ 6 \\
\times\quad 3 \\
\hline
7\ 8
\end{array}
\Rightarrow
\begin{array}{r}
3\ 2\ 6 \\
\times\quad 3 \\
\hline
9\ 7\ 8
\end{array}
$$
$$6\times3=18 \qquad (2\times3)+1=7 \qquad 3\times3=9$$

$$
\begin{array}{r}
4\ 3\ 7 \\
\times\quad 2 \\
\hline
8\ 7\ 4
\end{array}
\qquad
\begin{array}{r}
3\ 0\ 4 \\
\times\quad 3 \\
\hline
9\ 1\ 2
\end{array}
\qquad
\begin{array}{r}
2\ 3\ 8 \\
\times\quad 2 \\
\hline
4\ 7\ 6
\end{array}
$$

$$
\begin{array}{r}
2\ 1\ 7 \\
\times\quad 4 \\
\hline
8\ 6\ 8
\end{array}
\qquad
\begin{array}{r}
1\ 1\ 9 \\
\times\quad 5 \\
\hline
5\ 9\ 5
\end{array}
\qquad
\begin{array}{r}
2\ 1\ 5 \\
\times\quad 3 \\
\hline
6\ 4\ 5
\end{array}
$$

$$
\begin{array}{r}
2\ 3\ 5 \\
\times\quad 2 \\
\hline
4\ 7\ 0
\end{array}
\qquad
\begin{array}{r}
1\ 0\ 8 \\
\times\quad 6 \\
\hline
6\ 4\ 8
\end{array}
\qquad
\begin{array}{r}
3\ 1\ 9 \\
\times\quad 3 \\
\hline
9\ 5\ 7
\end{array}
$$

$$
\begin{array}{r}
3\ 4\ 9 \\
\times\quad 2 \\
\hline
6\ 9\ 8
\end{array}
\qquad
\begin{array}{r}
1\ 1\ 3 \\
\times\quad 7 \\
\hline
7\ 9\ 1
\end{array}
\qquad
\begin{array}{r}
1\ 2\ 6 \\
\times\quad 3 \\
\hline
3\ 7\ 8
\end{array}
$$

3 보기와 같이 곱셈을 하세요.

보기
$$327\times2=\boxed{4} \Rightarrow 327\times2=\boxed{5\ 4} \Rightarrow 327\times2=\boxed{6\ 5\ 4}$$
$$7\times2=14 \qquad (2\times2)+1=5 \qquad 3\times2=6$$

$$126\times3=378$$
$$318\times2=636$$
$$326\times2=652$$
$$124\times4=496$$
$$227\times3=681$$
$$305\times2=610$$
$$104\times7=728$$
$$235\times2=470$$

$$223\times4=892$$
$$104\times5=520$$
$$305\times3=915$$
$$115\times6=690$$
$$249\times2=498$$
$$209\times4=836$$
$$246\times2=492$$
$$328\times3=984$$

4 계산 결과가 같은 칸을 찾아 해당하는 글자를 써넣어 수수께끼를 해결해 보세요.

우	상	면
$329\times3=987$	$346\times2=692$	$218\times4=872$

는	싸	소
$106\times9=954$	$417\times2=834$	$226\times3=678$

항	는	지
$124\times4=496$	$113\times7=791$	$315\times3=945$

834	987	872	496	692
싸	우	면	항	상

945	954	678	791	
지	는	소	는	?

수수께끼 답 ➡ 젖소

03 십의 자리와 백의 자리에서 올림이 있는 (세 자리 수)×(한 자리 수)

정답 04쪽

531×6 알아보기

```
    5 3 1        5 3 1        5 3 1
  ×     6      ×     6      ×     6
  ───────      ───────      ───────
        6            6            6
                 1 8 0        1 8 0
                              3 0 0 0
                              ───────
                              3 1 8 6
```

1 곱셈을 하세요.

```
      1 7 2                 5 3 1                 8 6 3
    ×     4               ×     7               ×     3
    ───────               ───────               ───────
          8  ← 2×4              7  ← 1×7              9  ← 3×3
      2 8 0  ← 70×4        2 1 0  ← 30×7        1 8 0  ← 60×3
      4 0 0  ← 100×4       3 5 0 0 ← 500×7      2 4 0 0 ← 800×3
    ───────               ───────               ───────
      6 8 8               3 7 1 7               2 5 8 9
```

```
      4 5 4                 6 3 1                 2 8 1
    ×     2               ×     5               ×     6
    ───────               ───────               ───────
          8                   5                     6
      1 0 0                 1 5 0                 4 8 0
      8 0 0                 3 0 0 0               1 2 0 0
    ───────               ───────               ───────
      9 0 8               3 1 5 5               1 6 8 6
```

2 보기와 같이 곱셈을 하세요.

보기
```
        2 4 1          2            2
      ×     7      × 2 4 1      × 2 4 1
      ───────    →      7  →        7
            7        8 7        1 6 8 7
      1×7=7       4×7=28     (2×7)+2=16
```

```
    2                 2                 1
    1 6 2             4 3 1             7 2 1
  ×     4           ×     8           ×     5
  ───────           ───────           ───────
    6 4 8           3 4 4 8           3 6 0 5
```

```
    1                 1                 1
    2 6 3             9 8 4             5 2 1
  ×     3           ×     2           ×     7
  ───────           ───────           ───────
    7 8 9           1 9 6 8           3 6 4 7
```

```
    1                 5                 2
    1 4 1             8 6 1             6 4 1
  ×     6           ×     9           ×     5
  ───────           ───────           ───────
    8 4 6           7 7 4 9           3 2 0 5
```

```
    1                 4                 2
    2 4 1             2 6 1             4 7 2
  ×     4           ×     7           ×     3
  ───────           ───────           ───────
    9 6 4           1 8 2 7           1 4 1 6
```

3 보기와 같이 곱셈을 하세요.

보기
```
                              1                 1
642×3=        6  → 642×3=    2 6  → 642×3= 1 9 2 6
2×3=6            4×3=12           (6×3)+1=19
```

```
              2
152×4= 6 0 8

          1
484×2= 9 6 8

          2
273×3= 8 1 9

          3
151×6= 9 0 6

          1
374×2= 7 4 8

          2
162×4= 6 4 8

          3
171×5= 8 5 5

          2
282×3= 8 4 6
```

```
              1
653×3= 1 9 5 9

          4
461×7= 3 2 2 7

          3
841×9= 7 5 6 9

          5
471×8= 3 7 6 8

          2
741×5= 3 7 0 5

          1
594×2= 1 1 8 8

          1
621×6= 3 7 2 6

          2
362×4= 1 4 4 8
```

4 ◯ 안에 알맞은 수를 써넣으세요.

```
         253
   541 × 6      3246
         3             541×6

253×3  759
```

```
         871
   584 × 2      1168
         5

       4355
```

```
         672
   161 × 8      1288
         4

       2688
```

```
         731
   621 × 7      4347
         9

       6579
```

```
         451
   943 × 3      2829
         2

       902
```

```
         172
   661 × 6      3966
         4

       688
```

```
         562
   341 × 5      1705
         3

       1686
```

```
         151
   481 × 8      3848
         7

       1057
```

04 (몇십)×(몇십), (몇십몇)×(몇십)

❋ 24×40 알아보기

$$\begin{array}{r} 2\;4 \\ \times\; 4\;0 \\ \hline 0 \end{array} \Rightarrow \begin{array}{r} 2\;4 \\ \times\; 4\;0 \\ \hline 6\;0 \end{array} \Rightarrow \begin{array}{r} 2\;4 \\ \times\; 4\;0 \\ \hline 9\;6\;0 \end{array}$$
0이 1개 4×4=16 (2×4)+1=9

1 곱셈을 하세요.

보기
$$\begin{array}{r} 3\;0 \\ \times\; 2\;0 \\ \hline 6\;0\;0 \end{array}$$ 0이 2개

$$\begin{array}{r} 3\;0 \\ \times\; 3\;0 \\ \hline 9\;0\;0 \end{array} \quad \begin{array}{r} 4\;0 \\ \times\; 5\;0 \\ \hline 2\;0\;0\;0 \end{array}$$

$$\begin{array}{r} 2\;0 \\ \times\; 4\;0 \\ \hline 8\;0\;0 \end{array} \quad \begin{array}{r} 6\;0 \\ \times\; 3\;0 \\ \hline 1\;8\;0\;0 \end{array} \quad \begin{array}{r} 4\;0 \\ \times\; 7\;0 \\ \hline 2\;8\;0\;0 \end{array}$$

$$\begin{array}{r} 3\;0 \\ \times\; 1\;0 \\ \hline 3\;0\;0 \end{array} \quad \begin{array}{r} 8\;0 \\ \times\; 5\;0 \\ \hline 4\;0\;0\;0 \end{array} \quad \begin{array}{r} 7\;0 \\ \times\; 8\;0 \\ \hline 5\;6\;0\;0 \end{array}$$

$$\begin{array}{r} 2\;0 \\ \times\; 2\;0 \\ \hline 4\;0\;0 \end{array} \quad \begin{array}{r} 3\;0 \\ \times\; 9\;0 \\ \hline 2\;7\;0\;0 \end{array} \quad \begin{array}{r} 6\;0 \\ \times\; 5\;0 \\ \hline 3\;0\;0\;0 \end{array}$$

2 곱셈을 하세요.

$$\begin{array}{r} 4\;6 \\ \times\; 2\;0 \\ \hline 9\;2\;0 \end{array} \quad \begin{array}{r} 7\;5 \\ \times\; 3\;0 \\ \hline 2\;2\;5\;0 \end{array} \quad \begin{array}{r} 4\;6 \\ \times\; 8\;0 \\ \hline 3\;6\;8\;0 \end{array}$$

$$\begin{array}{r} 1\;9 \\ \times\; 3\;0 \\ \hline 5\;7\;0 \end{array} \quad \begin{array}{r} 2\;5 \\ \times\; 5\;0 \\ \hline 1\;2\;5\;0 \end{array} \quad \begin{array}{r} 3\;8 \\ \times\; 4\;0 \\ \hline 1\;5\;2\;0 \end{array}$$

$$\begin{array}{r} 2\;6 \\ \times\; 4\;0 \\ \hline 1\;0\;4\;0 \end{array} \quad \begin{array}{r} 5\;6 \\ \times\; 7\;0 \\ \hline 3\;9\;2\;0 \end{array} \quad \begin{array}{r} 6\;4 \\ \times\; 6\;0 \\ \hline 3\;8\;4\;0 \end{array}$$

$$\begin{array}{r} 8\;7 \\ \times\; 6\;0 \\ \hline 5\;2\;2\;0 \end{array} \quad \begin{array}{r} 6\;2 \\ \times\; 7\;0 \\ \hline 4\;3\;4\;0 \end{array} \quad \begin{array}{r} 5\;9 \\ \times\; 9\;0 \\ \hline 5\;3\;1\;0 \end{array}$$

$$\begin{array}{r} 7\;7 \\ \times\; 4\;0 \\ \hline 3\;0\;8\;0 \end{array} \quad \begin{array}{r} 8\;4 \\ \times\; 5\;0 \\ \hline 4\;2\;0\;0 \end{array} \quad \begin{array}{r} 2\;8 \\ \times\; 8\;0 \\ \hline 2\;2\;4\;0 \end{array}$$

$$\begin{array}{r} 9\;6 \\ \times\; 7\;0 \\ \hline 6\;7\;2\;0 \end{array} \quad \begin{array}{r} 5\;5 \\ \times\; 6\;0 \\ \hline 3\;3\;0\;0 \end{array} \quad \begin{array}{r} 4\;3 \\ \times\; 5\;0 \\ \hline 2\;1\;5\;0 \end{array}$$

3 보기와 같이 곱셈을 하세요.

보기
31×60= [   ][0] ⇒ 31×60= 1860   0이 1개   31×6=186

40×70= 2800   21×40= 840
60×80= 4800   35×50= 1750
30×80= 2400   72×20= 1440
50×20= 1000   87×30= 2610
17×90= 1530   46×50= 2300
92×60= 5520   23×70= 1610
53×80= 4240   19×60= 1140
75×20= 1500   38×40= 1520

4 빈 곳에 알맞은 수를 써넣으세요.

×20: 20→400, 70→1400, 86→1720
×50: 30→1500, 45→2250, 69→3450
×70: 50→3500, 67→4690, 95→6650
×30: 12→360, 60→1800, 73→2190
×80: 35→2800, 47→3760, 80→6400
×40: 25→1000, 53→2120, 90→3600
×60: 24→1440, 47→2820, 83→4980
×90: 19→1710, 36→3240, 71→6390

05 (몇)×(몇십몇)

정답 06쪽

※ 8×26 알아보기

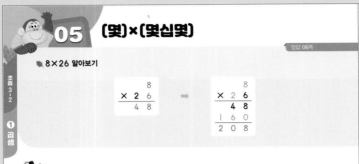

$$\begin{array}{r} 8 \\ \times\ 2\ 6 \\ \hline 4\ 8 \end{array} \Rightarrow \begin{array}{r} 8 \\ \times\ 2\ 6 \\ \hline 4\ 8 \\ 1\ 6\ 0 \\ \hline 2\ 0\ 8 \end{array}$$

1 곱셈을 하세요.

$$\begin{array}{r} 6 \\ \times\ 1\ 3 \\ \hline 1\ 8 \leftarrow 6\times3 \\ 6\ 0 \leftarrow 6\times10 \\ \hline 7\ 8 \end{array} \qquad \begin{array}{r} 5 \\ \times\ 7\ 8 \\ \hline 4\ 0 \leftarrow 5\times8 \\ 3\ 5\ 0 \leftarrow 5\times70 \\ \hline 3\ 9\ 0 \end{array} \qquad \begin{array}{r} 7 \\ \times\ 9\ 2 \\ \hline 1\ 4 \leftarrow 7\times2 \\ 6\ 3\ 0 \leftarrow 7\times90 \\ \hline 6\ 4\ 4 \end{array}$$

$$\begin{array}{r} 3 \\ \times\ 3\ 6 \\ \hline 1\ 8 \\ 9\ 0 \\ \hline 1\ 0\ 8 \end{array} \qquad \begin{array}{r} 7 \\ \times\ 5\ 4 \\ \hline 2\ 8 \\ 3\ 5\ 0 \\ \hline 3\ 7\ 8 \end{array} \qquad \begin{array}{r} 9 \\ \times\ 4\ 8 \\ \hline 7\ 2 \\ 3\ 6\ 0 \\ \hline 4\ 3\ 2 \end{array}$$

$$\begin{array}{r} 2 \\ \times\ 8\ 7 \\ \hline 1\ 4 \\ 1\ 6\ 0 \\ \hline 1\ 7\ 4 \end{array} \qquad \begin{array}{r} 4 \\ \times\ 6\ 6 \\ \hline 2\ 4 \\ 2\ 4\ 0 \\ \hline 2\ 6\ 4 \end{array} \qquad \begin{array}{r} 7 \\ \times\ 2\ 5 \\ \hline 3\ 5 \\ 1\ 4\ 0 \\ \hline 1\ 7\ 5 \end{array}$$

---

2 보기 와 같이 곱셈을 하세요.

보기

$$\begin{array}{r} 1 \\ 6 \\ \times\ 4\ 3 \\ \hline 8 \end{array} \Rightarrow \begin{array}{r} 1 \\ 6 \\ \times\ 4\ 3 \\ \hline 2\ 5\ 8 \end{array}$$
$6\times3=18 \qquad (6\times4)+1=25$

$$\begin{array}{r} 1 \\ 7 \\ \times\ 6\ 2 \\ \hline 4\ 3\ 4 \end{array} \qquad \begin{array}{r} 1 \\ 4 \\ \times\ 8\ 4 \\ \hline 3\ 3\ 6 \end{array} \qquad \begin{array}{r} 1 \\ 6 \\ \times\ 5\ 3 \\ \hline 3\ 1\ 8 \end{array}$$

$$\begin{array}{r} 1 \\ 3 \\ \times\ 7\ 6 \\ \hline 2\ 2\ 8 \end{array} \qquad \begin{array}{r} 1 \\ 2 \\ \times\ 5\ 9 \\ \hline 1\ 1\ 8 \end{array} \qquad \begin{array}{r} 1 \\ 5 \\ \times\ 9\ 2 \\ \hline 4\ 6\ 0 \end{array}$$

$$\begin{array}{r} 3 \\ 9 \\ \times\ 1\ 4 \\ \hline 1\ 2\ 6 \end{array} \qquad \begin{array}{r} 6 \\ 8 \\ \times\ 4\ 8 \\ \hline 3\ 8\ 4 \end{array} \qquad \begin{array}{r} 1 \\ 6 \\ \times\ 2\ 3 \\ \hline 1\ 3\ 8 \end{array}$$

$$\begin{array}{r} 3 \\ 7 \\ \times\ 8\ 5 \\ \hline 5\ 9\ 5 \end{array} \qquad \begin{array}{r} 1 \\ 5 \\ \times\ 4\ 2 \\ \hline 2\ 1\ 0 \end{array} \qquad \begin{array}{r} 5 \\ 8 \\ \times\ 3\ 7 \\ \hline 2\ 9\ 6 \end{array}$$

---

3 보기 와 같이 곱셈을 하세요.

보기

$$9\times32=\boxed{\ \ 8} \Rightarrow 9\times32=2\ 8\ 8$$
$9\times2=18 \qquad (9\times3)+1=28$

$6\times54=3\ 2\ 4$ 　　　　　 $4\times48=1\ 9\ 2$

$3\times85=2\ 5\ 5$ 　　　　　 $5\times66=3\ 3\ 0$

$7\times29=2\ 0\ 3$ 　　　　　 $9\times82=7\ 3\ 8$

$2\times67=1\ 3\ 4$ 　　　　　 $8\times36=2\ 8\ 8$

$5\times57=2\ 8\ 5$ 　　　　　 $7\times62=4\ 3\ 4$

$4\times39=1\ 5\ 6$ 　　　　　 $6\times32=1\ 9\ 2$

$2\times96=1\ 9\ 2$ 　　　　　 $3\times38=1\ 1\ 4$

$8\times18=1\ 4\ 4$ 　　　　　 $9\times54=4\ 8\ 6$

---

4 곱셈한 값이 큰 쪽의 길을 따라가 집에 도착해 보세요.

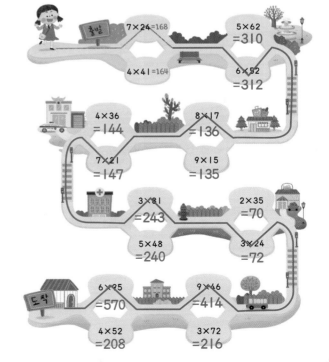

$7\times24=168$
$5\times62=310$
$4\times41=164$
$6\times52=312$
$4\times36=144$
$8\times17=136$
$7\times21=147$
$9\times15=135$
$3\times81=243$
$2\times35=70$
$5\times48=240$
$3\times24=72$
$6\times95=570$
$9\times46=414$
$4\times52=208$
$3\times72=216$

출발 / 도착

06 올림이 한 번 있는 (몇십몇)×(몇십몇)

정답 07쪽

36×12 알아보기

$$\begin{array}{r} 36 \\ \times\ 12 \\ \hline 72 \end{array} \leftarrow 36\times2$$
⇒
$$\begin{array}{r} 36 \\ \times\ 12 \\ \hline 72 \\ 360 \end{array} \leftarrow 36\times10$$
⇒
$$\begin{array}{r} 36 \\ \times\ 12 \\ \hline 72 \\ 360 \\ \hline 432 \end{array}$$
0을 생략하여 나타낼 수 있음
72+360

1 안에 알맞은 수를 써넣으세요.

$$\begin{array}{r} 24 \\ \times 32 \\ \hline 48 \\ 720 \\ \hline 768 \end{array}$$

$$\begin{array}{r} 24 \\ \times\ 2 \\ \hline 48 \end{array}$$
$$\begin{array}{r} 24 \\ \times 30 \\ \hline 720 \end{array}$$

$$\begin{array}{r} 17 \\ \times 14 \\ \hline 68 \\ 170 \\ \hline 238 \end{array}$$

$$\begin{array}{r} 17 \\ \times\ 4 \\ \hline 68 \end{array}$$
$$\begin{array}{r} 17 \\ \times\ 10 \\ \hline 170 \end{array}$$

$$\begin{array}{r} 23 \\ \times 42 \\ \hline 46 \\ 920 \\ \hline 966 \end{array}$$

$$\begin{array}{r} 23 \\ \times\ 2 \\ \hline 46 \end{array}$$
$$\begin{array}{r} 23 \\ \times 40 \\ \hline 920 \end{array}$$

$$\begin{array}{r} 62 \\ \times 13 \\ \hline 186 \\ 620 \\ \hline 806 \end{array}$$

$$\begin{array}{r} 62 \\ \times\ 3 \\ \hline 186 \end{array}$$
$$\begin{array}{r} 62 \\ \times 10 \\ \hline 620 \end{array}$$

2 곱셈을 하세요.

보기
$$\begin{array}{r} 35 \\ \times 12 \\ \hline 70 \\ 350 \\ \hline 420 \end{array}$$
70 ← 35×2
350 ← 35×10
420 ← 70+350

$$\begin{array}{r} 24 \\ \times 41 \\ \hline 24 \\ 960 \\ \hline 984 \end{array}$$
24 ← 24×1
960 ← 24×40

$$\begin{array}{r} 18 \\ \times 14 \\ \hline 72 \\ 180 \\ \hline 252 \end{array}$$
72 ← 18×4
180 ← 18×10

$$\begin{array}{r} 52 \\ \times 13 \\ \hline 156 \\ 520 \\ \hline 676 \end{array}$$
156 ← 52×3
520 ← 52×10

$$\begin{array}{r} 37 \\ \times 21 \\ \hline 37 \\ 740 \\ \hline 777 \end{array}$$

$$\begin{array}{r} 23 \\ \times 43 \\ \hline 69 \\ 920 \\ \hline 989 \end{array}$$

$$\begin{array}{r} 31 \\ \times 26 \\ \hline 186 \\ 620 \\ \hline 806 \end{array}$$

$$\begin{array}{r} 19 \\ \times 31 \\ \hline 19 \\ 570 \\ \hline 589 \end{array}$$

3 곱셈을 하세요.

$$\begin{array}{r} 25 \\ \times 12 \\ \hline 50 \\ 250 \\ \hline 300 \end{array}$$

$$\begin{array}{r} 19 \\ \times 14 \\ \hline 76 \\ 190 \\ \hline 266 \end{array}$$

$$\begin{array}{r} 45 \\ \times 21 \\ \hline 45 \\ 900 \\ \hline 945 \end{array}$$

$$\begin{array}{r} 63 \\ \times 13 \\ \hline 189 \\ 630 \\ \hline 819 \end{array}$$

$$\begin{array}{r} 71 \\ \times 12 \\ \hline 142 \\ 710 \\ \hline 852 \end{array}$$

$$\begin{array}{r} 82 \\ \times 13 \\ \hline 246 \\ 820 \\ \hline 1066 \end{array}$$

$$\begin{array}{r} 47 \\ \times 21 \\ \hline 47 \\ 940 \\ \hline 987 \end{array}$$

$$\begin{array}{r} 52 \\ \times 13 \\ \hline 156 \\ 520 \\ \hline 676 \end{array}$$

$$\begin{array}{r} 14 \\ \times 26 \\ \hline 84 \\ 280 \\ \hline 364 \end{array}$$

$$\begin{array}{r} 32 \\ \times 34 \\ \hline 128 \\ 960 \\ \hline 1088 \end{array}$$

$$\begin{array}{r} 72 \\ \times 13 \\ \hline 216 \\ 720 \\ \hline 936 \end{array}$$

$$\begin{array}{r} 17 \\ \times 15 \\ \hline 85 \\ 170 \\ \hline 255 \end{array}$$

4 가로세로 퍼즐을 완성해 보세요.

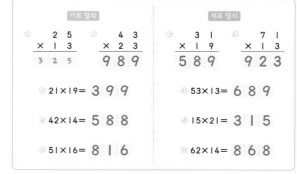

가로 열쇠		세로 열쇠	
① $\begin{array}{r}25\\\times13\\\hline325\end{array}$	② $\begin{array}{r}43\\\times23\\\hline989\end{array}$	③ $\begin{array}{r}31\\\times19\\\hline589\end{array}$	⑥ $\begin{array}{r}71\\\times13\\\hline923\end{array}$
③ 21×19= 399		ⓒ 53×13= 689	
④ 42×14= 588		ⓔ 15×21= 315	
⑤ 51×16= 816		ⓖ 62×14= 868	

07 올림이 여러 번 있는 (몇십몇)×(몇십몇)

초등 3-2 · ① 곱셈

정답 08쪽

◈ 52×38 알아보기

$$\begin{array}{r} 52 \\ \times\ 38 \\ \hline 416 \end{array} \leftarrow 52\times8 \Rightarrow \begin{array}{r} 52 \\ \times\ 38 \\ \hline 416 \\ 1560 \end{array} \leftarrow 52\times30 \Rightarrow \begin{array}{r} 52 \\ \times\ 38 \\ \hline 416 \\ 1560 \\ \hline 1976 \end{array}$$

0을 생략하여 나타낼 수 있음　416+1560

1 안에 알맞은 수를 써넣으세요.

37×62 → 74 / 2220 / 2294
37×2 → 74 ; 37×60 → 2220
57×43 → 171 / 2280 / 2451
57×3 → 171 ; 57×40 → 2280
74×56 → 444 / 3700 / 4144
74×6 → 444 ; 74×50 → 3700
48×29 → 432 / 960 / 1392
48×9 → 432 ; 48×20 → 960

2 곱셈을 하세요.

보기
42×37: 294 ←42×7 ; 1260 ←42×30 ; 1554 ←294+1260

29×65: 145 ←29×5 ; 1740 ←29×60 ; 1885
57×84: 228 ←57×4 ; 4560 ←57×80 ; 4788
36×28: 288 ←36×8 ; 720 ←36×20 ; 1008
63×54: 252 / 3150 / 3402
91×35: 455 / 2730 / 3185
18×76: 108 / 1260 / 1368
44×69: 396 / 2640 / 3036

3 곱셈을 하세요.

27×59: 243/1350/1593
38×74: 152/2660/2812
49×62: 98/2940/3038
93×38: 744/2790/3534
56×63: 168/3360/3528
85×23: 255/1700/1955
43×79: 387/3010/3397
36×82: 72/2880/2952
26×67: 182/1560/1742
58×74: 232/4060/4292
29×85: 145/2320/2465
94×32: 188/2820/3008

4 빈칸에 알맞은 수를 써넣으세요.

| 32 | 65 | 2080 | 32×65 |
| 76 | 48 | 3648 | |

| 57 | 26 | 1482 |
| 19 | 82 | 1558 |

| 53 | 61 | 3233 |
| 85 | 18 | 1530 |

| 27 | 36 | 972 |
| 95 | 44 | 4180 |

| 72 | 39 | 2808 |
| 45 | 64 | 2880 |

| 89 | 23 | 2047 |
| 58 | 94 | 5452 |

| 17 | 82 | 1394 |
| 68 | 25 | 1700 |

| 34 | 49 | 1666 |
| 56 | 73 | 4088 |

| 97 | 42 | 4074 |
| 55 | 67 | 3685 |

| 38 | 71 | 2698 |
| 24 | 87 | 2088 |

도전! 응용문제

유형 1

고구마밭에서 캔 고구마를 한 상자에 132개씩 담았습니다. 3상자에는 고구마가 모두 몇 개 들어 있을까요?

- 주어진 수에 ○표 하고, 구하는 것에 밑줄 치기
  한 상자에 담은 고구마의 수: 132 개, 상자의 수: 3 상자
- 문제 해결하기
  한 상자에 담은 고구마의 수와 상자의 수를 (곱합니다 , 나눕니다).
- 문제 풀기
  (전체 고구마의 수)=(한 상자에 담은 고구마의 수)×(상자의 수)
  = 132 × 3 = 396 (개)
- 답 쓰기
  고구마가 모두 396 개 들어 있습니다.

유형+ 1

현서는 매일 줄넘기를 180번씩 했습니다. 현서는 일주일 동안 줄넘기를 모두 몇 번 했을까요?

- 주어진 수에 ○표 하고, 구하는 것에 밑줄 치기
  매일 한 줄넘기 횟수: 180 번, 일주일의 날수: 7 일
- 문제 해결하기
  매일 한 줄넘기 횟수와 일주일의 날수를 (더합니다 , 곱합니다).
- 문제 풀기
  (일주일 동안 한 줄넘기 횟수)=(매일 한 줄넘기 횟수)×(일주일의 날수)
  = 180 × 7 = 1260 (번)
- 답 쓰기
  일주일 동안 한 줄넘기 횟수는 모두 1260 번입니다.

유형 2

달걀이 한 판에 30개씩 들어 있습니다. 40판에 들어 있는 달걀은 모두 몇 개일까요?

- 주어진 수에 ○표 하고, 구하는 것에 밑줄 치기
  한 판에 들어 있는 달걀의 수: 30 개, 달걀판의 수: 40 판
- 문제 해결하기
  한 판에 들어 있는 달걀의 수와 달걀판의 수를 (곱합니다 , 나눕니다).
- 문제 풀기
  (전체 달걀의 수)=(한 판에 들어 있는 달걀의 수)×(달걀판의 수)
  = 30 × 40 = 1200 (개)
- 답 쓰기
  달걀은 모두 1200 개입니다.

유형+ 2

효진이는 매일 동화책을 46쪽씩 읽었습니다. 효진이는 15일 동안 동화책을 모두 몇 쪽 읽었을까요?

- 주어진 수에 ○표 하고, 구하는 것에 밑줄 치기
  매일 읽은 동화책의 쪽수: 46 쪽, 동화책을 읽은 날수: 15 일
- 문제 해결하기
  매일 읽은 동화책의 쪽수와 동화책을 읽은 날수를 (곱합니다 , 나눕니다).
- 문제 풀기
  (전체 읽은 동화책의 쪽수)=(매일 읽은 동화책의 쪽수)×(동화책을 읽은 날수)
  = 46 × 15 = 690 (쪽)
- 답 쓰기
  동화책을 모두 690 쪽 읽었습니다.

● 안에 알맞은 수를 써넣고 답을 구하세요.

1 Drill
122cm짜리 리본 4개를 겹치지 않게 이어 붙이면 전체 길이는 몇 cm가 될까요?

풀이 (전체 리본의 길이)=(리본 한 개의 길이)×(리본의 수)
= 122 × 4 = 488 (cm)

주어진 수에 ○표 하고, 구하는 것에 밑줄 짝!

답 488 cm

2 Drill
하루에 곰인형을 528개씩 만드는 공장이 있습니다. 이 공장에서 6일 동안 만든 곰인형은 모두 몇 개일까요?

풀이 (전체 곰인형의 수)=(하루에 만드는 곰인형의 수)×(만든 날수)
= 528 × 6 = 3168 (개)

답 3168 개

3 Drill
연우의 저금통에는 50원짜리 동전 40개가 있습니다. 저금통에 있는 돈은 모두 얼마일까요?

풀이 (저금통에 있는 돈)=(동전 한 개의 가격)×(동전의 수)
= 50 × 40 = 2000 (원)

답 2000 원

4 Drill
승객이 38명씩 탈 수 있는 공항버스가 서울에서 인천공항까지 하루에 27번 운행됩니다. 매일 버스를 타고 서울에서 인천공항까지 갈 수 있는 승객은 모두 몇 명일까요?

풀이 (전체 승객의 수)=(한 대에 탈 수 있는 승객의 수)×(하루 운행 횟수)
= 38 × 27 = 1026 (명)

답 1026 명

● 서술형 문제를 읽고 풀이 과정과 답을 쓰세요.

도전 1
정우는 훌라후프를 154번 했고, 지혜는 정우의 4배만큼 했습니다. 지혜는 훌라후프를 몇 번 했을까요?

예 풀이 (지혜가 한 훌라후프의 수)
= (정우가 한 훌라후프의 수)×4
= 154 × 4 = 616(번)
답 616번

도전 2
구슬이 한 상자에 426개씩 들어 있습니다. 7상자에 들어 있는 구슬은 모두 몇 개일까요?

예 풀이 (전체 구슬의 수)
= (한 상자에 들어 있는 구슬 수)×(상자의 수)
= 426 × 7 = 2982(개)
답 2982개

도전 3
1시간은 60분이고, 1분은 60초입니다. 1시간은 몇 초일까요?

예 풀이 (1시간의 초)=(1시간의 분)×(1분의 초)
= 60 × 60 = 3600(초)
답 3600초

도전 4
최대 정원이 24명인 승강기가 있습니다. 한 사람의 몸무게가 65kg이라면 한 번에 실을 수 있는 최대 무게는 몇 kg일까요?

예 풀이 (최대 무게)=(승강기 최대 정원)×(한 사람의 몸무게)
= 24 × 65 = 1560(kg)
답 1560kg

형성 평가

초등 3-2
❶ 곱셈

정답 10쪽

01 곱셈을 하세요.

(1)
$$\begin{array}{r} 3\ 1\ 2 \\ \times\quad\ 3 \\ \hline 9\ 3\ 6 \end{array}$$

(2)
$$\begin{array}{r} 1\ 0\ 1 \\ \times\quad\ 6 \\ \hline 6\ 0\ 6 \end{array}$$

02 곱셈을 하세요.

(1) $423 \times 2 = 846$

(2) $120 \times 4 = 480$

03 안에 알맞은 수를 써넣으세요.

406
203 3 609
264 2 132
396

04 곱셈을 하세요.

(1)
$$\begin{array}{r} {}^{2} \\ 2\ 1\ 7 \\ \times\quad\ 4 \\ \hline 8\ 6\ 8 \end{array}$$

(2)
$$\begin{array}{r} {}^{1} \\ 3\ 2\ 5 \\ \times\quad\ 3 \\ \hline 9\ 7\ 5 \end{array}$$

05 곱셈을 하세요.

(1) $218 \times 4 = \overset{3}{8}72$

(2) $116 \times 5 = \overset{3}{5}80$

(3) $425 \times 2 = \overset{1}{8}50$

(4) $109 \times 6 = \overset{5}{6}54$

(5) $317 \times 3 = \overset{2}{9}51$

06 곱셈을 하세요.

(1)
$$\begin{array}{r} {}^{2} \\ 1\ 5\ 1 \\ \times\quad\ 5 \\ \hline 7\ 5\ 5 \end{array}$$

(2)
$$\begin{array}{r} {}^{1} \\ 8\ 6\ 3 \\ \times\quad\ 3 \\ \hline 2\ 5\ 8\ 9 \end{array}$$

07 곱셈을 하세요.

(1) $263 \times 3 = \overset{1}{7}89$

(2) $531 \times 7 = \overset{2}{3}7 \overset{}{1}7$

08 안에 알맞은 수를 써넣으세요.

561
392 × 4 1568
8
4488

09 곱셈을 하세요.

(1)
$$\begin{array}{r} 3\ 0 \\ \times\ 2\ 0 \\ \hline 6\ 0\ 0 \end{array}$$

(2)
$$\begin{array}{r} 8\ 0 \\ \times\ 6\ 0 \\ \hline 4\ 8\ 0\ 0 \end{array}$$

10 곱셈을 하세요.

(1)
$$\begin{array}{r} 4\ 7 \\ \times\ 2\ 0 \\ \hline 9\ 4\ 0 \end{array}$$

(2)
$$\begin{array}{r} 5\ 3 \\ \times\ 8\ 0 \\ \hline 4\ 2\ 4\ 0 \end{array}$$

11 곱셈을 하세요.

(1) $26 \times 30 = 780$

(2) $40 \times 60 = 2400$

(3) $37 \times 50 = 1850$

(4) $68 \times 40 = 2720$

(5) $73 \times 80 = 5840$

12 빈 곳에 알맞은 수를 써넣으세요.

×70
30 → 2100
52 → 3640
87 → 6090

13 곱셈을 하세요.
$$\begin{array}{r} 8 \\ \times\ 4\ 6 \\ \hline 4\ 8 \\ 3\ 2\ 0 \\ \hline 3\ 6\ 8 \end{array}$$

14 곱셈을 하세요.

(1)
$$\begin{array}{r} 4 \\ 6 \\ \times\ 3\ 8 \\ \hline 2\ 2\ 8 \end{array}$$

(2)
$$\begin{array}{r} 6 \\ 9 \\ \times\ 4\ 7 \\ \hline 4\ 2\ 3 \end{array}$$

15 곱셈을 하세요.

(1) $7 \times 63 = \overset{2}{4}41$

(2) $4 \times 97 = \overset{2}{3}88$

16 곱셈을 하세요.
$$\begin{array}{r} 1\ 8 \\ \times\ 3\ 1 \\ \hline 1\ 8 \\ 5\ 4\ 0 \\ \hline 5\ 5\ 8 \end{array}$$

17 곱셈을 하세요.
$$\begin{array}{r} 2\ 7 \\ \times\ 1\ 3 \\ \hline 8\ 1 \\ 2\ 7\ 0 \\ \hline 3\ 5\ 1 \end{array}$$

18 곱셈을 하세요.
$$\begin{array}{r} 3\ 7 \\ \times\ 9\ 6 \\ \hline 2\ 2\ 2 \\ 3\ 3\ 3\ 0 \\ \hline 3\ 5\ 5\ 2 \end{array}$$

19 곱셈을 하세요.

(1)
$$\begin{array}{r} 4\ 5 \\ \times\ 6\ 1 \\ \hline 4\ 5 \\ 2\ 7\ 0\ 0 \\ \hline 2\ 7\ 4\ 5 \end{array}$$

(2)
$$\begin{array}{r} 2\ 9 \\ \times\ 8\ 3 \\ \hline 8\ 7 \\ 2\ 3\ 2\ 0 \\ \hline 2\ 4\ 0\ 7 \end{array}$$

20 빈칸에 알맞은 수를 써넣으세요.

(1)
×
| 26 | 83 | 2158 |
| 54 | 79 | 4266 |

(2)
×
| 98 | 35 | 3430 |
| 47 | 86 | 4042 |

 **1. 곱셈**

1 수 모형을 보고 ☐ 안에 알맞은 수를 써넣으세요.

$123 \times 2 = 246$

2 덧셈식을 곱셈식으로 나타내고 답을 구하세요.

$214 + 214 + 214 + 214$

$\Rightarrow 214 \times 4 = 856$

3 ☐ 안에 알맞은 수를 써넣으세요.

349 349 349

1047

4 곱셈식에서 ● 안의 숫자끼리의 곱은 실제로 얼마를 나타낼까요?

$$\begin{array}{r} 7 \\ \times\ 2\ 4 \\ \hline \end{array}$$

(140)

5 ☐ 안에 들어갈 수는 실제로 어떤 계산을 한 것일까요? (③)

$$\begin{array}{r} 8\ 2 \\ \times\ \ 5\ 3 \\ \hline 2\ 4\ 6 \\ \boxed{\ \ }\ \ \\ \hline 4\ 3\ 4\ 6 \end{array}$$

① 82×3 ② 82×5
③ 82×50 ④ 2×53
⑤ 8×53

6 빈 곳에 두 수의 곱을 써넣으세요.

34	60
2040	

7 ㉠과 ㉡의 곱을 구하세요.

㉠ 10이 3개인 수
㉡ 10이 7개인 수

(2100)

$㉠ \times ㉡ = 30 \times 70 = 2100$

8 빈 곳에 알맞은 수를 써넣으세요.

76 —×30→ 2280

9 ☐ 안에 알맞은 수를 써넣으세요.

8 —×14→ 112
—×32→ 256
—×57→ 456

10 ☐ 안에 알맞은 수를 써넣으세요.

4 ↓
×52
↓
208
×3
↓
624

11 계산에서 잘못된 부분을 찾아 바르게 고쳐 보세요.

$$\begin{array}{r} 6\ 8 \\ \times\ 2\ 3 \\ \hline 2\ 0\ 4 \\ 1\ 3\ 6\ \ \\ \hline 3\ 4\ 0 \end{array} \Rightarrow \begin{array}{r} 6\ 8 \\ \times\ 2\ 3 \\ \hline 2\ 0\ 4 \\ 1\ 3\ 6\ 0 \\ \hline 1\ 5\ 6\ 4 \end{array}$$

12 곱이 같은 것끼리 선으로 이어 보세요.

12×16 — — 248×3
$= 192$ — — $= 744$

34×43 — — 6×32
$= 1462$ — — $= 192$

31×24 — — 17×86
$= 744$ — — $= 1462$

13 ☐ 안에 >, =, <를 알맞게 써넣으세요.

$35 \times 56 < 28 \times 74$
$= 1960 \quad = 2072$

14 계산 결과가 큰 것부터 차례로 ☐ 안에 1, 2, 3을 써넣으세요.

52×25
$= 1300$ $\boxed{1}$

78×14
$= 1092$ $\boxed{3}$

37×32
$= 1184$ $\boxed{2}$

15 가장 큰 수와 가장 작은 수의 곱을 구하세요.

24 39 57 43

(1368)

$57 \times 24 = 1368$

16 주어진 숫자를 ☐ 안에 알맞게 써넣으세요.

2 4 7

$$\begin{array}{r} 1\ 2\ 4 \\ \times\ \ \ \ \ 7 \\ \hline 8\ 6\ 8 \end{array}$$

17 어느 공원의 어린이 입장료는 850원입니다. 어린이 6명이 입장한다면 입장료는 모두 얼마인지 풀이 과정을 쓰고 답을 구하세요.

풀이 (전체 입장료)
$= (1명당 입장료) \times (어린이 수)$
$= 850 \times 6 = 5100(원)$

답 5100원

18 구슬이 한 봉지에 30개씩 들어 있습니다. 12봉지에 들어 있는 구슬은 모두 몇 개일까요?

(360)개

19 운동장에 학생들이 한 줄에 25명씩 15줄로 서 있습니다. 운동장에 서 있는 학생은 모두 몇 명일까요?

(375)명

20 서진이는 문구점에서 450원짜리 지우개를 6개 사고 3000원을 냈습니다. 거스름돈으로 얼마를 받아야 하는지 풀이 과정을 쓰고 답을 구하세요.

풀이 (지우개 6개의 값)
$= 450 \times 6 = 2700(원)$
$(거스름돈) = 3000 - 2700$
$= 300(원)$

답 300원

01 내림이 없는 (몇십)÷(몇)

정답 12쪽

● 60÷2 알아보기

$$6 ÷ 2 = 3$$
10배↓ ↓10배
$$60 ÷ 2 = 30$$

가로셈	세로셈
$60 ÷ 2 = 30$	$\begin{array}{r} 30 \\ 2\overline{)60} \end{array}$

1 안에 알맞은 수를 써넣으세요.

$8 ÷ 2 = 4$
10배↓ ↓10배
$80 ÷ 2 = 40$

$6 ÷ 6 = 1$
10배↓ ↓10배
$60 ÷ 6 = 10$

$2 ÷ 2 = 1$
10배↓ ↓10배
$20 ÷ 2 = 10$

$5 ÷ 5 = 1$
10배↓ ↓10배
$50 ÷ 5 = 10$

$6 ÷ 3 = 2$
10배↓ ↓10배
$60 ÷ 3 = 20$

$4 ÷ 4 = 1$
10배↓ ↓10배
$40 ÷ 4 = 10$

$9 ÷ 3 = 3$
$90 ÷ 3 = 30$

$7 ÷ 7 = 1$
$70 ÷ 7 = 10$

$8 ÷ 4 = 2$
$80 ÷ 4 = 20$

$8 ÷ 8 = 1$
$80 ÷ 8 = 10$

$4 ÷ 2 = 2$
$40 ÷ 2 = 20$

$9 ÷ 9 = 1$
$90 ÷ 9 = 10$

---

2 보기와 같이 나눗셈식을 세로로 써 보세요.

보기
$40 ÷ 2 ⇒ 2\overline{)40}$

$20 ÷ 2 ⇒ 2\overline{)20}$

$30 ÷ 3 ⇒ 3\overline{)30}$

$60 ÷ 3 ⇒ 3\overline{)60}$

$80 ÷ 2 ⇒ 2\overline{)80}$

$40 ÷ 4 ⇒ 4\overline{)40}$

$60 ÷ 6 ⇒ 6\overline{)60}$

$50 ÷ 5 ⇒ 5\overline{)50}$

$80 ÷ 4 ⇒ 4\overline{)80}$

$70 ÷ 7 ⇒ 7\overline{)70}$

$90 ÷ 9 ⇒ 9\overline{)90}$

$60 ÷ 2 ⇒ 2\overline{)60}$

$80 ÷ 8 ⇒ 8\overline{)80}$

$90 ÷ 3 ⇒ 3\overline{)90}$

---

3 안에 알맞은 수를 써넣으세요.

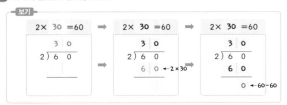

보기
$2 × 30 = 60$ ⇒ $2 × 30 = 60$ ⇒ $2 × 30 = 60$

$\begin{array}{r} 30 \\ 2\overline{)60} \end{array}$ ⇒ $\begin{array}{r} 30 \\ 2\overline{)60} \\ 60 \end{array}$ ←2×30 ⇒ $\begin{array}{r} 30 \\ 2\overline{)60} \\ 60 \\ \hline 0 \end{array}$ ←60-60

$4 × 20 = 80$
$\begin{array}{r} 20 \\ 4\overline{)80} \\ 80 \\ \hline 0 \end{array}$ ←4×20

$3 × 20 = 60$
$\begin{array}{r} 20 \\ 3\overline{)60} \\ 60 \\ \hline 0 \end{array}$ ←3×20

$4 × 10 = 40$
$\begin{array}{r} 10 \\ 4\overline{)40} \\ 40 \\ \hline 0 \end{array}$ ←4×10

$3 × 10 = 30$
$\begin{array}{r} 10 \\ 3\overline{)30} \\ 30 \\ \hline 0 \end{array}$

$7 × 10 = 70$
$\begin{array}{r} 10 \\ 7\overline{)70} \\ 70 \\ \hline 0 \end{array}$

$2 × 40 = 80$
$\begin{array}{r} 40 \\ 2\overline{)80} \\ 80 \\ \hline 0 \end{array}$

$3 × 30 = 90$
$\begin{array}{r} 30 \\ 3\overline{)90} \\ 90 \\ \hline 0 \end{array}$

$5 × 10 = 50$
$\begin{array}{r} 10 \\ 5\overline{)50} \\ 50 \\ \hline 0 \end{array}$

$8 × 10 = 80$
$\begin{array}{r} 10 \\ 8\overline{)80} \\ 80 \\ \hline 0 \end{array}$

---

4 나눗셈 실력을 점검해 보세요.

실력평가 맞힌 개수 ☐ 개 제한 시간 **10** 분

1. $60÷2 = 30$
2. $30÷3 = 10$
3. $50÷5 = 10$

4. $20÷2 = 10$
5. $80÷4 = 20$
6. $40÷2 = 20$

7. $70÷7 = 10$
8. $60÷3 = 20$
9. $90÷3 = 30$

10. $\begin{array}{r} 10 \\ 4\overline{)40} \\ 40 \\ \hline 0 \end{array}$
11. $\begin{array}{r} 40 \\ 2\overline{)80} \\ 80 \\ \hline 0 \end{array}$
12. $\begin{array}{r} 10 \\ 6\overline{)60} \\ 60 \\ \hline 0 \end{array}$

13. $\begin{array}{r} 10 \\ 8\overline{)80} \\ 80 \\ \hline 0 \end{array}$
14. $\begin{array}{r} 20 \\ 2\overline{)40} \\ 40 \\ \hline 0 \end{array}$
15. $\begin{array}{r} 10 \\ 9\overline{)90} \\ 90 \\ \hline 0 \end{array}$

16. $\begin{array}{r} 10 \\ 3\overline{)30} \\ 30 \\ \hline 0 \end{array}$
17. $\begin{array}{r} 30 \\ 3\overline{)90} \\ 90 \\ \hline 0 \end{array}$

수고하셨습니다!

02 나머지가 없는 (몇십몇)÷(몇)

정답 13쪽

🐵 24÷3 알아보기

잘못된 계산	바른 계산	잘못된 계산
7 3)24 21 ←3×7 3 ←나머지	8 ←몫 3)24 24 ←3×8 0 ←나머지	9 3)24 27 ←3×9
이유 (나누는 수)=(나머지) 이므로 한 번 더 나눌 수 있음	24에는 3이 최대 8번 들어감	**이유** 24−27을 계산할 수 없음

나누는 수 →

🚂 **1** 안에 알맞은 수를 써넣으세요.

보기
4×6 =24
```
      6
  4) 2 4
     2 4
      0
```

7× 5 =35
```
      5
  7) 3 5
     3 5
      0
```

6× 8 =48
```
      8
  6) 4 8
     4 8
      0
```

3× 9 =27
```
      9
  3) 2 7
     2 7
      0
```

5× 5 =25
```
      5
  5) 2 5
     2 5
      0
```

8× 4 =32
```
      4
  8) 3 2
     3 2
      0
```

🐻 **2** 나눗셈을 하세요.

```
      7
  2) 1 4
     1 4
      0
```
```
      8
  4) 3 2
     3 2
      0
```
```
      6
  5) 3 0
     3 0
      0
```
```
      4
  3) 1 2
     1 2
      0
```
```
      9
  8) 7 2
     7 2
      0
```
```
      4
  7) 2 8
     2 8
      0
```
```
      3
  6) 1 8
     1 8
      0
```
```
      6
  9) 5 4
     5 4
      0
```
```
      8
  2) 1 6
     1 6
      0
```
```
      9
  5) 4 5
     4 5
      0
```
```
      6
  6) 3 6
     3 6
      0
```
```
      7
  3) 2 1
     2 1
      0
```
```
      5
  8) 4 0
     4 0
      0
```
```
      2
  7) 1 4
     1 4
      0
```
```
      9
  4) 3 6
     3 6
      0
```

🐵 86÷2 알아보기

```
  2) 8 6
```
→
```
        4 0
     2) 8 6
2×40→  8 0
```
8에는 2가
최대 4번 들어감

```
       4
    2) 8 6
       8 0
          6
```
남은 수를 구함
86−80=6

```
       4 3 ←몫
    2) 8 6
       8 0
          6
          6 ← 2×3
          0 ←나머지(6−6)
```
6에는 2가
최대 3번 들어감

🚂 **3** 보기 와 같이 빈칸에 알맞은 수를 써넣으세요.

보기
```
       2 4
    2) 4 8
       4 0
          8
          8
          0
```

```
       1 2
    3) 3 6
       3 0
          6
          6
          0
```

```
       2 1
    4) 8 4
       8 0
          4
          4
          0
```

```
       3 2
    3) 9 6
       9 0
          6
          6
          0
```

```
       1 1
    5) 5 5
       5 0
          5
          5
          0
```

```
       3 1
    2) 6 2
       6 0
          2
          2
          0
```

🐻 **4** 나눗셈 실력을 점검해 보세요.

실력 평가 맞힌 개수 □개 제한 시간 **10**분

1.
```
      9
  2) 1 8
     1 8
      0
```
2.
```
      5
  3) 1 5
     1 5
      0
```
3.
```
      7
  5) 3 5
     3 5
      0
```
4.
```
      3
  4) 1 2
     1 2
      0
```
5.
```
      4
  9) 3 6
     3 6
      0
```
6.
```
      7
  8) 5 6
     5 6
      0
```
7.
```
      1 3
  3) 3 9
     3
     9
     9
     0
```
8.
```
      1 1
  6) 6 6
     6
     6
     6
     0
```
9.
```
      2 3
  2) 4 6
     4
     6
     6
     0
```
10.
```
      2 2
  4) 8 8
     8
     8
     8
     0
```
11.
```
      2 1
  3) 6 3
     6
     3
     3
     0
```
12.
```
      1 1
  9) 9 9
     9
     9
     9
     0
```
13.
```
      4 2
  2) 8 4
     8
     4
     4
     0
```
14.
```
      1 2
  4) 4 8
     4
     8
     8
     0
```

수고하셨습니다!

03 나머지가 있는 (몇십몇)÷(몇) (1)

정답 14쪽

17÷3 알아보기

잘못된 계산	바른 계산	잘못된 계산
4 3)17 나누는 수→ 12 ←3×4 5 ←나머지	5 ←몫 3)17 15 ←3×5 2 ←나머지	6 3)17 18 ←3×6
이유 (나누는 수)<(나머지)이므로 한 번 더 나눌 수 있음	17에는 3이 최대 5번 들어감	이유 17-18을 계산할 수 없음

1 안에 알맞은 수를 써넣으세요.

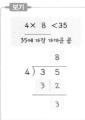

보기
4× 8 <35
35에 가장 가까운 곱
```
    8
4 ) 3 5
    3 2
    3
```

6× 4 <26
26에 가장 가까운 곱
```
    4
6 ) 2 6
    2 4
    2
```

3× 7 <22
22에 가장 가까운 곱
```
    7
3 ) 2 2
    2 1
    1
```

5× 6 <34
34에 가장 가까운 곱
```
    6
5 ) 3 4
    3 0
    4
```

8× 3 <27
27에 가장 가까운 곱
```
    3
8 ) 2 7
    2 4
    3
```

9× 8 <74
74에 가장 가까운 곱
```
    8
9 ) 7 4
    7 2
    2
```

2 나눗셈을 하세요.

```
    6          4          4
2)13       5)22       6)25
  12         20         24
   1          2          1
```

```
    6          9          6
4)27       3)29       7)47
  24         27         42
   3          2          5
```

```
    5          9          6
3)16       2)19       9)57
  15         18         54
   1          1          3
```

```
    7          7          8
6)44       4)31       8)65
  42         28         64
   2          3          1
```

```
    7          5          3
5)39       8)45       9)31
  35         40         27
   4          5          4
```

37÷3 알아보기

```
3)37   →   1 0        1          1 2 ←몫
          3)37      3)37       3)37
          3×10→3 0    3 0        3 0
                      7          7
                                 6 ←3×2
                                 1 ←나머지(7-6)
```
3에는 3이 최대 1번 들어감 | 남은 수를 구함 37-30=7 | 7에는 3이 최대 2번 들어감

3 보기와 같이 빈칸에 알맞은 수를 써넣으세요.

보기
```
    2 1
4 ) 8 6
    8 0
    6
    4
    2
```

```
    3 1
3 ) 9 4
    9 0
    4
    3
    1
```

```
    1 1
5 ) 5 8
    5 0
    8
    5
    3
```

```
    1 1
7 ) 7 8
    7 0
    8
    7
    1
```

```
    4 2
2 ) 8 5
    8 0
    5
    4
    1
```

```
    1 1
6 ) 6 9
    6 0
    9
    6
    3
```

4 보기와 같이 계산을 하고 검산해 보세요.

보기
```
        ×  8
3 ) 2 6
    2 4   2 4   2 6
    +      2
```
검산 3×8+2=26

```
        ×  7
4 ) 2 9
    2 8   2 8
    +      1
```
검산 4×7+1=29

```
        ×  4
9 ) 4 0
    3 6
    +    4
```
검산 9×4+4=40

```
    1 1
5 ) 5 9
    5 0
    9
    5
    4
```
검산 5×11+4=59

```
    1 1
6 ) 6 8
    6 0
    8
    6
    2
```
검산 6×11+2=68

```
    1 1
8 ) 8 9
    8 0
    9
    8
    1
```
검산 8×11+1=89

```
    2 2
2 ) 4 5
    4
    5
    4
    1
```
검산 2×22+1=45

```
    1 1
7 ) 7 9
    7
    9
    7
    2
```
검산 7×11+2=79

```
    3 2
3 ) 9 8
    9
    8
    6
    2
```
검산 3×32+2=98

04 나머지가 있는 (몇십몇)÷(몇) (2)

정답 15쪽

※ 54÷4 알아보기

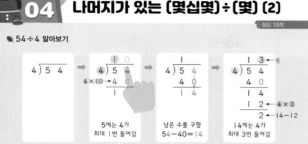

5에는 4가
최대 1번 들어감

남은 수를 구함
54−40=14

14에는 4가
최대 3번 들어감
4×3
14−12

1 보기 와 같이 빈칸에 알맞은 수를 써넣으세요.

보기
```
    1 8
3 ) 5 6
    3 0
    2 6
    2 4
      2
```

```
  2 6
2 ) 5 3
    4 0
    1 3
    1 2
      1
```

```
  1 2
5 ) 6 4
    5 0
    1 4
    1 0
      4
```

```
  1 8
4 ) 7 5
    4 0
    3 5
    3 2
      3
```

```
  1 4
6 ) 8 6
    6 0
    2 6
    2 4
      2
```

```
  1 3
7 ) 9 4
    7 0
    2 4
    2 1
      3
```

2 나눗셈을 하세요.

```
    3 6
2 ) 7 3
    6
    1 3
    1 2
      1
```

```
    1 2
5 ) 6 2
    5
    1 2
    1 0
      2
```

```
    2 8
3 ) 8 5
    6
    2 5
    2 4
      1
```

```
    1 4
4 ) 5 9
    4
    1 9
    1 6
      3
```

```
    1 2
8 ) 9 7
    8
    1 7
    1 6
      1
```

```
    1 4
6 ) 8 8
    6
    2 8
    2 4
      4
```

```
    1 2
7 ) 8 6
    7
    1 6
    1 4
      2
```

```
    1 6
3 ) 4 9
    3
    1 9
    1 8
      1
```

```
    1 5
6 ) 9 2
    6
    3 2
    3 0
      2
```

```
    1 1
8 ) 9 1
    8
    1 1
      8
      3
```

```
    3 7
2 ) 7 5
    6
    1 5
    1 4
      1
```

```
    1 7
5 ) 8 6
    5
    3 6
    3 5
      1
```

```
    1 7
3 ) 5 3
    3
    2 3
    2 1
      2
```

```
    1 3
7 ) 9 6
    7
    2 6
    2 1
      5
```

```
    1 6
4 ) 6 7
    4
    2 7
    2 4
      3
```

3 계산을 하고 검산해 보세요.

보기
```
  × 1 4
4 ) 5 7
56  4 0  57
    1 7
    1 6
  +   1
```
검산 4×14+1=57

```
  × 1 7
2 ) 3 5
    2 0
    1 5
    1 4
      1
```
검산 2×17+1=35

```
  × 2 4
3 ) 7 4
    6 0
    1 4
    1 2
      2
```
검산 3×24+2=74

```
  1 5
4 ) 6 3
    4
    2 3
    2 0
      3
```
검산 4×15+3=63

```
  1 3
7 ) 9 2
    7
    2 2
    2 1
      1
```
검산 7×13+1=92

```
  1 7
5 ) 8 9
    5
    3 9
    3 5
      4
```
검산 5×17+4=89

```
  1 3
6 ) 8 0
    6
    2 0
    1 8
      2
```
검산 6×13+2=80

```
  1 2
8 ) 9 9
    8
    1 9
    1 6
      3
```
검산 8×12+3=99

```
  1 3
4 ) 5 3
    4
    1 3
    1 2
      3
```
검산 4×13+1=53

4 나눗셈 실력을 점검해 보세요.

실력평가   맞힌 개수 ___ 개   제한 시간 10 분

```
       1 8
1. 2 ) 3 7
       2
       1 7
       1 6
         1
```

```
       1 4
2. 4 ) 5 8
       4
       1 8
       1 6
         2
```

```
       2 5
3. 3 ) 7 6
       6
       1 6
       1 5
         1
```

```
       1 3
4. 6 ) 8 3
       6
       2 3
       1 8
         5
```

```
       1 1
5. 8 ) 9 0
       8
       1 0
       8
         2
```

```
       1 7
6. 4 ) 6 9
       4
       2 9
       2 8
         1
```

```
       1 3
7. 7 ) 9 3
       7
       2 3
       2 1
         2
```

```
       3 9
8. 2 ) 7 9
       6
       1 9
       1 8
         1
```

```
       1 2
9. 6 ) 7 7
       6
       1 7
       1 2
         5
```

```
        1 1
10. 8 ) 9 4
        8
        1 4
        8
          6
```

```
        1 8
11. 3 ) 5 5
        3
        2 5
        2 4
          1
```

```
        1 8
12. 5 ) 9 3
        5
        4 3
        4 0
          3
```

```
        2 5
13. 2 ) 5 1
        4
        1 1
        1 0
          1
```

```
        1 6
14. 4 ) 6 7
        4
        2 7
        2 4
          3
```

수고하셨습니다!

05 나머지가 없는 (세 자리 수)÷(한 자리 수)

정답 16쪽

450÷3 알아보기

1 보기와 같이 빈칸에 알맞은 수를 써넣으세요.

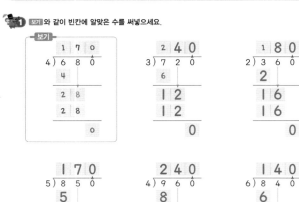

380÷5 알아보기

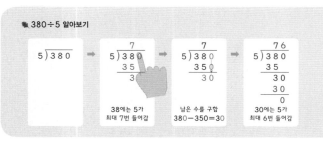

3 보기와 같이 빈칸에 알맞은 수를 써넣으세요.

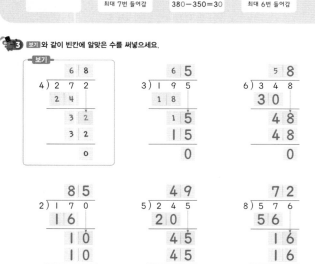

2 나눗셈을 하세요.

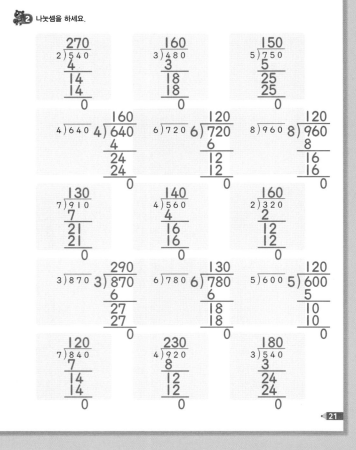

4 계산을 하고 검산해 보세요.

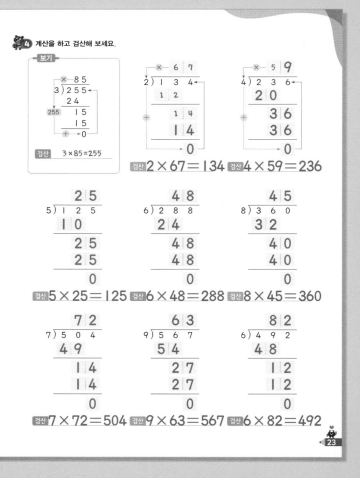

06 나머지가 있는 (세 자리 수)÷(한 자리 수)

정답 17쪽

초등 3·2

❷ 나눗셈

🔹 127÷3 알아보기

| 3)127 | → | 4
3)127
12 | → | 4
3)127
120
7 | → | 42
3)127
12
7
6
1 |

12에는 3이
최대 4번 들어감

남은 수를 구함
127−120=7

7에는 3이
최대 2번 들어감

1 보기 와 같이 빈칸에 알맞은 수를 써넣으세요.

보기
52
4)209
20
9
8
1

71
5)358
35
8
5
3

31
6)188
18
8
6
2

92
3)277
27
7
6
1

31
7)219
21
9
7
2

61
8)489
48
9
8
1

🔹 255÷4 알아보기

| 4)255 | → | 6
4)255
24
1 | → | 6
4)255
240
15 | → | 63
4)255
24
15
12
3 |

25에는 4가
최대 6번 들어감

남은 수를 구함
255−240=15

15에는 4가
최대 3번 들어감

2 보기 와 같이 □ 안에 알맞은 수를 써넣으세요.

보기
79
3)239
21
29
27
2

56
4)227
20
27
24
3

48
6)290
24
50
48
2

85
5)429
40
29
25
4

67
7)471
42
51
49
2

74
8)595
56
35
32
3

3 계산을 하고 검산해 보세요.

보기
×25
7)178
14
175 38 178
35
3

검산 7×25+3=178

×76
2)153
14
13
12
1

검산 2×76+1=153

×65
5)327
30
27
25
2

검산 5×65+2=327

89
4)359
32
39
36
3

검산 4×89+3=359

42
7)298
28
18
14
4

검산 7×42+4=298

65
3)197
18
17
15
2

검산 3×65+2=197

84
6)509
48
29
24
5

검산 6×84+5=509

62
9)561
54
21
18
3

검산 9×62+3=561

53
8)426
40
26
24
2

검산 8×53+2=426

4 나눗셈 실력을 점검해 보세요.

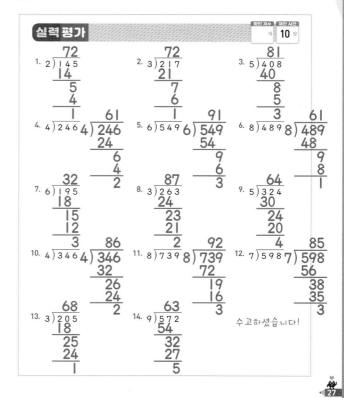

실력 평가 맞힌 개수 개 제한 시간 10분

1. 72
2)145
14
5
4
1

2. 72
3)217
21
7
6
1

3. 81
5)408
40
8
5
3

4. 61
4)246
24
6
4
2

5. 91
6)549
54
9
6
3

6. 61
8)489
48
9
8
1

7. 32
6)195
18
15
12
3

8. 87
3)263
24
23
21
2

9. 64
5)324
30
24
20
4

10. 86
4)346
32
26
24
2

11. 92
8)739
72
19
16
3

12. 85
7)598
56
38
35
3

13. 3)205
18
25
24
1

14. 9)572
54
32
27
5

수고하셨습니다!

07 나눗셈 연습

정답 18쪽

1 안에 알맞은 수를 써넣으세요.

40 → ÷2 → 20　　60 → ÷3 → 20

80 → ÷4 → 20　　50 → ÷5 → 10

24 → ÷6 → 4　　64 → ÷8 → 8

49 → ÷7 → 7　　45 → ÷5 → 9

63 → ÷9 → 7　　99 → ÷3 → 33

46 → ÷2 → 23　　84 → ÷4 → 21

77 → ÷7 → 11　　62 → ÷2 → 31

2 안에 몫을 써넣고, 안에 나머지를 써넣으세요.

÷			
22	4	5	2
17	3	5	2

÷			
17	2	8	1
45	6	7	3

÷			
37	5	7	2
59	8	7	3

÷			
24	7	3	3
64	9	7	1

÷			
56	6	9	2
33	4	8	1

÷			
43	2	21	1
68	3	22	2

÷			
57	5	11	2
89	6	14	5

÷			
47	3	15	2
79	7	11	2

÷			
67	4	16	3
94	3	31	1

÷			
65	2	32	1
87	4	21	3

3 나눗셈 실력을 점검해 보세요.

실력 평가　맞힌 개수 [ ]개　제한 시간 15분

1. 2)35 = 17 … 1
2. 4)63 = 15 … 3
3. 5)67 = 13 … 2
4. 3)52 = 17 … 1
5. 6)98 = 16 … 2
6. 7)89 = 12 … 5
7. 3)750 = 250
8. 2)340 = 170
9. 5)650 = 130
10. 4)560 = 140
11. 6)270 = 45
12. 7)581 = 83
13. 9)396 = 44
14. 4)188 = 47
15. 2)192 = 96
16. 5)206 = 41 … 1
17. 3)275 = 91 … 2
18. 8)409 = 51 … 1
19. 6)428 = 71 … 2
20. 7)569 = 81 … 2
21. 4)369 = 92 … 1
22. 3)236 = 78 … 2
23. 2)173 = 86 … 1
24. 3)268 = 89 … 1
25. 5)434 = 86 … 4

수고하셨습니다!

도전! 응용 문제

정답 19쪽

유형 1

사과 ⓒ63개를 상자 ③개에 똑같이 나누어 담으려고 합니다. 한 상자에 몇 개씩 담아야 할까요?

■▶ 주어진 수에 ○표 하고, 구하는 것에 밑줄 치기

전체 사과의 수: 63 개, 상자의 수: 3 개

■▶ 문제 해결하기

전체 사과의 수를 상자의 수로 (곱합니다, (나눕니다)).

■▶ 문제 풀기

(한 상자에 담아야 하는 사과의 수)=(전체 사과의 수)÷(상자의 수)

= 63 ÷ 3 = 21 (개)

■▶ 답 쓰기

한 상자에 담아야 하는 사과의 수는 21 개입니다.

유형+ 1

구슬 ⓒ138개를 ⓒ6명이 똑같이 나누어 가지려고 합니다. 한 사람이 몇 개씩 가져야 할까요?

■▶ 주어진 수에 ○표 하고, 구하는 것에 밑줄 치기

전체 구슬의 수: 138 개, 나누어 가질 사람 수: 6 명

■▶ 문제 해결하기

전체 구슬의 수를 사람 수로 (곱합니다, (나눕니다)).

■▶ 문제 풀기

(한 사람이 가질 구슬의 수)=(전체 구슬의 수)÷(사람 수)

= 138 ÷ 6 = 23 (개)

■▶ 답 쓰기

한 사람이 가질 구슬의 수는 23 개입니다.

32

유형 2

사탕 ⓒ52개를 ⓒ7개의 봉지에 똑같이 나누어 담았습니다. 한 봉지에 사탕을 몇 개씩 담을 수 있고, 남는 사탕은 몇 개일까요?

■▶ 주어진 수에 ○표 하고, 구하는 것에 밑줄 치기

전체 사탕의 수: 52 개, 봉지의 수: 7 개

■▶ 문제 해결하기

전체 사탕의 수를 봉지의 수로 (곱합니다, (나눕니다)).

■▶ 문제 풀기

(한 봉지에 담을 수 있는 사탕의 수)=(전체 사탕의 수)÷(봉지의 수)

= 52 ÷ 7 = 7 … 3

■▶ 답 쓰기

한 봉지에 담을 수 있는 사탕의 수는 7 개이고, 남는 사탕은 3 개입니다.

유형+ 2

색 테이프 ⓒ8cm로 리본 한 개를 만들 수 있습니다. 색 테이프 ⓒ260cm로 리본을 몇 개 만들 수 있고, 남는 색 테이프는 몇 cm일까요?

■▶ 주어진 수에 ○표 하고, 구하는 것에 밑줄 치기

전체 색 테이프의 길이: 260 cm, 리본 한 개를 만드는 데 필요한 길이: 8 cm

■▶ 문제 해결하기

전체 색 테이프의 길이를 리본 한 개를 만드는 데 필요한 길이로 (곱합니다, (나눕니다)).

■▶ 문제 풀기

(만들 수 있는 리본의 수)=(전체 색 테이프의 길이)÷(리본 한 개를 만드는 데 필요한 길이)

= 260 ÷ 8 = 32 … 4

■▶ 답 쓰기

만들 수 있는 리본의 수는 32 개이고, 남는 색 테이프는 4 cm입니다.

33

● 안에 알맞은 수를 써넣고 답을 구하세요.

1 Drill

지호네 반은 28명입니다. 4명씩 모둠을 만들면 몇 모둠이 될까요?

풀이 (만든 모둠의 수)=(전체 학생의 수)÷(한 모둠의 학생 수)

= 28 ÷ 4 = 7 (모둠)

주어진 수에 ○표 하고, 구하는 것에 밑줄 짝!

답 **7** 모둠

2 Drill

준우는 185쪽짜리 수학 문제집을 하루에 5쪽씩 풀려고 합니다. 준우가 수학 문제집을 모두 풀려면 며칠이 걸릴까요?

풀이 (푸는 데 걸리는 날수)=(전체 쪽수)÷(하루에 푸는 쪽수)

= 185 ÷ 5 = 37 (일)

답 **37** 일

3 Drill

쿠키 95개를 7명에게 똑같이 나누어 주려고 합니다. 한 사람에게 몇 개씩 나누어 줄 수 있고, 남는 쿠키는 몇 개일까요?

풀이 (나누어 줄 쿠키의 수)=(전체 쿠키의 수)÷(사람 수)

= 95 ÷ 7 = 13 … 4

답 **13** 개, 남는 쿠키의 수: **4** 개

4 Drill

사과 203개를 한 상자에 8개씩 담으려고 합니다. 사과 203개를 모두 담으려면 상자는 몇 개가 필요할까요?

풀이 (필요한 상자의 수)=(전체 사과의 수)÷(한 상자에 담는 사과의 수)

= 203 ÷ 8 = 25 … 3

나머지 3 개도 상자에 담아야 하므로 상자는 모두 26 상자가 필요합니다.

답 **26** 상자

34

● 서술형 문제를 읽고 풀이 과정과 답을 쓰세요.

도전 **①**

책 84권을 책꽂이 4칸에 똑같이 나누어 꽂으려고 합니다. 한 칸에 책을 몇 권씩 꽂아야 할까요?

예 풀이 (한 칸에 꽂는 책의 수)＝(전체 책의 수)÷(책꽂이 칸의 수)

＝84÷4＝21(권)

답 **21**권

도전 **②**

연필 162자루가 있습니다. 한 명당 연필을 6자루씩 나누어 주면 몇 명에게 나누어 줄 수 있을까요?

예 풀이 (나누어 줄 사람의 수)

＝(전체 연필의 수)÷(한 명당 주는 연필 수)

＝162÷6＝27(명)

답 **27**명

도전 **③**

꽃 78송이를 꽃병 한 개에 5송이씩 꽂으려고 합니다. 꽃병에 꽂고 남은 꽃은 몇 송이일까요?

예 풀이 (꽃을 수 있는 꽃병의 수)

＝(전체 꽃의 수)÷(한 병당 꽂는 꽃의 수)

＝78÷5＝15…3

답 **3**송이

도전 **④**

자전거 바퀴가 794개 있습니다. 이 바퀴로 만들 수 있는 세발자전거는 몇 대일까요?

예 풀이 (만들 수 있는 세발자전거 수)

＝(전체 바퀴 수)÷(세발자전거 한 대의 바퀴 수)

＝794÷3＝264…2

답 **264**대

35

정답 20쪽 분 점수 점

01 □안에 알맞은 수를 써넣으세요.

$3 \times 30 = 90$

$$3 \overline{)\begin{array}{c} 3\ 0 \\ 9\ 0 \\ \hline 9\ 0 \\ \hline 0 \end{array}}$$

02 나눗셈을 하세요.

(1) $20 \div 2 = 10$

(2) $40 \div 2 = 20$

(3) $60 \div 2 = 30$

(4) $90 \div 3 = 30$

(5) $80 \div 4 = 20$

03 □안에 알맞은 수를 써넣으세요.

$7 \times 8 = 56$

$$7 \overline{)\begin{array}{c} 8 \\ 5\ 6 \\ \hline 5\ 6 \\ \hline 0 \end{array}}$$

04 빈칸에 알맞은 수를 써넣으세요.

$$3 \overline{)\begin{array}{c} 2\ 3 \\ 6\ 9 \\ \hline 6 \\ \hline 9 \\ 9 \\ \hline 0 \end{array}}$$

05 나눗셈을 하세요.

(1)
$$8 \overline{)\begin{array}{c} 6 \\ 4\ 8 \\ \hline 4\ 8 \\ \hline 0 \end{array}}$$

(2)
$$2 \overline{)\begin{array}{c} 4\ 3 \\ 8\ 6 \\ \hline 8 \\ \hline 6 \\ 6 \\ \hline 0 \end{array}}$$

06 □안에 알맞은 수를 써넣으세요.

$6 \times 7 < 46$

46에 가장 가까운 곱

$$6 \overline{)\begin{array}{c} 7 \\ 4\ 6 \\ \hline 4\ 2 \\ \hline 4 \end{array}}$$

07 빈칸에 알맞은 수를 써넣으세요.

$$4 \overline{)\begin{array}{c} 2\ 1 \\ 8\ 5 \\ \hline 8 \\ \hline 5 \\ 4 \\ \hline 1 \end{array}}$$

08 계산을 하고 검산해 보세요.

$$3 \overline{)\begin{array}{c} 7 \\ 2\ 3 \\ \hline 2\ 1 \\ \hline 2 \end{array}}$$

검산 $3 \times 7 + 2 = 23$

09 나눗셈을 하세요.

(1)
$$7 \overline{)\begin{array}{c} 5 \\ 3\ 8 \\ \hline 3\ 5 \\ \hline 3 \end{array}}$$

(2)
$$5 \overline{)\begin{array}{c} 1\ 1 \\ 5\ 6 \\ \hline 5 \\ \hline 6 \\ 5 \\ \hline 1 \end{array}}$$

10 빈칸에 알맞은 수를 써넣으세요.

$$6 \overline{)\begin{array}{c} 1\ 4 \\ 8\ 7 \\ \hline 6 \\ \hline 2\ 7 \\ 2\ 4 \\ \hline 3 \end{array}}$$

11 계산을 하고 검산해 보세요.

$$3 \overline{)\begin{array}{c} 2\ 4 \\ 7\ 4 \\ \hline 6 \\ \hline 1\ 4 \\ 1\ 2 \\ \hline 2 \end{array}}$$

검산 $3 \times 24 + 2 = 74$

12 나눗셈을 하세요.

$$6 \overline{)\begin{array}{c} 1\ 4 \\ 8\ 7 \\ \hline 6 \\ \hline 2\ 7 \\ 2\ 4 \\ \hline 3 \end{array}}$$

13 빈칸에 알맞은 수를 써넣으세요.

$$5 \overline{)\begin{array}{c} 1\ 9\ 0 \\ 9\ 5\ 0 \\ \hline 5 \\ \hline 4\ 5 \\ 4\ 5 \\ \hline 0 \end{array}}$$

14 나눗셈을 하세요.

(1)
$$5 \overline{)\begin{array}{c} 1\ 4\ 0 \\ 7\ 0\ 0 \\ \hline 5 \\ \hline 2\ 0 \\ 2\ 0 \\ \hline 0 \end{array}}$$

(2)
$$7 \overline{)\begin{array}{c} 1\ 4\ 0 \\ 9\ 8\ 0 \\ \hline 7 \\ \hline 2\ 8 \\ 2\ 8 \\ \hline 0 \end{array}}$$

15 빈칸에 알맞은 수를 써넣으세요.

$$8 \overline{)\begin{array}{c} 6\ 4 \\ 5\ 1\ 2 \\ \hline 4\ 8 \\ \hline 3\ 2 \\ 3\ 2 \\ \hline 0 \end{array}}$$

16 빈칸에 알맞은 수를 써넣으세요.

$$4 \overline{)\begin{array}{c} 7\ 1 \\ 2\ 8\ 7 \\ \hline 2\ 8 \\ \hline 7 \\ 4 \\ \hline 3 \end{array}}$$

17 □안에 알맞은 수를 써넣으세요.

$$7 \overline{)\begin{array}{c} 6\ 3 \\ 4\ 4\ 3 \\ \hline 4\ 2 \\ \hline 2\ 3 \\ 2\ 1 \\ \hline 2 \end{array}}$$

18 계산을 하고 검산해 보세요.

$$9 \overline{)\begin{array}{c} 7\ 4 \\ 6\ 6\ 9 \\ \hline 6\ 3 \\ \hline 3\ 9 \\ 3\ 6 \\ \hline 3 \end{array}}$$

검산 $9 \times 74 + 3 = 669$

19 □안에 알맞은 수를 써넣으세요.

(1) $72 \rightarrow \boxed{\div 3} \rightarrow 24$

(2) $375 \rightarrow \boxed{\div 5} \rightarrow 75$

20 □안에 몫을 써넣고, □안에 나머지를 써넣으세요.

(1)
	÷		
71	4	17	3
82	6	13	4

(2)
	÷		
516	7	73	5
371	8	46	3

1 ☐ 안에 알맞은 수를 써넣으세요.

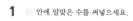

10배

$8 \div 2 = 4 \Rightarrow 80 \div 2 = 40$

10배

2 관계있는 것끼리 선으로 이어 보세요.

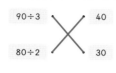

90÷3   40

80÷2   30

60÷3 —— 20

3 나눗셈을 하세요.

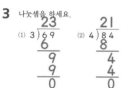

(1)
```
   23
3)69
  6
  9
  9
  0
```

(2)
```
   21
4)84
  8
  4
  4
  0
```

4 계산을 보고 몫과 나머지를 쓰세요.

```
   9
8)75
  72
   3
```
몫 (9)
나머지 (3)

5 빈칸에 알맞은 수를 써넣으세요.

나눗셈식	몫	나머지
46÷5	9	1
51÷7	7	2
62÷8	7	6

6 다음 수를 6으로 나눈 몫은 얼마일까요?

10이 9개인 수

(15)

7 큰 수를 작은 수로 나눈 몫을 빈 곳에 써넣으세요.

88	4

22

8 몫이 24인 것을 찾아 ○표 하세요.

92÷4   72÷3   95÷5
=23   =24   =19
( )   (○)   ( )

9 ☐ 안에 알맞은 수를 써넣으세요.
```
     95
4)382
  36
   22
   20
    2
```

10 ☐ 안에 몫을 써넣고, ○ 안에 나머지를 써넣으세요.

÷

128	5	25	3
371	6	61	5
442	8	55	2

11 ㉠과 ㉡의 차를 구하세요.

147÷7=㉠
60÷4=㉡

㉠=21
㉡=15   (6)

12 나머지가 5가 될 수 없는 나눗셈식은 어느 것일까요? (①)

① ☐÷5   ② ☐÷6

③ ☐÷7   ④ ☐÷8

⑤ ☐÷9

13 나눗셈식의 몫과 나머지의 차를 구하세요.

320÷7

몫: 45
나머지: 5   (40)

14 몫이 가장 큰 것부터 차례로 기호를 쓰세요.

=12   =14
㉠ 60÷5   ㉡ 70÷5
㉢ 80÷4   ㉣ 90÷6
=20   =15

(㉢, ㉣, ㉡, ㉠)

15 나머지가 가장 작은 것부터 차례로 ○ 안에 1, 2, 3을 써넣으세요.

429÷5 ③
=85…4

442÷8 ①
=55…2

375÷6 ②
=62…3

16 ☐ 안에 알맞은 수를 써넣으세요.

98÷8=12…2

17 몫과 나머지의 합이 가장 큰 나눗셈식을 찾아 기호를 쓰세요.

㉠ 84÷9=9…3
㉡ 38÷3=12…2
㉢ 61÷5=12…1

(㉡)

18 사탕이 한 묶음에 10개씩 7묶음 있습니다. 한 명에게 5개씩 나누어 준다면 몇 명에게 나누어 줄 수 있을까요?

(14)명

19 계산을 하고 검산해 보세요.
```
     82
6)496
  48
   16
   12
    4
```
검산 6×82+4=496

20 구슬 50개를 4명에게 똑같이 나누어 주려고 합니다. 구슬이 남지 않도록 나누어 주려면 적어도 몇 개가 더 필요한지 풀이 과정을 쓰고 답을 구하세요.

예 풀이 50÷4=12…2이므로
4-2=2(개)의 구슬이 더
있으면 남김없이 줄 수
있습니다. 답 2개

01 원의 중심, 반지름, 지름

정답 22쪽

초등 3-2
③ 원

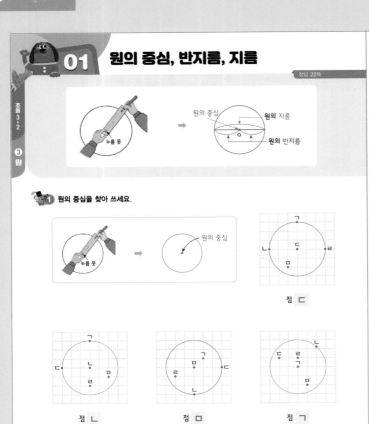

1 원의 중심을 찾아 쓰세요.

점 ㄷ

점 ㄴ

점 ㅁ

점 ㄱ

2 원의 반지름을 모두 찾아 쓰세요.

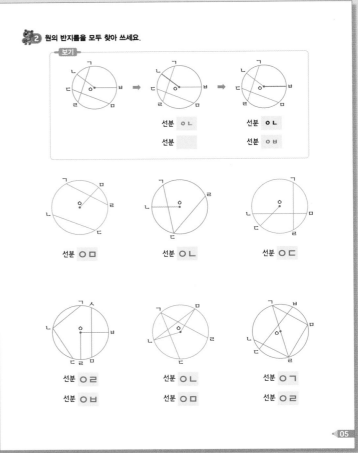

보기

선분 ㅇㄴ · · · 선분 ㅇㄴ

선분 ㅇㅂ

선분 ㅇㅁ

선분 ㅇㄴ

선분 ㅇㄷ

선분 ㅇㄹ

선분 ㅇㄴ

선분 ㅇㄱ

선분 ㅇㅂ

선분 ㅇㅁ

선분 ㅇㄹ

3 원의 지름을 모두 찾아 쓰세요.

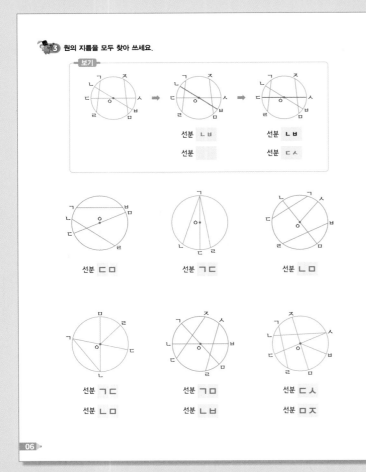

보기

선분 ㄴㅂ · · · 선분 ㄴㅂ

선분 ㄷㅅ

선분 ㄷㅅ

선분 ㄷㅁ

선분 ㄱㄷ

선분 ㄴㅁ

선분 ㄱㄷ

선분 ㄱㅁ

선분 ㄷㅅ

선분 ㄴㅁ

선분 ㄴㅂ

선분 ㅁㅈ

4 ㅁ 안에 알맞은 수를 써넣고, 알 수 있는 사실에서 알맞은 말을 찾아 ○표 하세요.

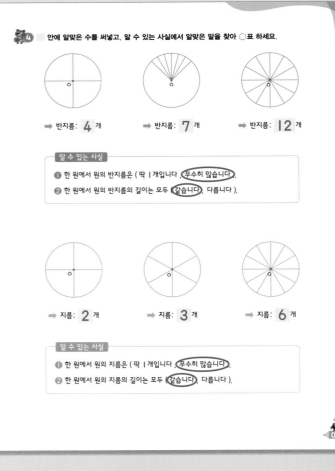

➡ 반지름: **4** 개

➡ 반지름: **7** 개

➡ 반지름: **12** 개

알 수 있는 사실

❶ 한 원에서 원의 반지름은 (딱 1개입니다, 무수히 많습니다).

❷ 한 원에서 원의 반지름의 길이는 모두 (같습니다, 다릅니다).

➡ 지름: **2** 개

➡ 지름: **3** 개

➡ 지름: **6** 개

알 수 있는 사실

❶ 한 원에서 원의 지름은 (딱 1개입니다, 무수히 많습니다).

❷ 한 원에서 원의 지름의 길이는 모두 (같습니다, 다릅니다).

02 원의 성질

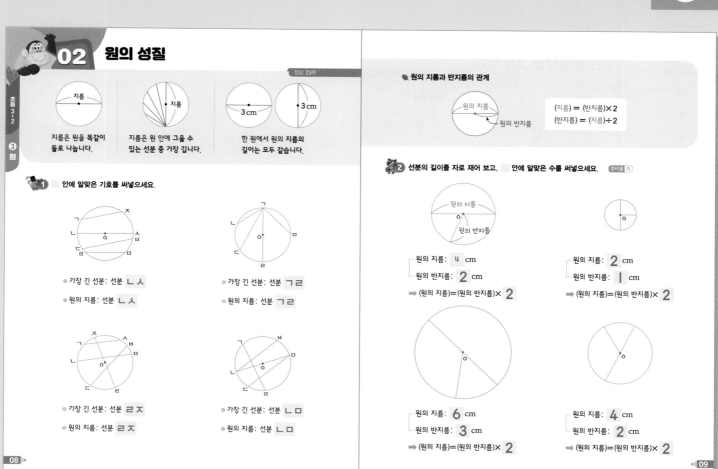

지름은 원을 똑같이 둘로 나눕니다.

지름은 원 안에 그을 수 있는 선분 중 가장 깁니다.

한 원에서 원의 지름의 길이는 모두 같습니다.

1 ☐ 안에 알맞은 기호를 써넣으세요.

∘ 가장 긴 선분: 선분 ㄴ ㅅ
∘ 원의 지름: 선분 ㄴ ㅅ

∘ 가장 긴 선분: 선분 ㄱ ㄹ
∘ 원의 지름: 선분 ㄱ ㄹ

∘ 가장 긴 선분: 선분 ㄹ ㅈ
∘ 원의 지름: 선분 ㄹ ㅈ

∘ 가장 긴 선분: 선분 ㄴ ㅁ
∘ 원의 지름: 선분 ㄴ ㅁ

원의 지름과 반지름의 관계

(지름) = (반지름)×2
(반지름) = (지름)÷2

2 선분의 길이를 자로 재어 보고, ☐ 안에 알맞은 수를 써넣으세요.

원의 지름: **4** cm
원의 반지름: **2** cm
➡ (원의 지름)=(원의 반지름)× **2**

원의 지름: **2** cm
원의 반지름: **1** cm
➡ (원의 지름)=(원의 반지름)× **2**

원의 지름: **6** cm
원의 반지름: **3** cm
➡ (원의 지름)=(원의 반지름)× **2**

원의 지름: **4** cm
원의 반지름: **2** cm
➡ (원의 지름)=(원의 반지름)× **2**

3 원의 반지름은 몇 cm인지 구해 보세요.

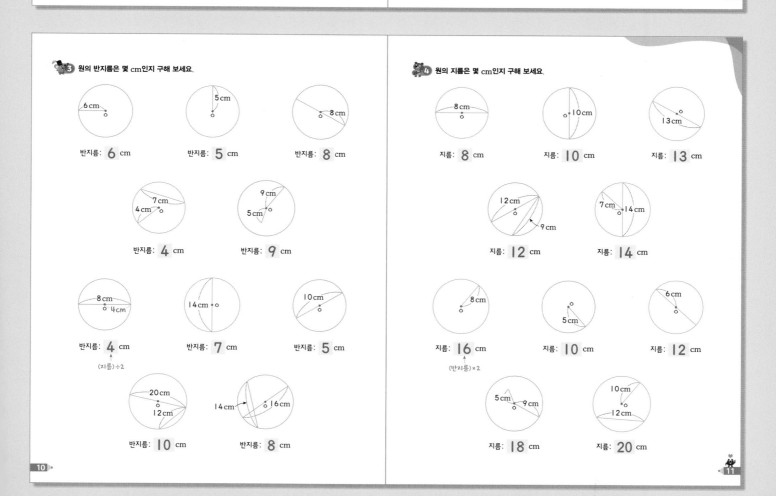

반지름: **6** cm

반지름: **5** cm

반지름: **8** cm

반지름: **4** cm

반지름: **9** cm

반지름: **4** cm
(지름)÷2

반지름: **7** cm

반지름: **5** cm

반지름: **10** cm

반지름: **8** cm

4 원의 지름은 몇 cm인지 구해 보세요.

지름: **8** cm

지름: **10** cm

지름: **13** cm

지름: **12** cm

지름: **14** cm

지름: **16** cm
(반지름)×2

지름: **10** cm

지름: **12** cm

지름: **18** cm

지름: **20** cm

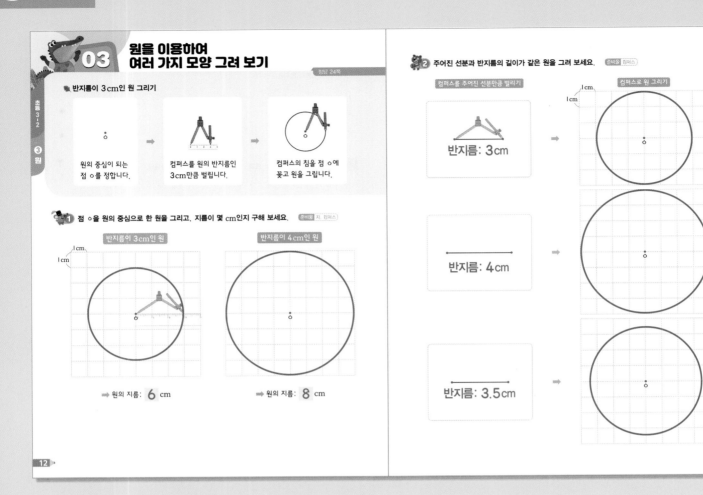

03 원을 이용하여 여러 가지 모양 그려 보기

정답 24쪽

반지름이 3cm인 원 그리기

원의 중심이 되는 점 ○를 정합니다.

컴퍼스를 원의 반지름인 3cm만큼 벌립니다.

컴퍼스의 침을 점 ○에 꽂고 원을 그립니다.

1 점 ○을 원의 중심으로 한 원을 그리고, 지름이 몇 cm인지 구해 보세요. 준비물 자, 컴퍼스

반지름이 3cm인 원
⇒ 원의 지름: **6** cm

반지름이 4cm인 원
⇒ 원의 지름: **8** cm

2 주어진 선분과 반지름의 길이가 같은 원을 그려 보세요. 준비물 컴퍼스

컴퍼스를 주어진 선분만큼 벌리기 | 컴퍼스로 원 그리기

반지름: 3cm

반지름: 4cm

반지름: 3.5cm

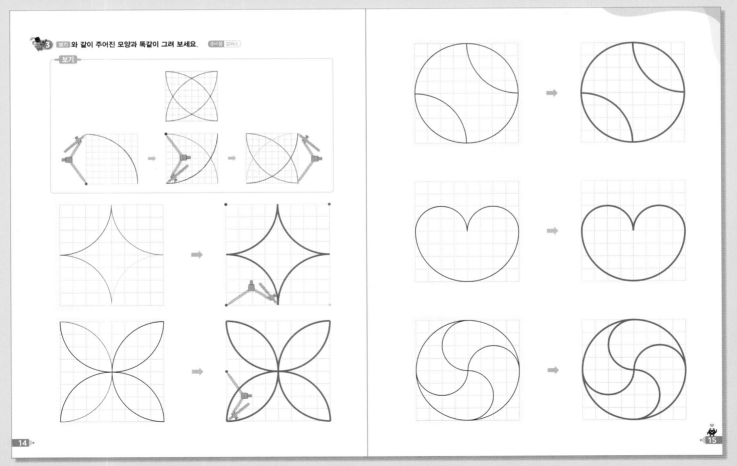

3 보기와 같이 주어진 모양과 똑같이 그려 보세요. 준비물 컴퍼스

보기

도전! 응용 문제

정답 25쪽

큰 원의 지름 구하기

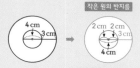

4÷2=2(cm)   2+3=5(cm)   5×2=10(cm)

예제 ❶ 큰 원의 지름은 몇 cm인지 구해 보세요.

18 cm   └ 9×2

16 cm   **14** cm

12 cm   **16** cm   **20** cm

16

예제 ❷ 작은 원의 지름은 몇 cm인지 구해 보세요.

보기

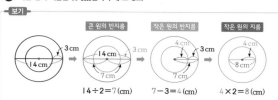

14÷2=7(cm)   7−3=4(cm)   4×2=8(cm)

12 cm   **18** cm   **10** cm

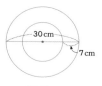 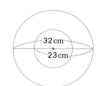

16 cm   **4** cm   **14** cm

17

선분 ㄱㄹ의 길이 구하기

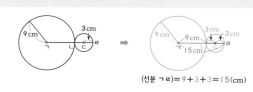

(선분 ㄱㄹ)=9+3+3=15(cm)

예제 ❸ 선분 ㄱㄷ의 길이는 몇 cm인지 구해 보세요.

➡ (선분 ㄱㄷ)= **17** cm   ➡ (선분 ㄱㄷ)= **16** cm

➡ (선분 ㄱㄷ)= **14** cm   ➡ (선분 ㄱㄷ)= **9** cm

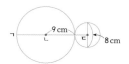

➡ (선분 ㄱㄷ)= **22** cm   ➡ (선분 ㄱㄷ)= **25** cm

18

예제 ❹ 주어진 선분의 길이는 몇 cm인지 구해 보세요.

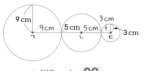 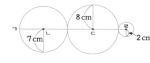

➡ (선분 ㄱㄷ)= **22** cm   ➡ (선분 ㄱㄹ)= **32** cm

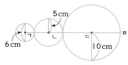

➡ (선분 ㄱㄹ)= **34** cm   ➡ (선분 ㄱㄷ)= **21** cm

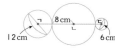 

➡ (선분 ㄱㄷ)= **17** cm   ➡ (선분 ㄱㄹ)= **33** cm

➡ (선분 ㄱㄷ)= **25** cm   ➡ (선분 ㄱㄷ)= **22** cm

19

형성 평가

정답 26쪽

01 안에 알맞은 말을 써넣으세요.

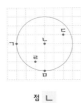

원의 **지름**
원의 **중심**
원의 **반지름**

02 원의 중심을 찾아 쓰세요.

점 **ㄴ**

03 원의 반지름을 모두 찾아 쓰세요.

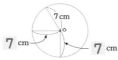

선분 **ㅇㄱ**, 선분 **ㅇㄷ**

04 원의 지름을 모두 찾아 쓰세요.

선분 **ㄴㅂ**, 선분 **ㄹㅅ**

05 주어진 선분의 길이를 재어 안에 알맞은 수를 쓰고, 알맞은 말을 찾아 ○표 하세요.

선분 ㅇㄱ : **2** cm
선분 ㅇㄴ : **2** cm
선분 ㅇㄷ : **2** cm

한 원에서 원의 반지름의 길이는 모두 (**같습니다**, 다릅니다).

06 주어진 선분의 길이를 재어 안에 알맞은 수를 쓰고, 알맞은 말을 찾아 ○표 하세요.

선분 ㄱㄷ : **4** cm
선분 ㄴㄹ : **4** cm

한 원에서 원의 지름의 길이는 모두 (**같습니다**, 다릅니다).

07 안에 알맞은 기호를 써넣으세요.

· 가장 긴 선분: 선분 **ㄷㅁ**
· 원의 지름: 선분 **ㄷㅁ**

08 선분의 길이를 자로 재어 보고, 안에 알맞은 수를 써넣으세요.

원의 지름 : **2** cm
원의 반지름 : **l** cm

➡ (원의 지름)=(원의 반지름)× **2**

09 원에 대한 설명으로 틀린 것을 찾아 기호를 쓰세요.

㉠ 한 원에서 원의 중심은 1개입니다.
㉡ 한 원에서 지름은 반지름의 2배입니다.
㉢ 원 안에 그을 수 있는 선분 중 가장 긴 선분은 반지름입니다.

(**㉢**)

10 컴퍼스를 이용하여 원을 그리는 순서대로 번호를 쓰세요.

(**2**) (**l**) (**3**)

[11~13] 안에 알맞은 수를 써넣으세요.

11

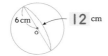

7 cm
7 cm

12

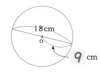

12 cm

13

9 cm

14 크기가 다른 원을 찾아 기호를 쓰세요.

㉠ 반지름이 5cm인 원
㉡
5cm
㉢ 지름이 10cm인 원
㉣ 컴퍼스를 5cm만큼 벌려서 그린 원

(**㉡**)

15 원의 반지름과 지름은 각각 몇 cm일까요?

7cm

반지름: **7** cm
지름: **14** cm

16 점 ㅇ을 원의 중심으로 한 원을 그리고, 지름이 몇 cm인지 구해 보세요.

반지름이 3cm인 원

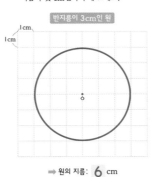

➡ 원의 지름: **6** cm

17 주어진 선분과 반지름의 길이가 같은 원을 그려 보세요.

반지름: 4cm

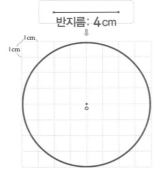

18 지름이 6cm인 원을 그려 보세요.

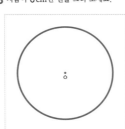

19 가장 작은 원부터 차례대로 번호를 쓰세요.

① 지름이 3cm인 원
② 반지름이 5cm인 원
③ 반지름이 2cm인 원
④ 지름이 6cm인 원

①, ③, ④, ②

20 주어진 모양과 똑같이 그려 보세요.

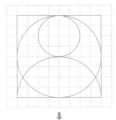

↓

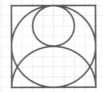

단원평가 3. 원 정답 27쪽

1 원의 중심을 찾아 쓰세요.

점 ㄴ

2 누름 못을 원의 중심으로 하고 반지름이 가장 짧은 원을 그리려고 합니다. 연필을 어느 곳에 꽂아야 할까요?

(⑤)

3 원의 반지름과 지름을 찾아 기호를 쓰세요.

반지름 (ㄱ)
지름 (ㄷ)

4 ▨ 안에 알맞은 수를 써넣으세요.

(1)
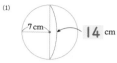
14 cm

(2)
6 cm

5 원의 지름에 대하여 바르게 설명한 것은 어느 것일까요? (⑤)

① 원 위의 두 점을 이은 선분입니다.
② 한 원에는 지름이 1개 있습니다.
③ 지름은 반지름의 3배입니다.
④ 원의 중심에서 원 위의 한 점까지의 거리입니다.
⑤ 원 위의 두 점을 이은 선분 중 길이가 가장 깁니다.

6 컴퍼스를 이용하여 반지름이 7 cm인 원을 그리려고 합니다. 그리는 순서대로 기호를 쓰세요.

㉠ 컴퍼스를 원의 반지름인 7 cm만큼 벌립니다.
㉡ 원의 중심이 되는 점 ㅇ을 정합니다.
㉢ 컴퍼스의 침을 점 ㅇ에 꽂고 원을 그립니다.

(㉡, ㉠, ㉢)

7 컴퍼스를 그림과 같이 벌려서 원을 그렸습니다. 그린 원의 반지름은 몇 cm일까요?

(6) cm

8 컴퍼스를 이용하여 지름이 18 cm인 원을 그리려고 합니다. 컴퍼스의 침과 연필 사이의 길이를 몇 cm가 되도록 벌려야 할까요?

(9) cm

9 원의 중심을 옮기지 않고 반지름을 다르게 하여 그린 것은 어느 것일까요?
(③)

10 주어진 모양과 똑같이 그려 보세요.

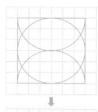

---

11 가장 큰 원을 찾아 기호를 쓰세요.

㉠ 반지름이 8 cm인 원
㉡ 반지름이 9 cm인 원
㉢ 지름이 14 cm인 원
㉣ 지름이 17 cm인 원

(㉡)

12 한 변의 길이가 16 cm인 정사각형 안에 가장 큰 원을 그렸습니다. 이 원의 반지름은 몇 cm일까요?

(8) cm

13 크기가 같은 원 2개를 겹치지 않게 이어 붙였습니다. 선분 ㄱㄴ의 길이는 몇 cm일까요?

(16) cm

14 점 ㅇ을 중심으로 하는 큰 원의 지름은 몇 cm일까요?

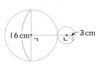

(24) cm

15 그림과 같은 모양을 그리기 위하여 컴퍼스의 침을 꽂아야 할 곳은 모두 몇 군데일까요?

(1)

2 군데

(2)
4 군데

16 선분 ㄱㄴ의 길이는 몇 cm일까요?

(11) cm

17 반지름이 27 cm인 원 안에 그림과 같이 크기가 같은 3개의 작은 원을 그렸습니다. 작은 원의 반지름은 몇 cm일까요?

(9) cm

18 삼각형 ㄱㄴㅇ의 세 변의 길이의 합이 36 cm일 때, 원의 반지름은 몇 cm일까요?

(10) cm
(선분 ㅇㄱ)＋(선분 ㅇㄴ)
＝36－16＝20(cm) → 20÷2＝10(cm)

19 선분 ㄱㅁ의 길이는 몇 cm인지 풀이 과정을 쓰고 답을 구하세요.

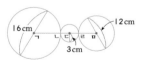

예 풀이 (선분 ㄱㅁ의 길이)
＝(선분 ㄱㄴ)＋(선분 ㄴㄹ)
＋(선분 ㄹㅁ)＝8＋6＋6
＝20(cm)

답 20 cm

20 한 원의 반지름이 7 cm인 원을 그림과 같이 겹치지 않게 이어 붙여 놓고, 네 원의 중심을 이어 사각형을 만들었습니다. 만든 사각형의 네 변의 길이의 합은 몇 cm일까요?

(56) cm
7×8＝56(cm)

01 분수로 나타내기

정답 28쪽

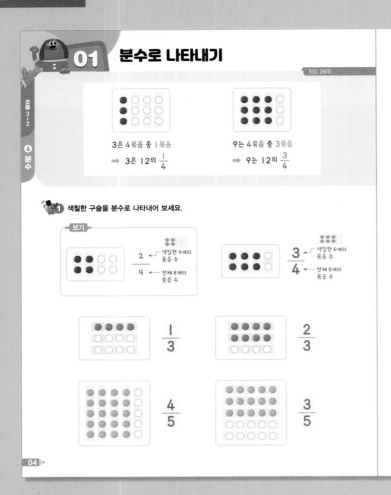

3은 4묶음 중 1묶음
➡ 3은 12의 $\dfrac{1}{4}$

9는 4묶음 중 3묶음
➡ 9는 12의 $\dfrac{3}{4}$

1 색칠한 구슬을 분수로 나타내어 보세요.

보기

색칠한 4개의 묶음 수 → $\dfrac{2}{4}$ ← 전체 8개의 묶음 수

색칠한 6개의 묶음 수 → $\dfrac{3}{4}$ ← 전체 8개의 묶음 수

$\dfrac{1}{3}$

$\dfrac{2}{3}$

$\dfrac{4}{5}$

$\dfrac{3}{5}$

2 구슬이 몇 묶음인지 알아보고 분수로 나타내어 보세요.

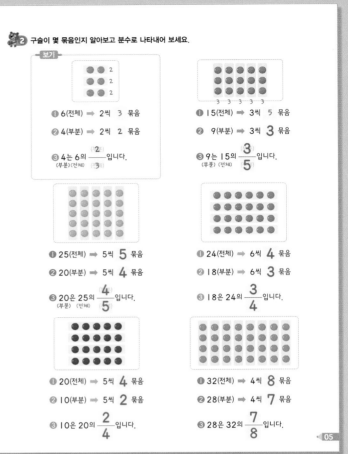

보기

❶ 6(전체) ➡ 2씩 3 묶음
❷ 4(부분) ➡ 2씩 2 묶음
❸ 4는 6의 $\dfrac{2}{3}$ 입니다.
　　(부분) (전체)

❶ 15(전체) ➡ 3씩 5 묶음
❷ 9(부분) ➡ 3씩 3 묶음
❸ 9는 15의 $\dfrac{3}{5}$ 입니다.
　　(부분) (전체)

❶ 25(전체) ➡ 5씩 5 묶음
❷ 20(부분) ➡ 5씩 4 묶음
❸ 20은 25의 $\dfrac{4}{5}$ 입니다.
　　(부분) (전체)

❶ 24(전체) ➡ 6씩 4 묶음
❷ 18(부분) ➡ 6씩 3 묶음
❸ 18은 24의 $\dfrac{3}{4}$ 입니다.
　　(부분) (전체)

❶ 20(전체) ➡ 5씩 4 묶음
❷ 10(부분) ➡ 5씩 2 묶음
❸ 10은 20의 $\dfrac{2}{4}$ 입니다.

❶ 32(전체) ➡ 4씩 8 묶음
❷ 28(부분) ➡ 4씩 7 묶음
❸ 28은 32의 $\dfrac{7}{8}$ 입니다.

3 과일을 주어진 수만큼 묶어 똑같이 나누고 　 안에 알맞은 수를 써넣으세요.

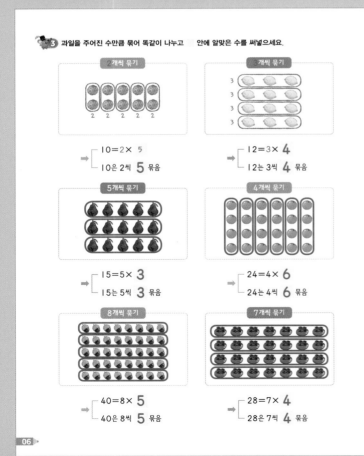

2개씩 묶기

➡ ⎡10=2× 5
　⎣10은 2씩 5 묶음

3개씩 묶기

➡ ⎡12=3× 4
　⎣12는 3씩 4 묶음

5개씩 묶기

➡ ⎡15=5× 3
　⎣15는 5씩 3 묶음

4개씩 묶기

➡ ⎡24=4× 6
　⎣24는 4씩 6 묶음

8개씩 묶기

➡ ⎡40=8× 5
　⎣40은 8씩 5 묶음

7개씩 묶기

➡ ⎡28=7× 4
　⎣28은 7씩 4 묶음

4 　 안에 알맞은 수를 써넣으세요.

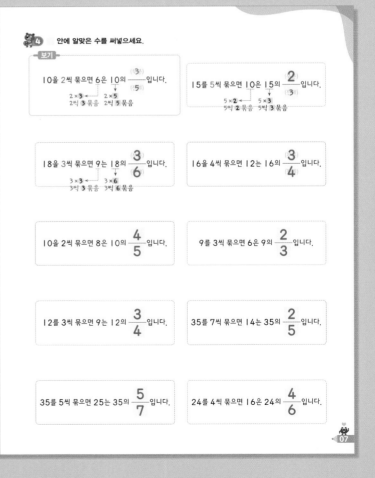

보기

10을 2씩 묶으면 6은 10의 $\dfrac{(3)}{(5)}$ 입니다.
2×3↘　2×5
2씩 3 묶음　2씩 5 묶음

15를 5씩 묶으면 10은 15의 $\dfrac{2}{(3)}$ 입니다.
5×2↘　5×3
5씩 2 묶음　5씩 3 묶음

18을 3씩 묶으면 9는 18의 $\dfrac{3}{6}$ 입니다.
3×3↘　3×6
3씩 3 묶음　3씩 6 묶음

16을 4씩 묶으면 12는 16의 $\dfrac{3}{4}$ 입니다.

10을 2씩 묶으면 8은 10의 $\dfrac{4}{5}$ 입니다.

9를 3씩 묶으면 6은 9의 $\dfrac{2}{3}$ 입니다.

12를 3씩 묶으면 9는 12의 $\dfrac{3}{4}$ 입니다.

35를 7씩 묶으면 14는 35의 $\dfrac{2}{5}$ 입니다.

35를 5씩 묶으면 25는 35의 $\dfrac{5}{7}$ 입니다.

24를 4씩 묶으면 16은 24의 $\dfrac{4}{6}$ 입니다.

02 분수만큼은 얼마인지 알아보기

정답 29쪽

❋ 12의 $\frac{1}{4}$ 알아보기

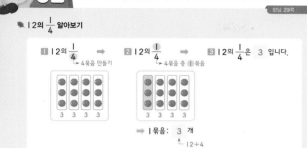

1️⃣ 12의 $\frac{1}{4}$ ➡ 4묶음 만들기
2️⃣ 12의 $\frac{1}{4}$ ➡ 4묶음 중 1묶음
3️⃣ 12의 $\frac{1}{4}$은 3 입니다.

➡ 1묶음: 3 개
↳ 12÷4

1 구슬을 주어진 묶음 수만큼 만들고 ☐ 안에 알맞은 수를 써넣으세요.

15의 $\frac{1}{3}$

1️⃣ 15의 $\frac{1}{3}$ ➡ 3묶음 만들기
2️⃣ 15의 $\frac{1}{3}$ ➡ 3묶음 중 1묶음
3️⃣ 15의 $\frac{1}{3}$은 5 입니다.

➡ 1묶음: 5 개
↳ 15÷3

20의 $\frac{1}{5}$

1️⃣ 20의 $\frac{1}{5}$ ➡ 5묶음 만들기
2️⃣ 20의 $\frac{1}{5}$ ➡ 5묶음 중 1묶음
3️⃣ 20의 $\frac{1}{5}$은 4 입니다.

➡ 1묶음: 4 개

2 ☐ 안에 알맞은 수를 써넣으세요.

보기
10의 $\frac{1}{2}$ ➡ $\frac{10을\ 2묶음으로\ 나눈\ 것\ 중\ 1묶음}{10\ ÷\ 2\ \ ×\ 1}$ ➡ 10의 $\frac{1}{2}$ = 5
↑ (10÷2)×1

18의 $\frac{1}{6}$ ➡ $\frac{18을\ 6묶음으로\ 나눈\ 것\ 중\ 1묶음}{18\ ÷\ 6\ \ ×\ 1}$ ➡ 18의 $\frac{1}{6}$ = 3

12의 $\frac{1}{3}$ ➡ $\frac{12를\ 3묶음으로\ 나눈\ 것\ 중\ 1묶음}{12\ ÷\ 3\ \ ×\ 1}$ ➡ 12의 $\frac{1}{3}$ = 4

20의 $\frac{1}{5}$ ➡ $\frac{20을\ 5묶음으로\ 나눈\ 것\ 중\ 1묶음}{20\ ÷\ 5\ \ ×\ 1}$ ➡ 20의 $\frac{1}{5}$ = 4

24의 $\frac{1}{4}$ ➡ $\frac{24를\ 4묶음으로\ 나눈\ 것\ 중\ 1묶음}{24\ ÷\ 4\ \ ×\ 1}$ ➡ 24의 $\frac{1}{4}$ = 6

36의 $\frac{1}{9}$ ➡ $\frac{36을\ 9묶음으로\ 나눈\ 것\ 중\ 1묶음}{36\ ÷\ 9\ \ ×\ 1}$ ➡ 36의 $\frac{1}{9}$ = 4

21의 $\frac{1}{7}$ ➡ $\frac{21을\ 7묶음으로\ 나눈\ 것\ 중\ 1묶음}{21\ ÷\ 7\ \ ×\ 1}$ ➡ 21의 $\frac{1}{7}$ = 3

72의 $\frac{1}{8}$ ➡ $\frac{72를\ 8묶음으로\ 나눈\ 것\ 중\ 1묶음}{72\ ÷\ 8\ \ ×\ 1}$ ➡ 72의 $\frac{1}{8}$ = 9

3 ☐ 안에 알맞은 수를 써넣으세요.

보기
15의 $\frac{2}{3}$ ➡ $\frac{15를\ 3묶음으로\ 나눈\ 것\ 2묶음}{15\ ÷\ 3\ \ ×\ 2}$ ➡ 15의 $\frac{2}{3}$ = 10
↑ (15÷3)×2

12의 $\frac{3}{4}$ ➡ $\frac{12를\ 4묶음으로\ 나눈\ 것\ 중\ 3묶음}{12\ ÷\ 4\ \ ×\ 3}$ ➡ 12의 $\frac{3}{4}$ = 9

20의 $\frac{2}{5}$ ➡ $\frac{20을\ 5묶음으로\ 나눈\ 것\ 중\ 2묶음}{20\ ÷\ 5\ \ ×\ 2}$ ➡ 20의 $\frac{2}{5}$ = 8

21의 $\frac{4}{7}$ ➡ $\frac{21을\ 7묶음으로\ 나눈\ 것\ 중\ 4묶음}{21\ ÷\ 7\ \ ×\ 4}$ ➡ 21의 $\frac{4}{7}$ = 12

40의 $\frac{6}{8}$ ➡ $\frac{40을\ 8묶음으로\ 나눈\ 것\ 중\ 6묶음}{40\ ÷\ 8\ \ ×\ 6}$ ➡ 40의 $\frac{6}{8}$ = 30

42의 $\frac{5}{6}$ ➡ $\frac{42를\ 6묶음으로\ 나눈\ 것\ 중\ 5묶음}{42\ ÷\ 6\ \ ×\ 5}$ ➡ 42의 $\frac{5}{6}$ = 35

36의 $\frac{7}{9}$ ➡ $\frac{36을\ 9묶음으로\ 나눈\ 것\ 중\ 7묶음}{36\ ÷\ 9\ \ ×\ 7}$ ➡ 36의 $\frac{7}{9}$ = 28

56의 $\frac{3}{7}$ ➡ $\frac{56을\ 7묶음으로\ 나눈\ 것\ 중\ 3묶음}{56\ ÷\ 7\ \ ×\ 3}$ ➡ 56의 $\frac{3}{7}$ = 24

4 ☐ 안에 알맞은 수를 써넣으세요.

보기
14의 $\frac{3}{7}$ = 6
(14÷7)×3
=2×3
=6

16의 $\frac{2}{4}$ = 8
(16÷4)×2

18의 $\frac{3}{6}$ = 9
(18÷6)×3

20의 $\frac{2}{4}$ = 10
(20÷4)×2

45의 $\frac{3}{9}$ = 15
(45÷9)×3

15의 $\frac{4}{5}$ = 12
(15÷5)×4

27의 $\frac{6}{9}$ = 18

40의 $\frac{3}{5}$ = 24

21의 $\frac{2}{3}$ = 14

24의 $\frac{5}{8}$ = 15

35의 $\frac{4}{7}$ = 20

28의 $\frac{3}{4}$ = 21

40의 $\frac{2}{5}$ = 16

27의 $\frac{2}{3}$ = 18

36의 $\frac{7}{9}$ = 28

36의 $\frac{4}{6}$ = 24

40의 $\frac{5}{8}$ = 25

49의 $\frac{5}{7}$ = 35

56의 $\frac{6}{8}$ = 42

48의 $\frac{4}{6}$ = 32

45의 $\frac{8}{9}$ = 40

03 진분수, 가분수, 대분수

정답 30쪽

초등 3·2

④ 분수

진분수	가분수	대분수
(분자) < (분모)	(분자) = (분모) (분자) > (분모)	(자연수) + (진분수)

예 $\frac{1}{3}$　$\frac{2}{4}$

예 $\frac{3}{3}$　$\frac{6}{4}$

예 $1\frac{2}{3}$　$2\frac{3}{4}$

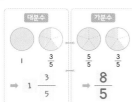

1 그림을 보고 　안에 알맞은 수를 써넣으세요.

대분수 →　가분수

1　$\frac{3}{5}$

$\Rightarrow 1\frac{3}{5}$

$\frac{5}{5}$　$\frac{3}{5}$

$\Rightarrow \frac{8}{5}$

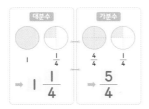

대분수 →　가분수

1　$\frac{1}{4}$

$\Rightarrow 1\frac{1}{4}$

$\frac{4}{4}$　$\frac{1}{4}$

$\Rightarrow \frac{5}{4}$

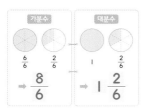

가분수 →　대분수

$\frac{6}{6}$　$\frac{2}{6}$

$\Rightarrow \frac{8}{6}$

1　$\frac{2}{6}$

$\Rightarrow 1\frac{2}{6}$

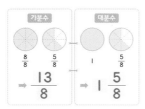

가분수 →　대분수

$\frac{8}{8}$　$\frac{5}{8}$

$\Rightarrow \frac{13}{8}$

1　$\frac{5}{8}$

$\Rightarrow 1\frac{5}{8}$

---

2 주어진 분수에 진분수는 '진', 가분수는 '가', 대분수는 '대'를 써넣으세요.

보기

$\frac{4}{5}$	$2\frac{1}{4}$	$\frac{3}{2}$	$\frac{6}{6}$
진	대	가	가
$\underset{(분자)\ (분모)}{4 < 5}$	$\underset{(자연수)\ (진분수)}{2 + \frac{1}{4}}$	$\underset{(분자)\ (분모)}{3 > 2}$	$\underset{(분자)\ (분모)}{6 = 6}$

$1\frac{2}{3}$	$\frac{2}{2}$	$\frac{8}{6}$	$\frac{3}{5}$
대	가	가	진
$\underset{(자연수)\ (진분수)}{1 + \frac{2}{3}}$	$\underset{(분자)\ (분모)}{2 = 2}$	$\underset{(분자)\ (분모)}{8 > 6}$	

$\frac{5}{9}$	$\frac{3}{8}$	$4\frac{1}{3}$	$\frac{7}{7}$
진	진	대	가

$6\frac{1}{7}$	$\frac{9}{12}$	$\frac{4}{4}$	$5\frac{8}{10}$
대	진	가	대

3 　안에 알맞은 수를 써넣으세요.

보기

$2 = \dfrac{\ }{3}$ $\underset{(\frac{3}{3}+\frac{3}{3})}{}$ $\Rightarrow$ $\frac{3}{3}$이 **2**개 $\underset{(1이\ 2개)}{}$ $\Rightarrow$ $\frac{1}{3}$이 **6** 개 $\underset{(3\times2)}{}$ $\Rightarrow$ $2 = \dfrac{6}{3}$

$3 = \dfrac{\ }{4}$ $\underset{(\frac{4}{4}+\frac{4}{4}+\frac{4}{4})}{}$ $\Rightarrow$ $\frac{4}{4}$가 **3**개 $\underset{(1이\ 3개)}{}$ $\Rightarrow$ $\frac{1}{4}$이 **12** 개 $\underset{(4\times3)}{}$ $\Rightarrow$ $3 = \dfrac{12}{4}$

$5 = \dfrac{\ }{2}$ $\Rightarrow$ $\frac{2}{2}$가 **5**개 $\underset{(1이\ 5개)}{}$ $\Rightarrow$ $\frac{1}{2}$이 **10** 개 $\underset{(2\times5)}{}$ $\Rightarrow$ $5 = \dfrac{10}{2}$

$4 = \dfrac{\ }{5}$ $\Rightarrow$ $\frac{5}{5}$가 **4**개 $\underset{(1이\ 4개)}{}$ $\Rightarrow$ $\frac{1}{5}$이 **20** 개 $\Rightarrow$ $4 = \dfrac{20}{5}$

$3 = \dfrac{21}{7}$　$\underset{3 \to \frac{7}{7}이\ 3개}{}$

$8 = \dfrac{48}{6}$　$\underset{8 \to \frac{6}{6}이\ 8개}{}$

$7 = \dfrac{56}{8}$

$9 = \dfrac{27}{3}$

$7 = \dfrac{35}{5}$

$5 = \dfrac{45}{9}$

$8 = \dfrac{32}{4}$

$4 = \dfrac{24}{6}$

$6 = \dfrac{42}{7}$

4 　안에 알맞은 수를 써넣으세요.

보기

$\dfrac{8}{4}$ $\underset{(\frac{4}{4}+\frac{4}{4})}{}$ $\Rightarrow$ $\overset{(8\div4)}{\frac{4}{4}}$가 **2** 개 $\underset{(1이\ 2개)}{}$ $\Rightarrow$ $\dfrac{8}{4} = 2$

$\dfrac{15}{5}$ $\underset{(\frac{5}{5}+\frac{5}{5}+\frac{5}{5})}{}$ $\Rightarrow$ $\overset{(15\div5)}{\frac{5}{5}}$가 **3** 개 $\underset{(1이\ 3개)}{}$ $\Rightarrow$ $\dfrac{15}{5} = 3$

$\dfrac{42}{7}$ $\Rightarrow$ $\overset{(42\div7)}{\frac{7}{7}}$이 **6** 개 $\underset{(1이\ 6개)}{}$ $\Rightarrow$ $\dfrac{42}{7} = 6$

$\dfrac{24}{6}$ $\Rightarrow$ $\frac{6}{6}$이 **4** 개 $\underset{(1이\ 4개)}{}$ $\Rightarrow$ $\dfrac{24}{6} = 4$

$\dfrac{10}{2} = 5$ $\underset{(10\div2)}{}$

$\dfrac{12}{4} = 3$

$\dfrac{21}{3} = 7$

$\dfrac{16}{8} = 2$

$\dfrac{35}{7} = 5$

$\dfrac{40}{5} = 8$

$\dfrac{63}{9} = 7$

$\dfrac{36}{4} = 9$

$\dfrac{48}{8} = 6$

04 대분수를 가분수로, 가분수를 대분수로 나타내기

정답 31쪽

대분수 $1\frac{1}{2}$ 가분수 $\frac{3}{2}$ → $1\frac{1}{2}=\frac{3}{2}$

1 ☐ 안에 알맞은 수를 써넣어 대분수를 가분수로 나타내어 보세요.

대분수 $1\frac{2}{3}$ → 1 + $\frac{2}{3}$ → 가분수 $\frac{5}{3}$

$\frac{1}{3}$이 3 개 $\frac{1}{3}$이 2 개

대분수 $2\frac{1}{4}$ → 2 + $\frac{1}{4}$ → $\frac{9}{4}$

$\frac{1}{4}$이 8 개 $\frac{1}{4}$이 1 개

대분수 $2\frac{3}{5}$ → 2 + $\frac{3}{5}$ → $\frac{13}{5}$

$\frac{1}{5}$이 10 개 $\frac{1}{5}$이 3 개

2 대분수를 가분수로 나타내어 보세요.

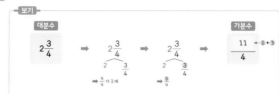

대분수 $2\frac{3}{4}$ → $2\frac{3}{4}$ → $2\frac{3}{4}$ → 가분수 $\frac{11}{4}$ ← 8+3

→ $\frac{4}{4}$가 2개   → $\frac{8}{4}$

$1\frac{1}{3}=\frac{4}{3}$ $3\frac{1}{2}=\frac{7}{2}$ $2\frac{4}{5}=\frac{14}{5}$

→ $\frac{3}{3}$이 1개   → $\frac{2}{2}$가 3개

$1\frac{3}{6}=\frac{9}{6}$ $2\frac{5}{9}=\frac{23}{9}$ $1\frac{3}{8}=\frac{11}{8}$

$1\frac{5}{9}=\frac{14}{9}$ $2\frac{3}{7}=\frac{17}{7}$ $1\frac{2}{6}=\frac{8}{6}$

$1\frac{6}{7}=\frac{13}{7}$ $2\frac{4}{8}=\frac{20}{8}$ $2\frac{4}{5}=\frac{14}{5}$

$3\frac{3}{4}=\frac{15}{4}$ $2\frac{4}{9}=\frac{22}{9}$ $4\frac{1}{7}=\frac{29}{7}$

16   17

3 ☐ 안에 알맞은 수를 써넣어 가분수를 대분수로 나타내어 보세요.

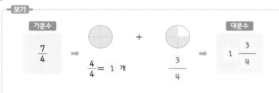

가분수 $\frac{7}{4}$ → $\frac{4}{4}=1$ 개 + $\frac{3}{4}$ → 대분수 $1\frac{3}{4}$

가분수 $\frac{8}{6}$ → $\frac{6}{6}=1$ 개 + $\frac{2}{6}$ → 대분수 $1\frac{2}{6}$

$\frac{11}{4}$ → $\frac{8}{4}=2$ 개 + $\frac{3}{4}$ → $2\frac{3}{4}$

$\frac{12}{8}$ → $\frac{8}{8}=1$ 개 + $\frac{4}{8}$ → $1\frac{4}{8}$

$\frac{14}{5}$ → $\frac{10}{5}=2$ 개 + $\frac{4}{5}$ → $2\frac{4}{5}$

4 가분수를 대분수로 나타내어 보세요.

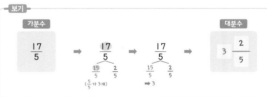

가분수 $\frac{17}{5}$ → $\frac{17}{5}$ → $\frac{17}{5}$ → 대분수 $3\frac{2}{5}$

$\frac{15}{5}$ $\frac{2}{5}$ ($\frac{5}{5}$가 3개)   → 3

$\frac{14}{4}=3\frac{2}{4}$ $\frac{16}{3}=5\frac{1}{3}$ $\frac{20}{8}=2\frac{4}{8}$

$\frac{12}{4}$ $\frac{☐}{4}$ $\frac{15}{3}$ $\frac{☐}{3}$ $\frac{16}{8}$ $\frac{☐}{8}$

$\frac{9}{6}=1\frac{3}{6}$ $\frac{14}{9}=1\frac{5}{9}$ $\frac{6}{4}=1\frac{2}{4}$

$\frac{24}{5}=4\frac{4}{5}$ $\frac{19}{7}=2\frac{5}{7}$ $\frac{11}{2}=5\frac{1}{2}$

$\frac{26}{9}=2\frac{8}{9}$ $\frac{29}{6}=4\frac{5}{6}$ $\frac{47}{8}=5\frac{7}{8}$

$\frac{21}{6}=3\frac{3}{6}$ $\frac{27}{7}=3\frac{6}{7}$ $\frac{33}{5}=6\frac{3}{5}$

18   19

도전! 응용 문제

정답 32쪽

분수의 크기 비교하기

	자연수 크기 비교	분수 크기 비교
$2\frac{1}{4} \bigcirc 2\frac{3}{4}$ →	$2\frac{1}{4} \bigcirc 2\frac{3}{4}$ $2=2$	$2\frac{1}{4} < 2\frac{3}{4}$ $\frac{1}{4} < \frac{3}{4}$

유형❶ 두 분수의 크기를 비교하여 ◯ 안에 >, <를 알맞게 써넣으세요.

$\overset{6<9}{\frac{6}{4} < \frac{9}{4}}$　　$\frac{14}{5} > \frac{11}{5}$　　$\frac{16}{9} > \frac{15}{9}$

$\frac{24}{7} > \frac{20}{7}$　　$\frac{18}{4} < \frac{23}{4}$　　$\frac{38}{8} < \frac{40}{8}$

$\overset{2<3}{2\frac{1}{6} < 3\frac{1}{6}}$　　$4\frac{4}{5} > 4\frac{2}{5}$　　$1\frac{6}{7} < 3\frac{2}{7}$

$3\frac{7}{9} > 3\frac{3}{9}$　　$5\frac{2}{3} > 2\frac{1}{3}$　　$2\frac{2}{4} < 2\frac{3}{4}$

$1\frac{4}{8} < 1\frac{6}{8}$　　$4\frac{2}{6} < 4\frac{5}{6}$　　$5\frac{6}{9} > 5\frac{4}{9}$

20

$3\frac{2}{5}$와 $\frac{14}{5}$의 크기 비교하기

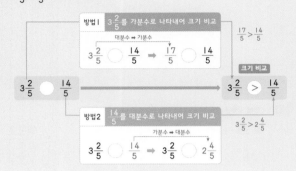

유형❷ 두 분수의 크기를 비교하여 ◯ 안에 >, <를 알맞게 써넣으세요.

$\underset{=\frac{18}{7}}{2\frac{4}{7}} < \frac{20}{7}$　　$\frac{13}{3} > 3\frac{2}{3}$　　$\frac{9}{6} < 1\frac{4}{6}$

$\frac{31}{5} > 5\frac{3}{5}$　　$\frac{34}{9} > 3\frac{5}{9}$　　$5\frac{1}{4} < \frac{22}{4}$

$2\frac{4}{8} < \frac{22}{8}$　　$5\frac{2}{7} > \frac{33}{7}$　　$\frac{14}{3} > 4\frac{1}{3}$

$\frac{30}{4} > 5\frac{3}{4}$　　$3\frac{3}{6} < \frac{22}{6}$　　$4\frac{2}{5} > \frac{19}{5}$

21

수 카드를 한 번씩만 사용하여 분수 만들기

	분모가 3인 분수	분모가 4인 분수	분모가 5인 분수
$\boxed{3}\ \boxed{4}\ \boxed{5}$ →	$\frac{4}{3}, \frac{5}{3}$	$\frac{3}{4}, \frac{5}{4}$	$\frac{3}{5}, \frac{4}{5}$

유형❸ 주어진 수 카드를 한 번씩만 사용하여 분수를 모두 만들고, 진분수는 '진', 가분수는 '가'를 써넣으세요.

$\boxed{2}\ \boxed{4}\ \boxed{6}$ → $\underset{가}{\frac{4}{2}}\ ,\ \underset{가}{\frac{6}{2}}\ \ \underset{진}{\frac{2}{4}}\ \underset{가}{\frac{6}{4}}\ \ \underset{진}{\frac{2}{6}}\ \underset{진}{\frac{4}{6}}$

$\boxed{3}\ \boxed{6}\ \boxed{7}$ → $\underset{가}{\frac{6}{3}}\ ,\ \underset{가}{\frac{7}{3}}\ \ \underset{진}{\frac{3}{6}}\ \underset{가}{\frac{7}{6}}\ \ \underset{진}{\frac{3}{7}}\ \underset{진}{\frac{6}{7}}$

$\boxed{5}\ \boxed{6}\ \boxed{8}$ → $\underset{가}{\frac{6}{5}}\ ,\ \underset{가}{\frac{8}{5}}\ \ \underset{진}{\frac{5}{6}}\ \underset{가}{\frac{8}{6}}\ \ \underset{진}{\frac{5}{8}}\ \underset{진}{\frac{6}{8}}$

22

유형❹ 주어진 수 카드를 한 번씩만 사용하여 조건에 맞는 분수를 만들어 보세요.

조건 **진분수**　$\boxed{4}\ \boxed{5}\ \boxed{8}$ → $\frac{4}{5}, \frac{4}{8}, \frac{5}{8}$　　조건 **가분수**　$\boxed{2}\ \boxed{3}\ \boxed{5}$ → $\frac{3}{2}, \frac{5}{2}, \frac{5}{3}$

조건 **가분수**　$\boxed{5}\ \boxed{7}\ \boxed{9}$ → $\frac{7}{5}, \frac{9}{5}, \frac{9}{7}$　　조건 **진분수**　$\boxed{3}\ \boxed{6}\ \boxed{8}$ → $\frac{3}{6}, \frac{3}{8}, \frac{6}{8}$

조건 **진분수**　$\boxed{6}\ \boxed{7}\ \boxed{8}$ → $\frac{6}{7}, \frac{6}{8}, \frac{7}{8}$　　조건 **가분수**　$\boxed{4}\ \boxed{6}\ \boxed{9}$ → $\frac{6}{4}, \frac{9}{4}, \frac{9}{6}$

23

형성 평가

정답 33쪽   점수 분 점

[01~02] 색칠한 구슬을 분수로 나타내어 보세요.

01 $\dfrac{1}{3}$

02  $\dfrac{3}{4}$

03 구슬이 몇 묶음인지 알아보고 분수로 나타내어 보세요.

❶ 21(전체) ➡ 7씩 **3** 묶음

❷ 14(부분) ➡ 7씩 **2** 묶음

❸ 14는 21의 $\dfrac{2}{3}$ 입니다.

04 사과를 주어진 수만큼 묶어 똑같이 나누고 ☐ 안에 알맞은 수를 써넣으세요.

6개씩 묶기

➡ 18 = 6 × **3**
18은 6씩 **3** 묶음

05 ☐ 안에 알맞은 수를 써넣으세요.

(1) 30을 5씩 묶으면 15는 30의 $\dfrac{3}{6}$ 입니다.

(2) 42를 6씩 묶으면 24는 42의 $\dfrac{4}{7}$ 입니다.

06 구슬을 주어진 묶음 수만큼 만들고 ☐ 안에 알맞은 수를 써넣으세요.

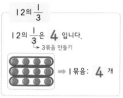

12의 $\dfrac{1}{3}$

12의 $\dfrac{1}{3}$ 은 **4** 입니다.
→ 3묶음 만들기

➡ 1묶음: **4** 개

07 ☐ 안에 알맞은 수를 써넣으세요.

15의 $\dfrac{1}{5}$ ➡ 15를 5묶음으로 나눈 것 중 1묶음

$\dfrac{15 \div 5}{} \times 1$

➡ 15의 $\dfrac{1}{5}$ = **3**

08 ☐ 안에 알맞은 수를 써넣으세요.

36의 $\dfrac{4}{9}$ ➡ 36을 9묶음으로 나눈 것 중 4묶음

$36 \div 9 \times 4$

➡ 36의 $\dfrac{4}{9}$ = **16**

09 ☐ 안에 알맞은 수를 써넣으세요.

(1) 20의 $\dfrac{2}{5}$ = **8**

(2) 48의 $\dfrac{5}{6}$ = **40**

[10~11] 그림을 보고 ☐ 안에 알맞은 수를 써넣으세요.

10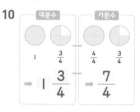

대분수	가분수
1 $\dfrac{3}{4}$	$\dfrac{4}{4}$ $\dfrac{3}{4}$
➡ 1 $\dfrac{3}{4}$	➡ $\dfrac{7}{4}$

11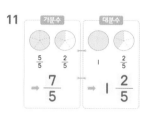

가분수	대분수
$\dfrac{5}{5}$ $\dfrac{2}{5}$	1 $\dfrac{2}{5}$
➡ $\dfrac{7}{5}$	➡ 1 $\dfrac{2}{5}$

12 주어진 분수에 진분수는 '진', 가분수는 '가', 대분수는 '대'를 써넣으세요.

(1) $1\dfrac{3}{4}$ **대**   (2) $\dfrac{7}{5}$ **가**   (3) $\dfrac{7}{9}$ **진**

(4) $\dfrac{11}{12}$ **진**   (5) $\dfrac{10}{10}$ **가**

13 ☐ 안에 알맞은 수를 써넣으세요.

$5 = \dfrac{\square}{3}$ ➡ $\dfrac{3}{3}$ 이 5개

➡ $\dfrac{1}{3}$ 이 **15** 개

➡ $5 = \dfrac{15}{3}$

14 ☐ 안에 알맞은 수를 써넣으세요.

(1) $6 = \dfrac{42}{7}$

(2) $8 = \dfrac{48}{6}$

15 ☐ 안에 알맞은 수를 써넣으세요.

$\dfrac{32}{8}$ ➡ $\dfrac{8}{8}$ 이 **4** 개

(1이 **4** 개)

➡ $\dfrac{32}{8}$ = **4**

16 ☐ 안에 알맞은 수를 써넣으세요.

(1) $\dfrac{24}{3}$ = **8**

(2) $\dfrac{36}{4}$ = **9**

17 ☐ 안에 알맞은 수를 써넣어 대분수를 가분수로 나타내어 보세요.

(1) $1\dfrac{2}{4}$ ➡ $\dfrac{1}{4}$ 이 4 개 $\dfrac{1}{4}$ 이 2 개

➡ $\dfrac{6}{4}$

(2) $2\dfrac{5}{8}$ ➡ $\dfrac{1}{8}$ 이 16 개 $\dfrac{1}{8}$ 이 5 개

➡ $\dfrac{21}{8}$

18 대분수를 가분수로 나타내어 보세요.

(1) $2\dfrac{6}{7} = \dfrac{20}{7}$

(2) $3\dfrac{5}{9} = \dfrac{32}{9}$

19 ☐ 안에 알맞은 수를 써넣어 가분수를 대분수로 나타내어 보세요.

(1) $\dfrac{5}{3}$ ➡ $\dfrac{3}{3}$ 이 1 개 + $\dfrac{2}{3}$

➡ $1\dfrac{2}{3}$

(2) $\dfrac{11}{5}$ ➡ $\dfrac{5}{5}$ 가 2 개 + $\dfrac{1}{5}$

➡ $2\dfrac{1}{5}$

20 가분수를 대분수로 나타내어 보세요.

(1) $\dfrac{23}{6} = 3\dfrac{5}{6}$

(2) $\dfrac{35}{8} = 4\dfrac{3}{8}$

단원평가   4. 분수

정답 34쪽

[1~2] 그림을 보고 □ 안에 알맞은 수를 써넣으세요.

1

15를 3씩 묶으면

9는 15의 $\dfrac{3}{5}$ 입니다.

2

24의 $\dfrac{4}{6}$ 는 16 입니다.

3 □ 안에 알맞은 수를 써넣으세요.

(1) 35를 7씩 묶으면 7은 35의 $\dfrac{1}{5}$ 입니다.

(2) 30을 6씩 묶으면 12는 30의 $\dfrac{2}{5}$ 입니다.

4 □ 안에 알맞은 수를 써넣으세요.

(1) 18의 $\dfrac{1}{3}$ 은 6 입니다.

(2) 36의 $\dfrac{4}{9}$ 는 16 입니다.

(3) 24 cm의 $\dfrac{3}{8}$ 은 9 cm입니다.

(4) 1시간의 $\dfrac{3}{4}$ 은 45 분입니다.

(5) $\dfrac{3}{5}$ m는 60 cm입니다.

5 나타내는 수가 더 큰 것을 찾아 기호를 쓰세요.

· 28의 $\dfrac{3}{4}$ 은 ㉠입니다. ㉠=21

· 40의 $\dfrac{3}{8}$ 은 ㉡입니다. ㉡=15

(㉠)

6 ㉠과 ㉡에 알맞은 수의 합을 구하세요.

· 32를 8씩 묶으면 8은 32의 $\dfrac{1}{㉠}$ 입니다. ㉠=4

· 54를 6씩 묶으면 30은 54의 $\dfrac{㉡}{9}$ 입니다. ㉡=5

(9)

7 ■가 나타내는 수가 다른 것을 찾아 기호를 쓰세요.

㉠ 15를 3씩 묶으면 3은 15의 $\dfrac{■}{5}$ 입니다.

㉡ 24를 4씩 묶으면 8은 24의 $\dfrac{■}{6}$ 입니다.

㉢ 45를 9씩 묶으면 9는 45의 $\dfrac{■}{5}$ 입니다.

(㉡)

8 □ 안에 알맞은 수를 써넣으세요.

(1) 18 의 $\dfrac{1}{3}$ 은 6입니다.

(2) 25 의 $\dfrac{3}{5}$ 은 15입니다.

9 관계있는 것끼리 선으로 이어 보세요.

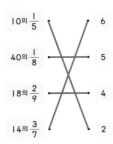

10의 $\dfrac{1}{5}$ 6

40의 $\dfrac{1}{8}$ 5

18의 $\dfrac{2}{9}$ 4

14의 $\dfrac{3}{7}$ 2

10 분수 중에서 진분수, 가분수, 대분수를 각각 찾아 쓰시오.

$4\dfrac{5}{6}$ $\dfrac{3}{7}$ $\dfrac{9}{5}$

$\dfrac{2}{5}$ $2\dfrac{1}{3}$ $\dfrac{8}{4}$

진분수 ($\dfrac{3}{7}$, $\dfrac{2}{5}$)

가분수 ($\dfrac{9}{5}$, $\dfrac{8}{4}$)

대분수 ($4\dfrac{5}{6}$, $2\dfrac{1}{3}$)

11 분모가 5인 진분수를 모두 쓰세요.

($\dfrac{1}{5}$, $\dfrac{2}{5}$, $\dfrac{3}{5}$, $\dfrac{4}{5}$)

12 대분수는 가분수로, 가분수는 대분수로 나타내어 보세요.

(1) $2\dfrac{4}{8} = \dfrac{20}{8}$

(2) $\dfrac{41}{7} = 5\dfrac{6}{7}$

13 3장의 수 카드 중에서 2장을 뽑아 분수를 만들려고 합니다. 만들 수 있는 가분수를 모두 구하세요.

[3] [5] [7]

($\dfrac{5}{3}$, $\dfrac{7}{3}$, $\dfrac{7}{5}$)

14 관계있는 것끼리 선으로 이어 보세요.

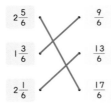

$2\dfrac{5}{6}$ $\dfrac{9}{6}$

$1\dfrac{3}{6}$ $\dfrac{13}{6}$

$2\dfrac{1}{6}$ $\dfrac{17}{6}$

15 두 분수의 크기를 비교하여 ○ 안에 >, <를 알맞게 써넣으세요.

(1) $4\dfrac{2}{6} > \dfrac{25}{6}$

(2) $\dfrac{43}{9} < 5\dfrac{2}{9}$

16 크기가 다른 분수를 찾아 ○표 하세요.

$\boxed{\dfrac{20}{9}}$ $2\dfrac{4}{9}$ $\dfrac{22}{9}$

17 크기가 가장 큰 분수부터 차례로 기호를 쓰세요.

㉠ $1\dfrac{5}{7}$ ㉡ $2\dfrac{1}{7}$

㉢ $\dfrac{9}{7}$ ㉣ $\dfrac{13}{7}$

(㉡, ㉣, ㉠, ㉢)

㉠ $1\dfrac{5}{7} = \dfrac{12}{7}$ ㉡ $2\dfrac{1}{7} = \dfrac{15}{7}$

18 3보다 크고 4보다 작은 분수는 어느 것일까요? (③)

① $\dfrac{10}{4}$ ② $\dfrac{28}{5}$ ③ $\dfrac{26}{7}$

④ $\dfrac{35}{8}$ ⑤ $\dfrac{47}{9}$

① $\dfrac{10}{4} = 2\dfrac{2}{4}$ ② $\dfrac{28}{5} = 5\dfrac{3}{5}$ ③ $\dfrac{26}{7} = 3\dfrac{5}{7}$

④ $\dfrac{35}{8} = 4\dfrac{3}{8}$ ⑤ $\dfrac{47}{9} = 5\dfrac{2}{9}$

19 주어진 조건을 모두 만족하는 분수를 구하세요.

· 분모가 9인 가분수입니다.

· 분모와 분자의 차는 2입니다.

($\dfrac{11}{9}$)

20 은호는 구슬을 60개 가지고 있습니다. 그중 $\dfrac{2}{6}$ 만큼 민수에게 준다면 은호에게 남는 구슬은 몇 개인지 풀이 과정을 쓰고 답을 구하세요.

예 풀이 (민수에게 줄 구슬 수)

$= 60의 \dfrac{2}{6} = 20(개)$

(은호에게 남는 구슬)

$= 60 - 20$

$= 40(개)$ **답** 40개

01 1L, 1mL

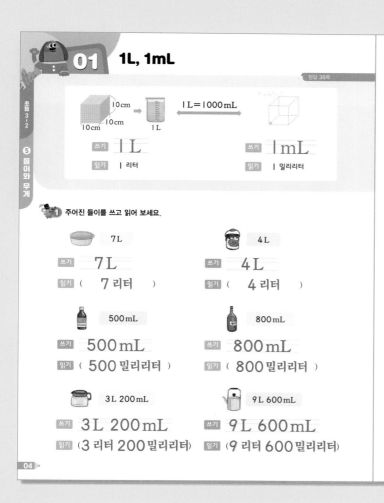

정답 35쪽

10cm 10cm 10cm | 1L | 1L=1000mL

쓰기 **1L** 쓰기 **1mL**
읽기 1 리터 읽기 1 밀리리터

① 주어진 들이를 쓰고 읽어 보세요.

7L
쓰기 **7L**
읽기 (**7 리터**)

4L
쓰기 **4L**
읽기 (**4 리터**)

500mL
쓰기 **500mL**
읽기 (**500 밀리리터**)

800mL
쓰기 **800mL**
읽기 (**800 밀리리터**)

3L 200mL
쓰기 **3L 200mL**
읽기 (**3 리터 200 밀리리터**)

9L 600mL
쓰기 **9L 600mL**
읽기 (**9 리터 600 밀리리터**)

04

② 안에 알맞은 수를 써넣으세요.

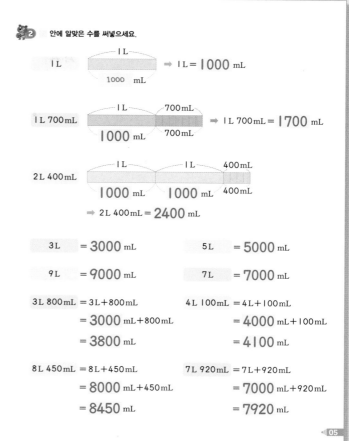

1L → 1L = **1000** mL
1000 mL

1L 700mL → 1L 700mL = **1700** mL
1000 mL 700mL

2L 400mL
1000 mL 1000 mL 400mL
→ 2L 400mL = **2400** mL

3L = **3000** mL   5L = **5000** mL

9L = **9000** mL   7L = **7000** mL

3L 800mL = 3L+800mL   4L 100mL = 4L+100mL
= **3000** mL+800mL   = **4000** mL+100mL
= **3800** mL   = **4100** mL

8L 450mL = 8L+450mL   7L 920mL = 7L+920mL
= **8000** mL+450mL   = **7000** mL+920mL
= **8450** mL   = **7920** mL

05

③ 안에 알맞은 수를 써넣으세요.

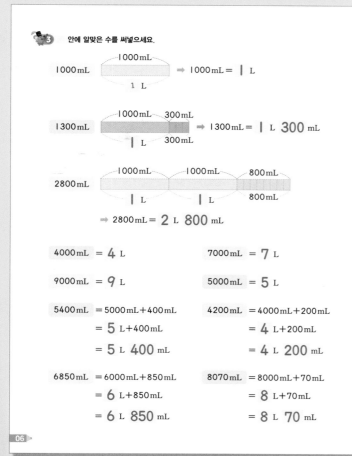

1000mL
1000mL → 1000mL = **1** L
1 L

1300mL
1000mL 300mL → 1300mL = **1** L **300** mL
1 L 300mL

2800mL
1000mL 1000mL 800mL
1 L 1 L 800mL
→ 2800mL = **2** L **800** mL

4000mL = **4** L   7000mL = **7** L

9000mL = **9** L   5000mL = **5** L

5400mL = 5000mL+400mL   4200mL = 4000mL+200mL
= **5** L+400mL   = **4** L+200mL
= **5** L **400** mL   = **4** L **200** mL

6850mL = 6000mL+850mL   8070mL = 8000mL+70mL
= **6** L+850mL   = **8** L+70mL
= **6** L **850** mL   = **8** L **70** mL

06

④ 주어진 글을 읽고 안에 L와 mL 중 알맞은 단위를 써넣으세요.

물병의 들이는 약 2 **L** 입니다.

우유갑의 들이는 약 500 **mL** 입니다.

음료수 캔의 들이는 약 340 **mL** 입니다.

간장병의 들이는 약 1 **L** 입니다.

종이컵의 들이는 약 200 **mL** 입니다.

욕조의 들이는 약 330 **L** 입니다.

세제 통의 들이는 약 1500 **mL** 입니다.

요구르트병의 들이는 약 65 **mL** 입니다.

냄비의 들이는 약 2000 **mL** 입니다.

냉장고의 들이는 약 900 **L** 입니다.

07

02 1kg, 1g

1 kg = 1000 g

| 쓰기 | 1 kg | 쓰기 | 1 g |
| 읽기 | 1 킬로그램 | 읽기 | 1 그램 |

1 주어진 무게를 쓰고 읽어 보세요.

5 kg
쓰기 5 kg
읽기 (5 킬로그램)

10 kg
쓰기 10 kg
읽기 (10 킬로그램)

200 g
쓰기 200 g
읽기 (200 그램)

700 g
쓰기 700 g
읽기 (700 그램)

6 kg 300 g
쓰기 6 kg 300 g
읽기 (6 킬로그램 300 그램)

1 kg 400 g
쓰기 1 kg 400 g
읽기 (1 킬로그램 400 그램)

2 안에 알맞은 수를 써넣으세요.

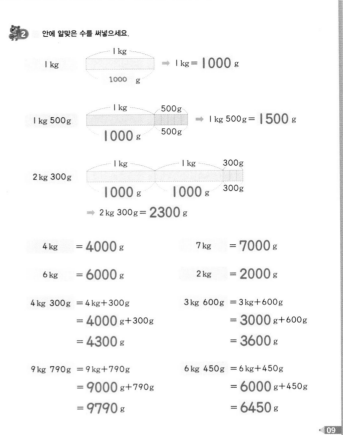

1 kg → 1 kg = 1000 g

1 kg 500 g → 1 kg 500 g = 1500 g

2 kg 300 g → 2 kg 300 g = 2300 g

| 4 kg | = 4000 g | 7 kg | = 7000 g |
| 6 kg | = 6000 g | 2 kg | = 2000 g |

4 kg 300 g = 4 kg + 300 g
= 4000 g + 300 g
= 4300 g

3 kg 600 g = 3 kg + 600 g
= 3000 g + 600 g
= 3600 g

9 kg 790 g = 9 kg + 790 g
= 9000 g + 790 g
= 9790 g

6 kg 450 g = 6 kg + 450 g
= 6000 g + 450 g
= 6450 g

3 안에 알맞은 수를 써넣으세요.

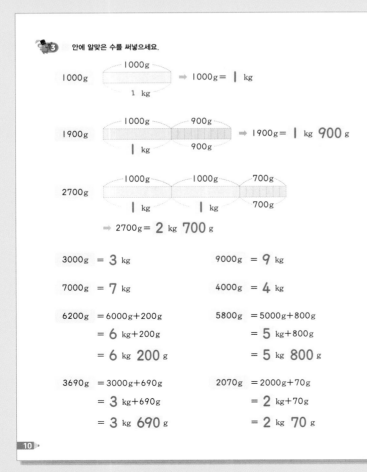

1000 g → 1000 g = 1 kg

1900 g → 1900 g = 1 kg 900 g

2700 g → 2700 g = 2 kg 700 g

| 3000 g | = 3 kg | 9000 g | = 9 kg |
| 7000 g | = 7 kg | 4000 g | = 4 kg |

6200 g = 6000 g + 200 g
= 6 kg + 200 g
= 6 kg 200 g

5800 g = 5000 g + 800 g
= 5 kg + 800 g
= 5 kg 800 g

3690 g = 3000 g + 690 g
= 3 kg + 690 g
= 3 kg 690 g

2070 g = 2000 g + 70 g
= 2 kg + 70 g
= 2 kg 70 g

4 주어진 글을 읽고 안에 kg과 g 중 알맞은 단위를 써넣으세요.

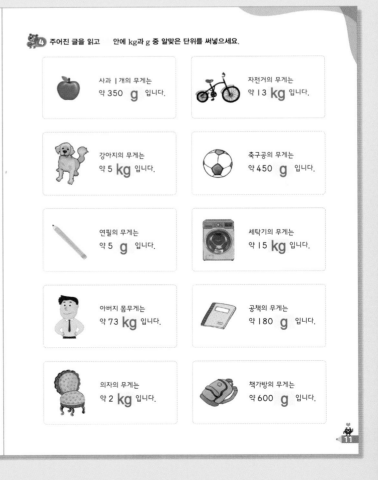

사과 1개의 무게는 약 350 g 입니다.

자전거의 무게는 약 13 kg 입니다.

강아지의 무게는 약 5 kg 입니다.

축구공의 무게는 약 450 g 입니다.

연필의 무게는 약 5 g 입니다.

세탁기의 무게는 약 15 kg 입니다.

아버지 몸무게는 약 73 kg 입니다.

공책의 무게는 약 180 g 입니다.

의자의 무게는 약 2 kg 입니다.

책가방의 무게는 약 600 g 입니다.

03 1t

정답 37쪽

1t = 1000kg

쓰기 **1t** 읽기 **1 톤**

쓰기 **1kg** 읽기 **1 킬로그램**

1 주어진 무게를 쓰고 읽어 보세요.

6t
쓰기 **6t** 읽기 (**6 톤**)

12t
쓰기 **12t** 읽기 (**12 톤**)

29t
쓰기 **29t** 읽기 (**29 톤**)

400t
쓰기 **400t** 읽기 (**400 톤**)

1t 600kg
쓰기 **1t 600kg** 읽기 (**1 톤 600 킬로그램**)

3t 500kg
쓰기 **3t 500kg** 읽기 (**3 톤 500 킬로그램**)

2 안에 알맞은 수를 써넣으세요.

1t
1000 kg
→ 1t = **1000** kg

1t 600kg
1000 kg 600kg
→ 1t 600kg = **1600** kg

2t 500kg
1000 kg 1000 kg 500kg
→ 2t 500kg = **2500** kg

3t = **3000** kg   9t = **9000** kg

7t = **7000** kg   4t = **4000** kg

2t 900kg = 2t+900kg
= **2000** kg+900kg
= **2900** kg

5t 400kg = 5t+400kg
= **5000** kg+400kg
= **5400** kg

6t 820kg = 6t+820kg
= **6000** kg+820kg
= **6820** kg

8t 730kg = 8t+730kg
= **8000** kg+730kg
= **8730** kg

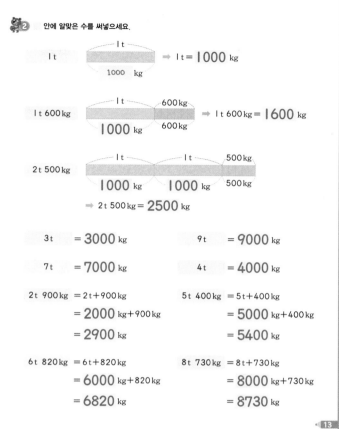

3 안에 알맞은 수를 써넣으세요.

1000kg
1 t
→ 1000kg = **1** t

1800kg
1000kg 800kg
1 t 800kg
→ 1800kg = **1** t **800** kg

2600kg
1000kg 1000kg 600kg
1 t 1 t 600kg
→ 2600kg = **2** t **600** kg

4000kg = **4** t   6000kg = **6** t

2000kg = **2** t   9000kg = **9** t

7500kg = 7000kg+500kg
= **7** t+500kg
= **7** t **500** kg

8800kg = 8000kg+800kg
= **8** t+800kg
= **8** t **800** kg

5310kg = 5000kg+310kg
= **5** t+310kg
= **5** t **310** kg

6040kg = 6000kg+40kg
= **6** t+40kg
= **6** t **40** kg

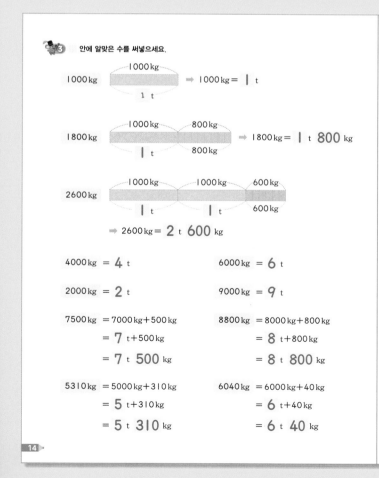

4 주어진 글을 읽고 안에 g, kg, t 중 알맞은 단위를 써넣으세요.

소방차의 무게는 약 20 **t** 입니다.

곰의 무게는 약 150 **kg** 입니다.

야구공의 무게는 약 145 **g** 입니다.

로켓의 무게는 약 200 **t** 입니다.

기린의 무게는 약 1500 **kg** 입니다.

트럭의 무게는 약 1 **t** 입니다.

유람선 무게는 약 100 **t** 입니다.

카메라의 무게는 약 700 **g** 입니다.

고래의 무게는 약 48 **t** 입니다.

수박의 무게는 약 7 **kg** 입니다.

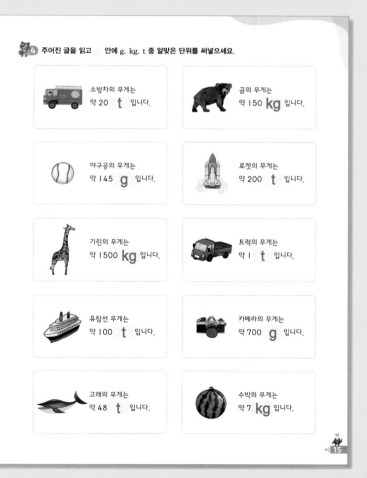

04 들이, 무게의 덧셈과 뺄셈

정답 38쪽

들이의 덧셈 알아보기

| 2 L 300 mL |
| + 1 L 900 mL |

⇒

| | 1 L |
| 2 L 300 mL |
| + 1 L 900 mL |
| 200 mL |
| 300+900=1200mL= 1 L 200mL |

⇒

| | 1 L |
| 2 L 300 mL |
| + 1 L 900 mL |
| 4 L 200 mL |
| 1+2+1=4 L |

1 계산해 보세요.

3 L 200 mL	2 L 300 mL	5 L 500 mL
+ 5 L 600 mL	+ 7 L 300 mL	+ 1 L 200 mL
8 L 800 mL	9 L 600 mL	6 L 700 mL

1 L		
3 L 700 mL	4 L 600 mL	6 L 900 mL
+ 5 L 400 mL	+ 2 L 800 mL	+ 3 L 200 mL
9 L 100 mL	7 L 400 mL	10 L 100 mL

7 L 800 mL	5 L 800 mL	2 L 800 mL
+ 1 L 800 mL	+ 4 L 900 mL	+ 9 L 700 mL
9 L 600 mL	10 L 700 mL	12 L 500 mL

16

들이의 뺄셈 알아보기

| 8 L 200 mL |
| − 4 L 700 mL |

⇒

| 7 L 1000 mL |
| 8 L 200 mL |
| − 4 L 700 mL |
| 500 mL |
| 1000−700+200=500mL |

⇒

| 7 L 1000 mL |
| 8 L 200 mL |
| − 4 L 700 mL |
| 3 L 500 mL |
| 7−4=3 L |

2 계산해 보세요.

6 L 800 mL	9 L 900 mL	2 L 200 mL
− 3 L 600 mL	− 2 L 500 mL	− 1 L 100 mL
3 L 200 mL	7 L 400 mL	1 L 100 mL

2 L 1000 mL		
3 L 100 mL	7 L 700 mL	9 L 500 mL
− 1 L 400 mL	− 3 L 800 mL	− 2 L 900 mL
1 L 700 mL	3 L 900 mL	6 L 600 mL

8 L 600 mL	10 L 400 mL	6 L 200 mL
− 3 L 900 mL	− 1 L 600 mL	− 4 L 700 mL
4 L 700 mL	8 L 800 mL	1 L 500 mL

17

무게의 덧셈 알아보기

| 3 kg 900 g |
| + 4 kg 600 g |

⇒

| | 1 kg |
| 3 kg 900 g |
| + 4 kg 600 g |
| 500 g |
| 900+600=1500g= 1 kg 500 g |

⇒

| | 1 kg |
| 3 kg 900 g |
| + 4 kg 600 g |
| 8 kg 500 g |
| 1+3+4=8 kg |

3 계산해 보세요.

4 kg 500 g	2 kg 200 g	5 kg 300 g
+ 3 kg 100 g	+ 7 kg 600 g	+ 1 kg 400 g
7 kg 600 g	9 kg 800 g	6 kg 700 g

1 kg		
7 kg 400 g	2 kg 500 g	3 kg 900 g
+ 2 kg 800 g	+ 1 kg 800 g	+ 3 kg 300 g
10 kg 200 g	4 kg 300 g	7 kg 200 g

1 kg 800 g	4 kg 600 g	5 kg 500 g
+ 6 kg 700 g	+ 2 kg 500 g	+ 4 kg 900 g
8 kg 500 g	7 kg 100 g	10 kg 400 g

18

무게의 뺄셈 알아보기

| 9 kg 300 g |
| − 2 kg 700 g |

⇒

| 8 kg 1000 g |
| 9 kg 300 g |
| − 2 kg 700 g |
| 600 g |
| 1000−700+300=600g |

⇒

| 8 kg |
| 9 kg 300 g |
| − 2 kg 700 g |
| 6 kg 600 g |
| 8−2=6 kg |

4 계산해 보세요.

4 kg 600 g	7 kg 800 g	8 kg 400 g
− 2 kg 300 g	− 6 kg 100 g	− 5 kg 200 g
2 kg 300 g	1 kg 700 g	3 kg 200 g

5 kg 1000 g		
6 kg 100 g	8 kg 100 g	9 kg 300 g
− 4 kg 300 g	− 2 kg 600 g	− 4 kg 900 g
1 kg 800 g	5 kg 500 g	4 kg 400 g

5 kg 200 g	7 kg 700 g	10 kg 500 g
− 2 kg 500 g	− 5 kg 800 g	− 3 kg 700 g
2 kg 700 g	1 kg 900 g	6 kg 800 g

19

도전! 응용 문제

정답 39쪽

유형 1

7L 500mL의 물이 들어 있는 물통에 3L 200mL의 물을 더 부었습니다. 물통에 들어 있는 물은 모두 몇 L 몇 mL일까요?

- ➡ 주어진 수에 ○표 하고, 구하는 것에 밑줄 치기
  처음 있던 물의 양: 7 L 500 mL, 더 부은 물의 양: 3 L 200 mL
- ➡ 문제 해결하기
  처음 들어 있던 물의 양과 더 부은 물의 양을 (더합니다, 뺍니다).
- ➡ 문제 풀기
  (물통에 들어 있는 전체 물의 양)=(처음 들어 있던 물의 양)+(더 부은 물의 양)
  = 7 L 500 mL + 3 L 200 mL = 10 L 700 mL
- ➡ 답 쓰기
  물통에 들어 있는 물은 모두 10 L 700 mL입니다.

유형＋ 1

도윤이는 헌 종이를 2kg 400g 모았고, 예지는 4kg 500g 모았습니다. 두 사람이 모은 헌 종이의 무게는 모두 몇 kg 몇 g일까요?

- ➡ 주어진 수에 ○표 하고, 구하는 것에 밑줄 치기
  도윤이가 모은 헌 종이 무게: 2 kg 400 g, 예지가 모은 헌 종이 무게: 4 kg 500 g
- ➡ 문제 해결하기
  도윤이가 모은 헌 종이 무게와 예지가 모은 헌 종이 무게를 (더합니다, 뺍니다).
- ➡ 문제 풀기
  (두 사람이 모은 헌 종이 무게)=(도윤이가 모은 헌 종이 무게)+(예지가 모은 헌 종이 무게)
  = 2 kg 400 g + 4 kg 500 g = 6 kg 900 g
- ➡ 답 쓰기
  두 사람이 모은 헌 종이의 무게는 모두 6 kg 900 g입니다.

유형 2

주스가 4L 800mL 있습니다. 그중 2L 500mL를 마셨다면 남은 주스는 몇 L 몇 mL일까요?

- ➡ 주어진 수에 ○표 하고, 구하는 것에 밑줄 치기
  전체 주스의 양: 4 L 800 mL, 마신 주스의 양: 2 L 500 mL
- ➡ 문제 해결하기
  전체 주스의 양에서 마신 주스의 양을 (더합니다, 뺍니다).
- ➡ 문제 풀기
  (남은 주스의 양)=(전체 주스의 양)-(마신 주스의 양)
  = 4 L 800 mL - 2 L 500 mL = 2 L 300 mL
- ➡ 답 쓰기
  남은 주스는 2 L 300 mL입니다.

유형＋ 2

슬기의 가방은 3kg 800g이고 준서의 가방은 2kg 600g입니다. 슬기의 가방은 준서의 가방보다 몇 kg 몇 g 더 무거울까요?

- ➡ 주어진 수에 ○표 하고, 구하는 것에 밑줄 치기
  슬기의 가방 무게: 3 kg 800 g, 준서의 가방 무게: 2 kg 600 g
- ➡ 문제 해결하기
  슬기의 가방 무게에서 준서의 가방 무게를 (더합니다, 뺍니다).
- ➡ 문제 풀기
  (두 가방 무게의 차)=(슬기의 가방 무게)-(준서의 가방 무게)
  = 3 kg 800 g - 2 kg 600 g = 1 kg 200 g
- ➡ 답 쓰기
  슬기의 가방은 준서의 가방보다 1 kg 200 g 더 무겁습니다.

● 　안에 알맞은 수를 써넣고 답을 구하세요.

1 Drill

이번 주에 지호는 우유를 1L 600mL 마셨고, 민아는 1L 900mL 마셨습니다. 이번 주에 두 사람이 마신 우유는 모두 몇 L 몇 mL일까요?

　주어진 수에 ○표 하고, 구하는 것에 밑줄 쫙!

풀이 (두 사람이 마신 우유의 양)
　　　=(지호가 마신 우유의 양)+(민아가 마신 우유의 양)
　　　= 1 L 600 mL + 1 L 900 mL = 3 L 500 mL
　　　　　　　　답 3 L 500 mL

2 Drill

농장에서 사과를 선우는 3kg 400g 땄고, 민재는 선우보다 2kg 800g 더 많이 땄습니다. 민재가 딴 사과는 몇 kg 몇 g일까요?

풀이 (민재가 딴 사과의 무게)=(선우가 딴 사과의 무게)+(선우보다 더 딴 사과의 무게)
　　　= 3 kg 400 g + 2 kg 800 g
　　　= 6 kg 200 g　　　답 6 kg 200 g

3 Drill

포도 주스는 6L 200mL 있고, 사과 주스는 4L 700mL 있습니다. 포도 주스는 사과 주스보다 몇 L 몇 mL 더 많을까요?

풀이 (두 주스의 양의 차)=(포도 주스의 양)-(사과 주스의 양)
　　　= 6 L 200 mL - 4 L 700 mL
　　　= 1 L 500 mL　　　답 1 L 500 mL

4 Drill

가온이가 강아지를 안고 무게를 재었더니 35kg 500g이었습니다. 가온이의 몸무게가 33kg 600g이라면 강아지의 무게는 몇 kg 몇 g일까요?

풀이 (강아지의 무게)=(가온이와 강아지의 무게)-(가온이의 몸무게)
　　　= 35 kg 500 g - 33 kg 600 g
　　　= 1 kg 900 g　　　답 1 kg 900 g

● 　서술형 문제를 읽고 풀이 과정과 답을 쓰세요.

도전 ①

수조에 4L 800mL의 물이 들어 있습니다. 이 수조에 5600mL의 물을 더 부으면 물이 넘치지 않고 가득 찹니다. 수조의 들이는 몇 L 몇 mL일까요?

예 풀이 (수조의 들이)＝4L 800mL＋5L 600mL
　　　　＝10L 400mL
　　　　　　　답 10L 400mL

도전 ②

무게가 700g인 바구니에 3kg 500g의 토마토를 담았습니다. 토마토를 담은 바구니의 무게는 몇 kg 몇 g일까요?

예 풀이 (토마토를 담은 바구니의 무게)
　　　　＝700g＋3kg 500g
　　　　＝4kg 200g　　　답 4kg 200g

도전 ③

빈 물통에 수빈이는 물을 6L 부었고, 도현이는 2300mL 부었습니다. 수빈이는 도현이보다 물을 몇 L 몇 mL 더 많이 부었을까요?

예 풀이 (수빈이가 더 부은 물의 양)
　　　　＝6L－2L 300mL
　　　　＝3L 700mL　　　답 3L 700mL

도전 ④

10kg까지 담을 수 있는 상자가 있습니다. 이 상자에 7kg 800g의 물건을 담았다면 몇 kg 몇 g을 더 담을 수 있을까요?

예 풀이 (더 담을 수 있는 무게)
　　　　＝10kg－7kg 800g
　　　　＝2kg 200g　　　답 2kg 200g

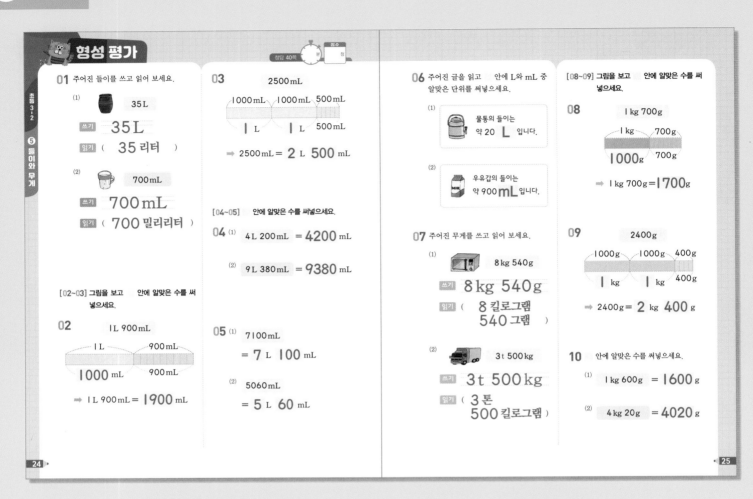

형성 평가

정답 40쪽

01 주어진 들이를 쓰고 읽어 보세요.

(1) 35 L

쓰기 35 L
읽기 (35 리터)

(2) 700 mL

쓰기 700 mL
읽기 (700 밀리리터)

[02~03] 그림을 보고 □ 안에 알맞은 수를 써넣으세요.

02 1 L 900 mL

| 1 L | 900 mL |
1000 mL | 900 mL

→ 1 L 900 mL = 1900 mL

03 2500 mL

| 1000 mL | 1000 mL | 500 mL |
| 1 L | 1 L | 500 mL

→ 2500 mL = 2 L 500 mL

[04~05] □ 안에 알맞은 수를 써넣으세요.

04 (1) 4 L 200 mL = 4200 mL

(2) 9 L 380 mL = 9380 mL

05 (1) 7100 mL

= 7 L 100 mL

(2) 5060 mL

= 5 L 60 mL

06 주어진 글을 읽고 □ 안에 L와 mL 중 알맞은 단위를 써넣으세요.

(1) 물통의 들이는 약 20 L 입니다.

(2) 우유갑의 들이는 약 900 mL 입니다.

07 주어진 무게를 쓰고 읽어 보세요.

(1) 8 kg 540 g

쓰기 8 kg 540 g
읽기 (8 킬로그램 540 그램)

(2) 3 t 500 kg

쓰기 3 t 500 kg
읽기 (3 톤 500 킬로그램)

[08~09] 그림을 보고 □ 안에 알맞은 수를 써넣으세요.

08 1 kg 700 g

| 1 kg | 700 g |
1000 g | 700 g

→ 1 kg 700 g = 1700 g

09 2400 g

| 1000 g | 1000 g | 400 g |
| 1 kg | 1 kg | 400 g

→ 2400 g = 2 kg 400 g

10 □ 안에 알맞은 수를 써넣으세요.

(1) 1 kg 600 g = 1600 g

(2) 4 kg 20 g = 4020 g

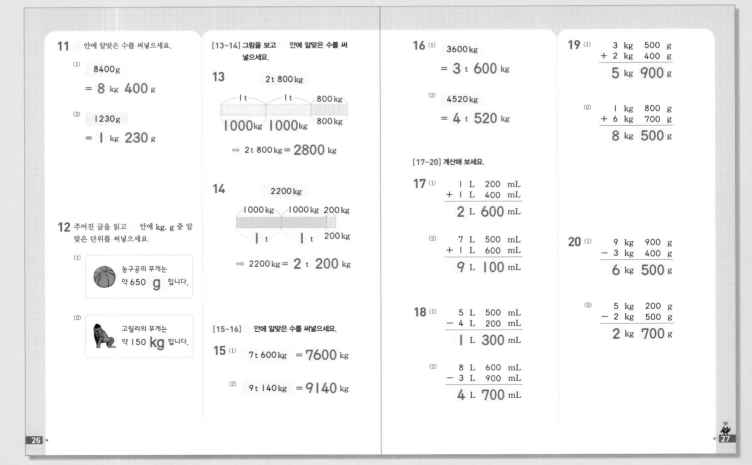

11 □ 안에 알맞은 수를 써넣으세요.

(1) 8400 g

= 8 kg 400 g

(2) 1230 g

= 1 kg 230 g

12 주어진 글을 읽고 □ 안에 kg, g 중 알맞은 단위를 써넣으세요.

(1) 농구공의 무게는 약 650 g 입니다.

(2) 고릴라의 무게는 약 150 kg 입니다.

[13~14] 그림을 보고 □ 안에 알맞은 수를 써넣으세요.

13 2 t 800 kg

| 1 t | 1 t | 800 kg |
1000 kg | 1000 kg | 800 kg

→ 2 t 800 kg = 2800 kg

14 2200 kg

| 1000 kg | 1000 kg | 200 kg |
| 1 t | 1 t | 200 kg

→ 2200 kg = 2 t 200 kg

[15~16] □ 안에 알맞은 수를 써넣으세요.

15 (1) 7 t 600 kg = 7600 kg

(2) 9 t 140 kg = 9140 kg

16 (1) 3600 kg

= 3 t 600 kg

(2) 4520 kg

= 4 t 520 kg

[17~20] 계산해 보세요.

17 (1)
$$\begin{array}{r} 1\ L\ 200\ mL \\ +\ 1\ L\ 400\ mL \\ \hline 2\ L\ 600\ mL \end{array}$$

(2)
$$\begin{array}{r} 7\ L\ 500\ mL \\ +\ 1\ L\ 600\ mL \\ \hline 9\ L\ 100\ mL \end{array}$$

18 (1)
$$\begin{array}{r} 5\ L\ 500\ mL \\ -\ 4\ L\ 200\ mL \\ \hline 1\ L\ 300\ mL \end{array}$$

(2)
$$\begin{array}{r} 8\ L\ 600\ mL \\ -\ 3\ L\ 900\ mL \\ \hline 4\ L\ 700\ mL \end{array}$$

19 (1)
$$\begin{array}{r} 3\ kg\ 500\ g \\ +\ 2\ kg\ 400\ g \\ \hline 5\ kg\ 900\ g \end{array}$$

(2)
$$\begin{array}{r} 1\ kg\ 800\ g \\ +\ 6\ kg\ 700\ g \\ \hline 8\ kg\ 500\ g \end{array}$$

20 (1)
$$\begin{array}{r} 9\ kg\ 900\ g \\ -\ 3\ kg\ 400\ g \\ \hline 6\ kg\ 500\ g \end{array}$$

(2)
$$\begin{array}{r} 5\ kg\ 200\ g \\ -\ 2\ kg\ 500\ g \\ \hline 2\ kg\ 700\ g \end{array}$$

단원 평가 · **5. 들이와 무게**

정답 41쪽

1 들이를 나타낼 때 L와 mL 중에서 사용해야 하는 단위가 다른 것은 어느 것일까요? (③)

① 꽃병　② 종이컵
③ 욕조　④ 주사기
⑤ 밥그릇

2 안에 알맞은 수를 써넣으세요.

(1) 3L 650 mL = 3650 mL

(2) 7050 mL

= 7 L 50 mL

3 다음 중 잘못된 것은 어느 것일까요? (⑤)

① 4L 800 mL = 4800 mL
② 1L 750 mL = 1750 mL
③ 9L 80 mL = 9080 mL
④ 6470 mL = 6L 470 mL
⑤ 7060 mL = 7L 600 mL

4 들이의 단위를 알맞게 사용한 학생의 이름을 쓰세요.

> 영지: 나는 어제 우유를 250L 마셨어요.
> 은정: 양동이에 물을 가득 담았더니 13mL 네.
> 재호: 나는 어제 요구르트를 500mL 샀어.
> 성민: 주사기에 들어 있는 약은 약 6L쯤 될꺼야.

(재호)

5 들이가 가장 많은 것부터 차례로 기호를 쓰세요.

> ㉠ 8L 320 mL　㉡ 8180 mL
> ㉢ 8L 70 mL　㉣ 8250 mL

(㉠ , ㉣ , ㉡ , ㉢)

6 1L들이의 그릇이 있습니다. 이 그릇의 들이를 다음과 같이 어림했을 때, 1L에 더 가깝게 어림한 사람은 누구일까요?

> 정태: 900mL　민주: 1050mL

(민주)

7 계산해 보세요.

(1)
```
    4 L  900 mL
 + 2 L  500 mL
 ──────────────
   7 L  400 mL
```

(2)
```
    8 L  700 mL
 - 3 L  800 mL
 ──────────────
    4 L  900 mL
```

8 들이의 합과 차를 구하세요.

5L 750 mL　2150 mL

합: 7 L 900 mL

차: 3 L 600 mL

9 들이가 더 많은 것의 기호를 쓰세요.

> ㉠ 1L 200mL + 2L 200mL
> ㉡ 5L 700mL - 2L 250mL

(㉡)

㉠ 3L 400 mL
㉡ 3L 450 mL

10 여러 가지 그릇의 들이를 조사하여 나타낸 표입니다. 그릇 2개를 한 번씩 사용하여 5L 800 mL의 들이를 얻으려면 어느 그릇과 어느 그릇을 사용해야 하는지 풀이 과정을 쓰고 답을 구하세요.

그릇	들이
㉮	400mL
㉯	2L 300mL
㉰	3L 500mL
㉱	1L 750mL

예 **풀이** 2L 300 mL + 3L 500 mL
= 5L 800 mL이므로 ㉯그릇과 ㉰그릇을 한 번씩 사용해야 합니다. **답** ㉯, ㉰

11 물건의 무게를 나타내는 단위로 kg보다 g이 더 적당한 것을 모두 고르세요. (① , ④)

① 야구공　② 텔레비전
③ 냉장고　④ 휴대폰
⑤ 책상

12 관계있는 것끼리 선으로 이어 보세요.

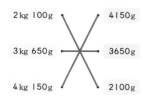

2 kg 100 g — 4150 g
3 kg 650 g — 3650 g
4 kg 150 g — 2100 g

13 무게가 가장 가벼운 것부터 차례로 1, 2, 3, 4를 쓰세요.

8 kg 250 g — 2
8 kg 520 g — 4
8090 g — 1
8490 g — 3

14 다음 중 잘못된 것은 어느 것일까요? (③)

① 3t = 3000 kg
② 12t = 12000 kg
③ 10t = 1000 kg
④ 6000 kg = 6t
⑤ 18000 kg = 18t

15 토마토를 7 kg 300 g 따서 그중 5 kg 800 g을 팔았습니다. 남은 토마토는 몇 kg 몇 g일까요?

1 kg 500 g

16 무게의 합과 차를 구하세요.

4 kg 300 g　7650 g

합: 11 kg 950 g

차: 3 kg 350 g

17 마을별 사과 수확량을 조사하여 표로 나타낸 것입니다. 네 마을의 사과 수확량의 합은 몇 t일까요?

마을	수확량(kg)	마을	수확량(kg)
가	450	다	670
나	380	라	500

(2)t

18 무게가 가장 무거운 것을 찾아 기호를 쓰세요.

> ㉠ 1 kg 150 g + 3 kg 300 g
> ㉡ 2 kg 150 g + 2 kg 600 g
> ㉢ 8 kg 350 g - 4 kg 200 g
> ㉣ 9 kg 750 g - 5 kg 50 g

㉠ 4 kg 450 g　(㉡)
㉡ 4 kg 750 g
㉢ 4 kg 150 g
㉣ 4 kg 700 g

19 가장 무거운 것과 가장 가벼운 것의 무게의 차는 몇 kg 몇 g일까요?

 1 kg 600 g　 3 kg 700 g

 2 kg 500 g　1 kg 250 g

➡ 2 kg 450 g

3 kg 700 g - 1 kg 250 g
= 2 kg 450 g

20 무게가 2t인 트럭이 있습니다. 이 트럭 위에 한 개의 무게가 20 kg인 상자를 150개 실으면 이 트럭의 무게는 몇 t이 되는지 풀이 과정을 쓰고 답을 구하세요.

예 **풀이** 20kg짜리 상자 150개의 무게는 20 × 150 = 3000(kg)
이므로 3t입니다. 따라서 상자 150개를 **답** 5t
실은 트럭의 무게는
2 + 3 = 5(t)입니다.

01 표를 보고 알 수 있는 내용

정답 42쪽

좋아하는 꽃별 학생 수

꽃	장미	튤립	무궁화	진달래	합계
학생 수(명)	8	4	9	7	28

←(8+4+9+7)

1 조사한 학생의 수는 28명입니다.
2 가장 많은 학생들이 좋아하는 꽃은 무궁화(9명)입니다.
3 가장 적은 학생들이 좋아하는 꽃은 튤립(4명)입니다.
4 장미를 좋아하는 학생(8명)은 진달래를 좋아하는 학생(7명)보다 1명 더 많습니다.

1 표의 빈칸에 알맞은 수를 써넣으세요.

가고 싶어 하는 산별 학생 수

산	한라산	설악산	지리산	백두산	합계
학생 수(명)	5	8	6	10	29

5+8+6+10

좋아하는 악기별 학생 수

악기	피아노	기타	드럼	첼로	합계
학생 수(명)	6	5	9	7	27

좋아하는 TV 프로그램별 학생 수

프로그램	드라마	만화	퀴즈쇼	코미디	합계
학생 수(명)	7	11	4	8	30

종류별 책 수

종류	역사책	동시집	위인전	동화책	합계
책 수(권)	9	6	10	8	33

좋아하는 동물별 학생 수

동물	강아지	고양이	토끼	원숭이	합계
학생 수(명)	8	13	9	5	35

학생별 일주일 동안 읽은 책 수

이름	선미	동준	시훈	윤주	합계
책 수(권)	9	12	15	10	46

04

2 표를 보고 　안에 알맞은 수를 써넣으세요.

혈액형별 학생 수

혈액형	A형	B형	O형	AB형	합계
학생 수(명)	8	5	6	3	22

1 혈액형이 B형인 학생 수: 5 명
2 조사에 참여한 학생 수: 22 명
3 혈액형이 AB형인 학생 수: 3 명

받고 싶은 선물별 학생 수

선물	자전거	옷	책	게임기	합계
학생 수(명)	6	7	5	9	27

1 조사에 참여한 학생 수: 27 명
2 선물로 게임기를 받고 싶은 학생 수: 9 명
3 선물로 자전거를 받고 싶은 학생 수: 6 명

좋아하는 채소별 학생 수

채소	양파	당근	오이	감자	합계
학생 수(명)	9	5	6	10	30

1 오이를 좋아하는 학생 수: 6 명
2 당근을 좋아하는 학생 수: 5 명
3 조사에 참여한 학생 수: 30 명

좋아하는 색깔별 학생 수

색깔	노란색	파란색	초록색	빨간색	합계
학생 수(명)	11	9	4	8	32

1 조사에 참여한 학생 수: 32 명
2 초록색을 좋아하는 학생 수: 4 명
3 노란색을 좋아하는 학생 수: 11 명

05

3 표의 빈칸에 알맞은 수를 써넣으세요.

좋아하는 분식별 학생 수

분식	튀김	떡볶이	김밥	순대	합계
학생 수(명)	7	6	10	9	32

32 - 7 - 10 - 9
(합계) (튀김) (김밥) (순대)

어린이날 가고 싶은 장소별 학생 수

장소	놀이동산	박물관	영화관	동물원	합계
학생 수(명)	12	3	8	7	30

여행하고 싶은 나라별 학생 수

나라	미국	호주	캐나다	프랑스	합계
학생 수(명)	10	6	13	11	40

체육대회에 참가한 종목별 학생 수

종목	축구	피구	농구	계주	합계
학생 수(명)	13	8	11	14	46

기르고 싶은 반려동물별 남녀 학생 수

반려동물	개	고양이	햄스터	도마뱀	합계
남학생 수(명)	8	5	16	9	38
여학생 수(명)	12	10	7	8	37

좋아하는 과목별 남녀 학생 수

과목	국어	수학	영어	과학	합계
남학생 수(명)	7	11	9	14	41
여학생 수(명)	12	6	15	10	43

학예회에 참가한 종목별 남녀 학생 수

종목	합창	무용	연극	마술	합계
남학생 수(명)	15	7	14	12	48
여학생 수(명)	9	13	16	10	48

좋아하는 곤충별 남녀 학생 수

곤충	매미	나비	풍뎅이	개미	합계
남학생 수(명)	17	11	8	15	51
여학생 수(명)	6	14	18	16	54

06

4 표를 보고 　안에 알맞은 수나 말을 써넣으세요.

좋아하는 놀이 기구별 학생 수

놀이 기구	바이킹	범퍼카	롤러코스터	회전목마	합계
학생 수(명)	9	13	6	8	36

1 가장 많은 학생들이 좋아하는 놀이 기구는 범퍼카 입니다.
2 가장 적은 학생들이 좋아하는 놀이 기구는 롤러코스터입니다.

좋아하는 계절별 학생 수

계절	봄	여름	가을	겨울	합계
학생 수(명)	10	14	7	11	42

1 두 번째로 많은 학생들이 좋아하는 계절은 겨울 입니다.
2 봄을 좋아하는 학생은 가을을 좋아하는 학생보다 3 명 더 많습니다.

좋아하는 운동별 남녀 학생 수

운동	태권도	축구	달리기	수영	합계
남학생 수(명)	11	15	7	6	39
여학생 수(명)	13	9	8	12	42

1 가장 적은 남학생이 좋아하는 운동은 수영 입니다.
2 가장 많은 여학생이 좋아하는 운동은 태권도 입니다.
3 남학생과 여학생 수의 차가 가장 적은 운동은 달리기 입니다.
4 달리기를 좋아하는 학생은 모두 15 명입니다.

07

02 자료를 표로 나타내기

정답 43쪽

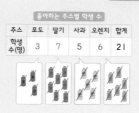

좋아하는 주스별 학생 수

주스	포도	딸기	사과	오렌지	합계
학생 수(명)	3	7	5	6	21

1 자료를 보고 ☐ 안에 알맞은 수나 말을 써넣으세요.

배우고 싶은 악기
🎻 바이올린 → 4명 🎹 피아노 → 6명
🥁 드럼 → 7명 👟 오카리나 → 8명

❶ 가장 많은 학생들이 배우고 싶은 악기:
오카리나

❷ 두 번째로 적은 학생들이 배우고 싶은 악기:
피아노

❸ 드럼을 배우고 싶은 학생은 피아노를 배우고 싶은 학생보다 **1** 명 더 많습니다.

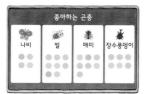

좋아하는 곤충
나비 벌 매미 장수풍뎅이

❶ 가장 적은 학생들이 좋아하는 곤충:
나비

❷ 두 번째로 많은 학생들이 좋아하는 곤충:
매미

❸ 조사에 참여한 학생은 모두 **25** 명입니다.

2 주어진 자료를 보고 표로 나타내고, ☐ 안에 알맞은 수나 말을 써넣으세요.

좋아하는 간식
🍗 치킨 🍕 피자 🍔 햄버거 🍦 아이스크림

좋아하는 간식별 학생 수

간식	치킨	피자	햄버거	아이스크림	합계
학생 수(명)	7	5	8	4	24

❶ 가장 많은 학생들이 좋아하는 간식은 **햄버거** 입니다.

❷ 조사에 참여한 학생은 모두 **24** 명입니다.

좋아하는 색깔
노란색 분홍색 초록색 파란색

좋아하는 색깔별 학생 수

색깔	노란색	분홍색	초록색	파란색	합계
학생 수(명)	4	11	8	6	29

❶ 가장 적은 학생들이 좋아하는 색깔은 **노란색** 입니다.

❷ 두 번째로 많은 학생들이 좋아하는 색깔은 **초록색** 입니다.

❸ 초록색을 좋아하는 학생은 파란색을 좋아하는 학생보다 **2** 명 더 많습니다.

3 주어진 자료를 보고 표로 나타내고, ☐ 안에 알맞은 수나 말을 써넣으세요.

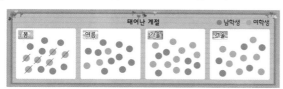

태어난 계절 ●남학생 ●여학생
봄 여름 가을 겨울

태어난 계절별 남녀 학생 수

계절	봄	여름	가을	겨울	합계
남학생 수(명)	7	10	6	5	28
여학생 수(명)	6	3	9	8	26

❶ 가장 많은 남학생이 태어난 계절은 **여름** 입니다.

❷ 가을에 태어난 학생은 모두 **15** 명입니다.

자신의 혈액형 ●남학생 ●여학생
A형 B형 O형 AB형

혈액형별 남녀 학생 수

혈액형	A형	B형	O형	AB형	합계
남학생 수(명)	4	7	8	5	24
여학생 수(명)	10	3	4	2	19

❶ A형인 여학생은 AB형인 남학생보다 **5** 명 더 많습니다.

❷ 남학생과 여학생 수의 차이가 가장 적은 혈액형은 **AB** 형입니다.

4 주어진 자료를 보고 표를 완성하고, ☐ 안에 알맞은 수나 말을 써넣으세요.

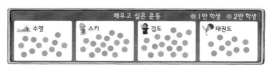

배우고 싶은 운동 ●1반 학생 ●2반 학생
수영 스키 검도 태권도

배우고 싶은 운동별 학생 수

운동	수영	스키	검도	태권도	합계
1반 학생 수(명)	5	9	11	4	29
2반 학생 수(명)	8	7	6	6	27

❶ 가장 적은 1반 학생이 배우고 싶은 운동은 **태권도**입니다.

❷ 1반과 2반 학생 수의 차이가 가장 많은 운동은 **검도** 입니다.

좋아하는 아이스크림 맛 ●남학생 ●여학생
바닐라 맛 딸기 맛 초콜릿 맛 멜론 맛

좋아하는 아이스크림 맛별 남녀 학생 수

아이스크림 맛	바닐라 맛	딸기 맛	초콜릿 맛	멜론 맛	합계
남학생 수(명)	8	5	10	5	28
여학생 수(명)	4	11	7	2	24

❶ 가장 많은 여학생이 좋아하는 아이스크림 맛은 **딸기** 맛입니다.

❷ 초콜릿 맛 아이스크림을 좋아하는 학생은 모두 **17** 명입니다.

03 그림그래프

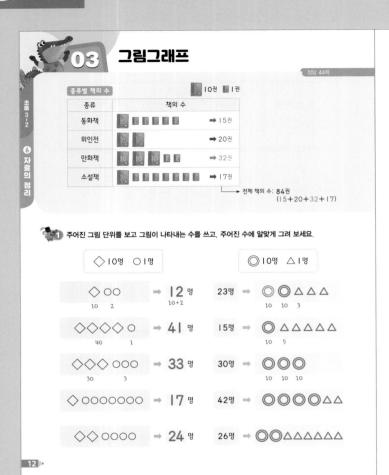

종류별 책의 수   📕 10권 📗 1권

종류	책의 수	
동화책	📕📗📗📗📗📗	➡ 15권
위인전	📕📕	➡ 20권
만화책	📕📕📕📗📗	➡ 32권
소설책	📕📗📗📗📗📗📗📗	➡ 17권

➡ 전체 책의 수: 84권
(15+20+32+17)

1 주어진 그림 단위를 보고 그림이 나타내는 수를 쓰고, 주어진 수에 알맞게 그려 보세요.

◇ 10명 ○ 1명   ◎ 10명 △ 1명

◇○○ ➡ **12** 명 (10 2)   23명 ➡ ◎◎△△△ (10 10 3)

◇◇◇◇○ ➡ **41** 명 (40 1)   15명 ➡ ◎△△△△△ (10 5)

◇◇◇○○○ ➡ **33** 명 (30 3)   30명 ➡ ◎◎◎ (10 10 10)

◇○○○○○○○ ➡ **17** 명   42명 ➡ ◎◎◎◎△△

◇◇○○○○ ➡ **24** 명   26명 ➡ ◎◎△△△△△△

2 그림그래프를 보고 그림이 나타내는 수가 얼마인지 빈 곳에 알맞은 수를 써넣으세요.

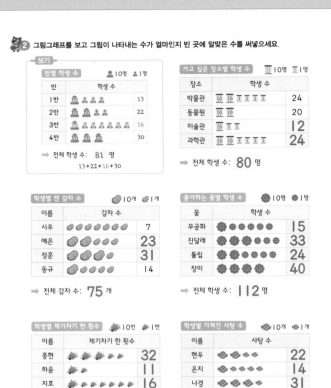

보기

반별 학생 수   👤 10명 👤 1명

반	학생 수	
1반		13
2반		22
3반		16
4반		30

➡ 전체 학생 수: 81 명
13+22+16+30

가고 싶은 장소별 학생 수   🏛 10명 🏛 1명

장소	학생 수	
박물관		24
동물원		20
미술관		12
과학관		24

➡ 전체 학생 수: 80 명

학생별 캔 감자 수   🥔 10개 🥔 1개

이름	감자 수	
시우		7
예은		23
정훈		31
동규		14

➡ 전체 감자 수: 75 개

좋아하는 꽃별 학생 수   🌼 10명 🌼 1명

꽃	학생 수	
무궁화		15
진달래		33
튤립		24
장미		40

➡ 전체 학생 수: 112 명

학생별 제기차기 한 횟수   🌿 10번 🌿 1번

이름	제기차기 한 횟수	
종현		32
하윤		11
지호		16
민준		30

➡ 전체 제기차기 한 횟수: 89 번

학생별 가져간 사탕 수   🍬 10개 🍬 1개

이름	사탕 수	
현우		22
은지		14
나경		31
도겸		25

➡ 전체 사탕 수: 92 개

3 그림그래프를 보고   안에 알맞은 수나 말을 써넣으세요.

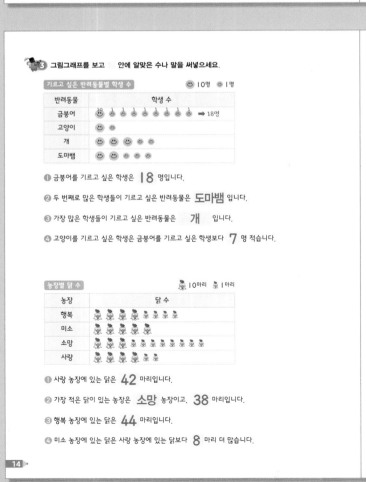

기르고 싶은 반려동물별 학생 수   😊 10명 😊 1명

반려동물	학생 수	
금붕어		➡ 18명
고양이		
개		
도마뱀		

❶ 금붕어를 기르고 싶은 학생은 **18** 명입니다.

❷ 두 번째로 많은 학생들이 기르고 싶은 반려동물은 **도마뱀** 입니다.

❸ 가장 많은 학생들이 기르고 싶은 반려동물은 **개** 입니다.

❹ 고양이를 기르고 싶은 학생은 금붕어를 기르고 싶은 학생보다 **7** 명 적습니다.

농장별 닭 수   🐔 10마리 🐔 1마리

농장	닭 수
행복	
미소	
소망	
사랑	

❶ 사랑 농장에 있는 닭은 **42** 마리입니다.

❷ 가장 적은 닭이 있는 농장은 **소망** 농장이고, **38** 마리입니다.

❸ 행복 농장에 있는 닭은 **44** 마리입니다.

❹ 미소 농장에 있는 닭은 사랑 농장에 있는 닭보다 **8** 마리 더 많습니다.

4 표를 보고 그림그래프로 나타내어 보세요.

학생별 줄넘기 횟수

이름	수호	윤우	민준	주안	합계
줄넘기 횟수(회)	41	29	35	50	155

학생별 줄넘기 횟수   ◇ 10회 ○ 1회

이름	줄넘기 횟수
수호	◇◇◇◇○
윤우	◇○○○○○○○○○
민준	◇◇◇○○○○○
주안	◇◇◇◇◇

취미별 학생 수

취미	운동	게임	독서	악기 연주	합계
학생 수(명)	25	36	27	22	110

취미별 학생 수   ◎ 10명 △ 1명

취미	학생 수
운동	◎◎△△△△△
게임	◎◎◎△△△△△△
독서	◎◎△△△△△△△
악기 연주	◎◎△△

도전! 응용 문제

정답 45쪽

초등 3·2
⑥ 자료의 정리

표를 그림그래프로 나타내기

저금통 안의 종류별 동전 수

종류	10원	50원	100원	500원	합계
동전 수(개)	23	32	40	26	121

개수를 보고 그림과 그림의 단위 정하기
◎ 10개 ○ 1개

동전 수

종류	동전 수
10원	◎◎○○○
50원	◎◎◎○○
100원	◎◎◎◎
500원	◎◎○○○○○○

개수만큼 각 단위 그림 그리기

응용 ❶ 표와 그림그래프를 보고 그림이 나타내는 수를 ☐ 안에 써넣으세요.

학생별 딴 딸기 수

이름	지민	수아
딸기 수(개)	11	32

이름	딸기 수
지민	◎○
수아	◎◎◎○○

➡ ◎ **10** 개 ○ **1** 개

농장별 고구마 생산량

농장	싱싱	아삭
생산량(kg)	103	201

농장	생산량
싱싱	△☐☐☐
아삭	△△☐

➡ △ **100** kg ☐ **1** kg

마을별 자전거 수

마을	사랑	행복
자전거 수(대)	54	57

마을	자전거 수
사랑	☆◇◇◇◇
행복	☆◇◇◇◇◇◇◇

➡ ☆ **50** 대 ◇ **1** 대

가게별 귤 판매량

가게	새콤	달콤
판매량(상자)	160	230

가게	판매량
새콤	☐○○○○○○
달콤	☐☐○○○

➡ ☐ **100** 상자 ○ **10** 상자

응용 ❷ 채아네 반 학생들이 좋아하는 과일을 조사한 자료입니다. 빈칸에 알맞게 써넣고, 그림그래프를 완성하세요.

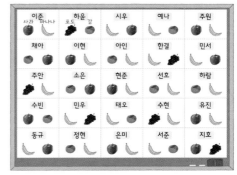

좋아하는 과일별 학생 수

과일	사과	바나나	포도	감	합계
학생 수(명)	13	20	6	11	50

좋아하는 과일별 학생 수 ◎ 10명 ○ 1명

과일	학생 수
사과	◎○○○
바나나	◎◎
포도	○○○○○○
감	◎○

표와 그림그래프 완성하기

좋아하는 간식별 학생 수

간식	핫도그	떡볶이	김밥	샌드위치	합계
학생 수(명)	23	14	17	20	74

① 그림그래프를 보고 핫도그의 수 구하기
② (핫도그)+(떡볶이)+(김밥)+(샌드위치)=74, (샌드위치)=20

좋아하는 간식별 학생 수 ☆10명 ○1명

간식	학생 수
핫도그	☆☆○○○
떡볶이	☆○○○○
김밥	☆○○○○○○○
샌드위치	☆☆

③ 표를 보고 그림그래프 그리기

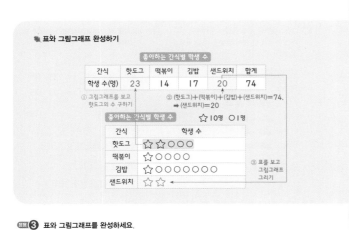

응용 ❸ 표와 그림그래프를 완성하세요.

방과후 수업 과목별 학생 수

과목	요리 탐구	생명 과학	방송 댄스	코딩 교실	합계
학생 수(명)	52	45	16	34	147

방과후 수업 과목별 학생 수 ◎10명 △1명

과목	학생 수
요리 탐구	◎◎◎◎◎△△
생명 과학	◎◎◎◎△△△△△
방송 댄스	◎△△△△△△
코딩 교실	◎◎◎△△△△

색깔별 색종이 수

색깔	노란색	빨간색	초록색	파란색	합계
색종이 수(장)	150	210	180	230	770

색깔별 색종이 수 △100장 ☐10장

색깔	색종이 수
노란색	△☐☐☐☐☐
빨간색	△△☐
초록색	△☐☐☐☐☐☐☐☐
파란색	△△☐☐☐

응용 ❹ 표와 그림그래프를 완성하세요.

태어난 계절별 학생 수

계절	봄	여름	가을	겨울	합계
학생 수(명)	27	40	32	21	120

태어난 계절별 학생 수 ☐10명 ○1명

계절	학생 수
봄	☐☐○○○○○○○
여름	☐☐☐☐
가을	☐☐☐○○
겨울	☐☐○

과목별 좋아하는 학생 수

과목	국어	수학	과학	영어	합계
학생 수(명)	24	18	30	15	87

과목별 좋아하는 학생 수 ◇10명 ○1명

과목	학생 수
국어	◇◇○○○○
수학	◇○○○○○○○○
과학	◇◇◇
영어	◇○○○○○

마을별 자동차 수

마을	가온	다솜	마루	한별	합계
자동차 수(대)	200	140	250	170	760

마을별 자동차 수 ○100대 △10대

마을	자동차 수
가온	○○
다솜	○△△△△
마루	○○△△△△△
한별	○△△△△△△△

가게별 판매한 사과 수

가게	소망	하늘	샛별	햇살	합계
사과 수(개)	350	230	180	420	1180

가게별 판매한 사과 수 △100개 ☐10개

가게	사과 수
소망	△△△☐☐☐☐☐
하늘	△△☐☐☐
샛별	△☐☐☐☐☐☐☐☐
햇살	△△△△☐☐

형성 평가

정답 46쪽

[01~02] 표의 빈칸에 알맞은 수를 써넣으세요.

01

좋아하는 과목별 학생 수

과목	국어	수학	사회	과학	합계
학생 수(명)	4	8	6	5	**23**

02

좋아하는 색깔별 학생 수

색깔	빨간색	파란색	노란색	초록색	합계
학생 수(명)	6	3	5	7	**21**

03 표를 보고 ☐ 안에 알맞은 수를 써넣으세요.

좋아하는 꽃별 학생 수

꽃	장미	백합	튤립	국화	합계
학생 수(명)	9	7	8	4	28

(1) 장미를 좋아하는 학생 수: **9** 명

(2) 국화를 좋아하는 학생 수: **4** 명

04 표의 빈칸에 알맞은 수를 써넣으세요.

(1) 혈액형별 학생 수

혈액형	A형	B형	O형	AB형	합계
학생 수(명)	7	4	**5**	6	22

(2) 좋아하는 과일별 학생 수

과일	사과	배	귤	포도	합계
학생 수(명)	10	**7**	9	5	31

05 표의 빈칸에 알맞은 수를 써넣으세요.

좋아하는 동물별 남녀 학생 수

동물	원숭이	호랑이	사슴	사자	합계
남학생 수(명)	7	11	4	**8**	30
여학생 수(명)	6	**9**	12	5	32

06 표를 보고 ☐ 안에 알맞은 수나 말을 써넣으세요.

좋아하는 계절별 남녀 학생 수

계절	봄	여름	가을	겨울	합계
남학생 수(명)	12	8	10	7	37
여학생 수(명)	10	9	13	11	43

(1) 남학생과 여학생 수의 차가 가장 적은 계절은 **여름** 입니다.

(2) 가을을 좋아하는 학생은 모두 **23** 명입니다.

07 자료를 보고 ☐ 안에 알맞은 수나 말을 써넣으세요.

좋아하는 음식

🍕 피자   🍗 치킨   🍖 돈가스   🍔 햄버거

(1) 가장 많은 학생들이 좋아하는 음식은 **치킨** 입니다.

(2) 조사에 참여한 학생은 모두 **21** 명입니다.

[08~10] 주어진 자료를 보고 물음에 답하세요.

가고 싶은 나라

미국   중국   일본   영국

08 주어진 자료를 보고 표로 나타내어 보세요.

가고 싶은 나라별 학생 수

나라	미국	중국	일본	영국	합계
학생 수(명)	**7**	3	**5**	6	21

09 가장 많은 학생들이 가고 싶은 나라는 어디일까요?

(**미국**)

10 영국에 가고 싶은 학생은 중국에 가고 싶은 학생보다 몇 명 더 많을까요?

(**3**)명

[11~13] 주어진 자료를 보고 물음에 답하세요.

좋아하는 곤충

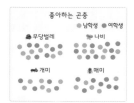

● 남학생   ● 여학생

🐞 무당벌레   🦋 나비

🐜 개미   🦗 매미

11 주어진 자료를 보고 표로 나타내어 보세요.

좋아하는 곤충별 남녀 학생 수

곤충	무당벌레	나비	개미	매미	합계
남학생 수(명)	8	**9**	6	**5**	28
여학생 수(명)	**6**	8	4	7	25

12 가장 많은 남학생이 좋아하는 곤충은 무엇일까요?

(**나비**)

13 매미를 좋아하는 학생은 모두 몇 명일까요?

(**12**)명

14 주어진 그림 단위를 보고 그림이 나타내는 수를 ☐ 안에 써넣으세요.

☆10명 ○1명

(1) ☆☆○○○ ➡ **23** 명

(2) ☆○○○○○ ➡ **15** 명

15 주어진 수를 그림 단위에 알맞게 그려 보세요.

△10명 ◎1명

(1) 14명 ➡ △◎◎◎◎

(2) 32명 ➡ △△△◎◎

16 그림그래프를 보고 그림이 나타내는 수가 얼마인지 빈 곳에 알맞은 수를 써넣으세요.

반별 학생 수   ☺10명 ☺1명

반	학생 수	
1반	☺☺☺☺	22
2반	☺☺☺☺	20
3반	☺☺☺☺☺	**23**
4반	☺☺☺☺☺☺	**16**

➡ 전체 학생 수: **81** 명

17 그림그래프를 보고 그림이 나타내는 수가 얼마인지 빈 곳에 알맞은 수를 써넣으세요.

주차장별 자동차 수   🚗10대 🚙1대

주차장	자동차 수	
가	🚗🚙🚙🚙	13
나	🚗🚗🚙🚙	22
다	🚗🚗	20
라	🚗🚙🚙🚙🚙🚙	15

➡ 전체 자동차 수: **70** 대

18 그림그래프를 보고 ☐ 안에 알맞은 수나 말을 써넣으세요.

취미별 학생 수   ☺10명 ☺1명

취미	학생 수
운동	☺☺☺☺☺
게임	☺☺☺☺
독서	☺☺☺
악기 연주	☺☺

(1) 가장 많은 학생들의 취미는 **게임** 입니다.

(2) 운동이 취미인 학생은 독서가 취미인 학생보다 **8** 명 더 많습니다.

[19~20] 표를 보고 그림그래프로 나타내어 보세요.

19

농장별 소의 수

농장	백두	한라	금강	태백	합계
소의 수(마리)	25	13	16	21	75

농장별 소의 수   △10마리 □1마리

농장	소의 수
백두	△△□□□□□
한라	△□□□
금강	△□□□□□□
태백	△△□

20

음료수별 판매량

음료수	주스	우유	커피	요구르트	합계
판매량(개)	35	23	15	32	105

음료수별 판매량   ◎10개 ○1개

음료수	판매량
주스	◎◎◎○○○○○
우유	◎◎○○○
커피	◎○○○○○
요구르트	◎◎◎○○

단원평가 6. 자료의 정리

[1~3] 지수네 반 학생들이 가장 좋아하는 계절을 조사하여 나타낸 것입니다. 물음에 답하세요.

좋아하는 계절

이름	계절	이름	계절	이름	계절
지수	가을	영지	겨울	재호	봄
성미	봄	호철	가을	주희	가을
영철	가을	성국	봄	승호	여름
동진	여름	호원	가을	동하	겨울
서인	겨울	은영	가을	민국	봄

1 조사한 것을 보고 표로 나타내어 보세요.

좋아하는 계절별 학생 수

계절	봄	여름	가을	겨울	합계
학생 수(명)	4	2	6	3	15

2 가장 많은 학생들이 좋아하는 계절은 언제일까요?

(**가을**)

3 좋아하는 계절별 학생 수를 한눈에 비교하기에 편리한 것은 조사한 자료와 표 중 어느 것일까요?

(**표**)

[4~5] 재민이네 반 학생들이 가장 좋아하는 과일을 나타낸 것입니다. 물음에 답하세요.

4 좋아하는 과일별 학생 수를 표로 나타내어 보세요.

좋아하는 과일별 학생 수

과일	사과	바나나	포도	귤	합계
학생 수(명)	4	6	2	4	16

5 위 4번 표를 보고 알 수 있는 것으로 옳지 않은 것의 기호를 쓰세요.

⊙ 좋아하는 학생 수가 같은 과일은 사과와 귤입니다.
ⓒ 바나나를 좋아하는 학생 수는 포도를 좋아하는 학생 수의 2배입니다.

(ⓒ)

[6~8] 마을별로 기르고 있는 돼지 수를 조사하여 나타낸 그림그래프입니다. 물음에 답하세요.

마을별 돼지 수   🐷10마리 🐷1마리

마을	돼지 수
햇살	🐷🐷🐷🐷🐷
풍경	🐷🐷🐷
모담	🐷🐷🐷🐷
전원	🐷🐷🐷

6 돼지를 가장 많이 기르고 있는 마을은 어느 마을일까요?

(**햇살**)마을

7 돼지를 가장 적게 기르고 있는 마을은 어느 마을일까요?

(**전원**)마을

8 네 마을에서 기르고 있는 돼지는 모두 몇 마리일까요?

(**90**)마리

[9~11] 현서가 어느 해 9월부터 12월까지 맑은 날수를 조사하여 나타낸 그림그래프입니다. 물음에 답하세요.

맑은 날 수   ☀10일 ☀1일

월	날수
9	☀☀☀☀☀
10	☀☀☀☀
11	☀☀☀
12	☀☀

9 맑은 날이 가장 많은 달과 가장 적은 달의 맑은 날수의 차는 며칠일까요?

(**11**)일

10 11월에는 12월보다 맑은 날수가 며칠 더 많을까요?

(**9**)일

11 그림그래프를 보고 알 수 있는 것을 바르게 말한 사람은 누구일까요?

민주: 9월에 맑은 날수는 11월에 맑은 날수보다 많아.
영희: 맑은 날수가 두 번째로 많은 달은 10월이야.

(**민주**)

[12~13] 3학년 학생들이 가장 좋아하는 음식을 조사하여 나타낸 표입니다. 물음에 답하세요.

좋아하는 음식별 학생 수

음식	피자	짜장면	김밥	떡볶이	합계
학생 수(명)	12	24	33	21	90

12 표를 보고 그림그래프를 완성하세요.

좋아하는 음식별 학생 수   ◎10명 △1명

음식	학생 수
피자	◎△△
짜장면	◎◎△△△△
김밥	◎◎◎△△△
떡볶이	◎◎△

13 위 12번 그림그래프에 대한 설명 중 옳지 않은 것을 찾아 기호를 쓰세요.

⊙ 가장 많은 학생들이 좋아하는 음식은 김밥입니다.
ⓒ 짜장면을 좋아하는 학생은 떡볶이를 좋아하는 학생보다 적습니다.
ⓒ 짜장면을 좋아하는 학생 수는 피자를 좋아하는 학생 수의 2배입니다.

(ⓒ)

[14~16] 영수네 학교 학생들이 가장 좋아하는 꽃을 조사하여 나타낸 표입니다. 물음에 답하세요.

좋아하는 꽃별 학생 수

꽃	장미	진달래	백합	개나리	합계
학생 수(명)	32	23	45		150

14 장미를 좋아하는 학생은 몇 명일까요?

(**50**)명

15 표를 보고 그림그래프를 완성하세요.

좋아하는 꽃별 학생 수   ◇10명 ○1명

꽃	학생 수
장미	◇◇◇◇◇
진달래	◇◇○○○
백합	◇◇◇◇○○○○○
개나리	◇◇◇◇○○○○○

16 가장 많은 학생들이 좋아하는 꽃을 학교 화단에 심으려고 합니다. 어떤 꽃을 심어야 할까요?

(**장미**)

17 마을별 자동차 수를 조사하여 나타낸 그림그래프입니다. 자동차 수가 풍년 마을보다 적은 마을은 어느 마을일까요?

마을별 자동차 수   🚗10대 🚗1대

마을	자동차 수
행복	🚗🚗
수기	🚗🚗🚗🚗🚗🚗
풍년	🚗🚗🚗🚗
샛별	🚗🚗🚗

(**행복**)마을

18 진호네 모둠 학생들이 1년 동안 읽은 과학책 수를 조사하여 나타낸 그림그래프입니다. 진호네 모둠 학생들이 1년 동안 읽은 과학책은 모두 몇 권일까요?

1년 동안 읽은 과학책 수   ▉10권 ▮1권

이름	과학책 수
진호	▉▉
한수	▉▉▉▉▉▮▮
미주	▉▉▮▮▮
정미	▉▉▉▮▮

(**90**)권

19 마을별로 강아지를 기르는 가구 수를 조사하여 나타낸 그림그래프입니다. 강아지를 기르는 가구 수가 행복 마을에서 기르는 가구 수의 절반인 마을은 어느 마을일까요?

강아지를 기르는 가구 수   🏠10가구 🏠1가구

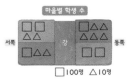

마을	가구 수
소망	🏠🏠🏠🏠
사랑	🏠🏠
행복	🏠🏠🏠🏠
희망	🏠🏠🏠

(**사랑**)마을

20 마을별로 학생 수를 조사하여 나타낸 그림그래프입니다. 강의 동쪽과 서쪽 중 어느 쪽에 사는 학생이 몇 명 더 많을까요?

마을별 학생 수

서쪽 | □□ △△ / △□ △ |강| □□□ △△△ / △△△ △△ / □□ | 동쪽

□100명 △10명

(**동쪽**). (**10**)명

동쪽에 사는 학생: 350명
서쪽에 사는 학생: 340명
350 − 340 = 10(명)

memo